匪我思存
著
樂遊原
下之二
完結篇

第十二章　萬壽

天子這幾日頗有點心神不寧。雖然秦王從長州傳回奏疏，說盧龍節度使、朔北都護，大將軍崔倚因爲病痛，要回洛陽養傷，因此未動兵戈，順利接管長州，奏請留下裴源善後，自己則率鎮西軍班師回朝云云，但是皇帝並沒有覺得太高興。

本來，皇帝最疼愛的齊王李峽進宮說：「父皇，不戰而屈人之兵，那是因爲您德澤深厚，崔倚折服於天子的威嚴，這才交還長州退回洛陽。」哄得天子挺開心的。但不久後，信王李峻進宮，卻說道：「李嶷素來與定勝軍的人勾勾搭搭，收復西長京的時候，您也見過崔倚，最是個眼高於頂的，連君臣之禮都勉勉強強，何況這長州爲兵家必爭之地，他哪裡肯輕易讓出來？想必是李嶷貪功，瞞著父皇您許諾了他什麼，又或是，李嶷本來就與他有什麼勾結，藉機謀取什麼好處。何況崔倚雖然把長州交出來了，自己卻仍舊率大軍回洛陽繼續盤踞，那可是東都！」

東都洛陽，作爲崔倚一同出兵收復西長京的條件，當時被李嶷一力主張讓給了定勝軍。皇帝不願意移駕，還是被李嶷強令人架到金輅之中。每每想到，皇帝就覺得顏面盡失。雖然兩京都是李嶷收復的，但是如今缺了東都洛陽，自己這個天子，做起來還有什麼意思？

這倒也罷了，待得崔倚奏疏送到朝中，不由得上下譁然——原來崔倚只有一個女兒，並沒有兒子。欺君之罪，這是何等的厲害，雖然崔倚在奏疏裡連稱有罪，但天子一看，就知道他不過是文字敷衍罷了。本來就對崔倚不滿，十分想治他的罪，得了這樣一個上好的理由，不免想要大作文章。

但顧衸是個精明實幹之人。在紫宸殿小朝會的時候，天子一透露出這個意思，他就勸諫天子：「細究起來，崔倚確實有欺君之罪，但那是二十年前的舊事，如今既主動上奏認罪，陛下也就體諒一二。何況他已年過五旬，如今天下皆知他並沒有兒子，只得一個女兒，將來定勝軍如何，自然要聽朝中旨意。」

話說到這裡，天子就算再魯鈍，也明白過來。一來崔倚騙的是先帝，又沒騙自己，反倒痛快跟自己認了錯，並沒有傷自己顏面。二來崔倚沒有兒子，後繼無人，即使現在定勝軍對他忠心耿耿，他總有老了死了的一天，到時候不費吹灰之力，朝中便可以收攏定勝軍。這麼一想，倒眞是件好事。

天子高興地對顧衸道：「顧相不愧是朕的股肱之臣啊！」

當下商議定了，應秦王所請，且留下裴源善後。顧衸又建議由吏部另選得力的官員，去接手長州，畢竟那是安南都護府所在。秦王奏疏裡說，因爲屢遭刀兵，田地荒廢得厲害，流民四起，所以要選幾個能幹的官吏，去重振國朝南疆之地。

顧衸又道：「如今長州既復，孫賊又死，俘得孫靖的妻子袁氏和長子，並百越國國王與諸王子，都在長州，不如令秦王帶回京中。算算大軍回程，到京之時，正逢陛下千秋節將近，正好獻俘於太廟，以告列祖列宗。」

皇帝一想，甚是樂意，獻俘太廟，那可是一件風光大事。自己這個天子，到時候坐在興安門上看獻俘，眞是威風八面。再說了，又恰逢自己的生辰，這還是自己登基爲天子後，第一個千秋節呢，藉著獻俘，禮部自可以辦得十分隆重，那可太好了。

所以等顧相出宮後，皇帝也高高興興地回到後宮，對皇后盧氏說道：「顧相眞是難得的能臣。」

盧皇后微笑著接了一句話：「那是自然。」她是世族之女，深知身爲皇后，不宜議論臣子，所以也就只接了這麼一句話，並沒有順著皇帝的話再說什麼。偏皇帝興興頭頭，將崔倚的奏疏當作一樁稀罕事來跟皇后講：「盧龍節度使崔倚，全天下都當他只有一個兒子，結果，妳猜怎麼著?那個兒子竟然不是他的兒子！」

盧皇后果然面露訝色。「不是他的兒子?」

皇帝一拍手，說道：「對，他只有一個女兒，從小充作男孩兒養大，後來又收了個養子，讓那個養子頂著崔琳的名字，定勝軍上下都以爲那養子就是崔公子，所以一直沒露出什麼破綻來。而這個女兒竟然女扮男裝，一直在定勝軍中，聽說還挺有名氣的，叫什麼何校尉。據說收復西長京的時候，這何校尉也上陣殺敵了呢！」

盧皇后笑道：「陛下恩德澤被天下，才會有能人異士輩出，連崔小姐這樣的女郎也能上陣殺敵。也是因爲陛下有堯舜之姿，所以崔倚才會將此事上奏陛下，以期得到陛下的原宥。」

皇帝聽了這番話，本來挺高興的，但想了想，不禁又嘆了口氣，說道：「這個崔倚，在此事上頭分明是欺君，但朝中大臣們都說崔倚如今難以節制，連顧相都勸朕不必計較，反該以皇恩去安撫崔倚，朕轉念一想，忽然有了個好主意！」他看了盧皇后一眼，心中甚是得意，道：「崔倚既然沒有兒子，朕替他過繼一個兒子，這樣他們崔家有人承嗣，將來定勝軍，也可以爲朕所用！」

盧皇后聞言，不由得一愣。「陛下想讓何人去承嗣崔家？」

皇帝心中越發得意，覺得自己考量得甚是周全，便牽起盧皇后的手，說道：「朕來找妳，就是想從妳娘家侄子裡，挑一個過繼給崔家。妳是朕的皇后，而且你們范陽盧氏又是名門望族，皇后的侄子，怎麼也配得上他們崔家的門楣了！」

盧皇后哭笑不得，但面上仍舊不顯，只是柔聲道：「陛下，此事怕是不妥。」

皇帝心想這位新皇后，素來溫婉可人，這可是第一次對自己說「不可」二字，不由奇道：「怎麼，皇后不願意？」

「並非臣妾不願。」盧皇后連忙解釋，「只是陛下且想，崔倚爲盧龍節度使、朔北都護，擁兵十萬，便是妾在閨閣中，亦曾聽說過崔大將軍的威名。這樣的人物，如今又倚仗著定勝軍自踞洛陽，顯然是不服朝廷轄管的。此時陛下善心，想替他選個人承嗣，只怕在他眼裡，陛下這是想收攏他崔家產業，想要定勝軍的軍權。」

皇帝喜道：「沒錯，朕確實是這麼想的，皇后不愧是朕的梓童，真是聰明，一猜就中，但是崔倚怎麼可能猜到朕的用意？」

盧皇后面帶微笑，仍舊柔聲細語，說道：「陛下這主意是極好的，只是崔倚領兵多年，能將女兒充作兒子，教養得文武雙全，聰明伶俐，如今又將此事上奏朝廷，公諸天下，如何會有過繼的打算？又如何，猜不到陛下眞意？」

皇帝不由嘆了口氣，說道：「難道，朕竟要將崔倚的女兒認作義女，封她作公主，等她做了公主，再替她選一個聽話的駙馬，這樣才能收攏崔家的兵馬？」

盧皇后委婉勸道：「崔倚此女，既作男兒養，恐怕也不是等閒人物，就怕她不願做公主。」

皇帝一聽這話，未免動了幾分怒氣。「公主都不願意做，這小女娘還想做什麼？」

盧皇后忙道：「妾只是揣測而已，也未必如此，陛下若有謀畫，不妨遣得力的人，去探探崔家這位大小姐的口風。若她願做公主，陛下再降旨，豈不皆大歡喜？」

皇帝悻悻地道：「不用探了，崔倚這老匹夫！混帳得很！他的女兒，肯定也混帳得很！哼！一家子眼睛長在額角上，哪有這樣的臣子，哪怕她十分樂意，朕也不會封她做公主的！」

盧皇后見皇帝動怒，忙亂以他語，又說到千秋節的事。蓋因天子千秋萬壽，是一件極隆重的事，尤其後宮之中，由皇后操持，內外命婦，都要進宮來給天子賀壽，就連皇后自己，也打算預備壽禮。皇后道：「這是妾與陛下結縭以來，第一個千秋節呢，妾心惶恐，千思萬量，都不知道該預備什麼樣的壽禮，才能配得上陛下。」

因爲這位盧皇后小了皇帝足足二十多歲，且容貌嬌美，性格溫柔，又是世族出身，門第高貴，皇帝甚是喜愛，所以忙道：「梓童的心意，朕素來是知道的，不拘什麼禮物，朕都喜歡。」

且不說盧皇后在這裡哄得皇帝又重新開顏，就是信王府裡，李峻與李崍兩個，也在商議給皇帝獻上什麼壽禮。李崍笑道：「連天下都是父皇的，我們送什麼都不拘罷了。」又道，「只是便宜了老三，他此番率鎮西軍班師回朝，還要獻俘太廟，風光臉面都是他的，都不用額外再預備壽禮了。」

李峻聽到這幾句話，心裡像萬箭穿心一般難受，不由對李崍說：「崍弟，若是朝中要立李嶷為太子，你作何打算？」

李崍怔了一下，說道：「大哥乃是嫡長，朝中如何會要立李嶷為太子，父皇也不會點頭的。」

李峻不由得長嘆一聲，說道：「這次他去長州，誰知那崔倚二話沒說，竟把長州拱手相讓。用你的話說，風光臉面都是他的，回來還要獻俘太廟，我這個嫡長，在軍功面前，又有什麼可值得一提的。」

李崍又出言安慰了半晌，李峻只是唉聲嘆氣罷了。李崍見他如此這般，便笑道：「大哥，其實父皇心裡，你是最要緊的，只要父皇如此想，你還愁什麼呢？」又道，

「就是朝中臣子們，都還是要講禮法的，如果沒有禮法，那豈不是天下大亂了。我看旁的不說，顧相就是個明白人，不至於此。」

李峻隨口道：「如今這世道，禮法還眞難說，眞要說到禮法，那不也輪不到咱們父皇嗎？」他是隨口發牢騷抱怨，但是李崍聽在耳中，不由得心中一動。

李崍在李峻府中消磨了半日，一直到向晚時分，陪著李峻用過晚膳，這才回自己的齊王府，到了第二天，他又特意進宮去。

皇帝其實最疼這個兒子，見他進宮來，自然歡喜。李崍奉上一盒糕點，說道：「這是府裡廚子蒸的，我吃著味道極好，所以又另蒸了一盒，奉與父皇嘗嘗。」

皇帝誇他孝順，說他有一盒糕也會想著自己。當下父子兩個吃茶閒話，皇帝忍不住將自己的煩惱講給齊王聽，說道：「我本來想從皇后的侄子裡選一個，過繼給崔倚，但皇后卻勸我說，崔倚小氣，搞不好以爲朕是要收攏他的家業呢。朕說那要不認他女兒做義女，皇后又說，崔倚的女兒未必願意做公主。我一想也是，崔倚已經十分倨傲，他的女兒又不是照大家閨秀的模子養出來的，只怕更沒規矩，封這樣一個人做公主，反失了朝廷的體面。」又說起東都洛陽如今還被崔倚占據，禁不住煩惱。

李崍笑道：「父皇，兒臣倒有個省事的法子，既可以籠絡崔倚，又不至於將來眞動刀兵，傷了君臣和氣。」

皇帝喜道：「什麼法子？」

李崍道：「那崔倚既只有這個女兒，兒臣尚未娶妻，不如父皇將崔氏女賜婚兒臣，從此之後，崔氏女成了父皇的兒媳婦，崔倚成了皇子的岳父，自然不會再有二心，哪怕叫崔倚退出東都，也是有可能的。」

皇帝不禁拊掌笑道：「妙啊！你這個法子好！很好！」忽又面露憂色，說道，「那個崔氏女，從小允作男子養大，又混跡軍中，不知為人如何，若是相貌醜陋，性情又粗鄙，那豈不大大委屈了你？」

李峴心想，那可是崔倚的女兒，娶她就有了崔家十萬定勝軍，縱然是無鹽嫫母，那也是極其划算，理應甘之如飴。於是慷慨道：「我是父皇的兒子，理應為父皇分憂。籠絡崔家，以免君臣猜忌，原本就是兒臣該做的事情，不論崔氏女相貌如何，性情如何，我都願意娶其為妻，好好待她，讓崔家從此對父皇忠心耿耿！」

皇帝聽了他這般話，感動不已，拉著他的手。「峴兒，我就知道你是最顧全大局的孩子。你放心，將來我一定另外賜幾個美姬給你做孺人，絕不能讓你白白受委屈。」

皇帝越想此事，越覺得可行，第二日散朝之後，就特意單獨留下了顧祄，跟他說了此事。顧祄聽在耳中，心想齊王殿下果然好算計，他也有嫡子的名分，信王不過居長罷了。若是齊王真娶了崔氏女，怕不朝中就不得不立時奏議立他為東宮太子，以牽制崔倚，但他面上只是不動聲色，笑道：「陛下覺得，崔氏女堪配齊王？」

皇帝挺不以為然的。「老實說，朕覺得崔倚的女兒，肯定配不上齊王。但沒辦法，誰教齊王是朕的兒子呢，只能委屈他了。齊王也十分識大體，說，不會計較，定然會與那崔氏女舉案齊眉。」

顧衸道：「陛下聖明，不過，崔倚是一介武夫，他們武人，性情粗鄙狷狂，養的女兒，未免貽笑大方。」

皇帝悻悻地道：「可不是嘛！」嘆了口氣，說，「朕想著，只能等他們成親後，再賜齊王幾個美貌的姬妾了。」顧衸又道：「崔倚這種武夫，一言不合，便會發作，陛下想要賜婚，雖然是天大的恩賜，也是陛下賞他們崔家臉面，但我擔憂，這萬一崔倚不識抬舉，豈不尷尬了？」他這話卻是與前日盧皇后說的話差不多，皆是婉轉相勸的意思。

皇帝卻是萬萬沒想到，不由得一愣。「崔倚會不想把女兒嫁給齊王？齊王那麼好的孩子，又是朕的兒子，誰不想把女兒嫁給他！」

顧衸說道：「武夫莽撞，崔倚脾氣也古怪，不能以常理度之。」稍頓了頓，又說，「陛下，臣覺得，若爲萬全之策，不如在賜婚之前，先不聲張，悄悄遣了心腹內侍，去向崔倚透露陛下有此意。若是崔倚歡天喜地，感恩莫名，陛下再下旨賜婚，君臣相得，豈不傳爲美談？」

皇帝本來覺得此舉甚是穩妥，但轉念一想，忽又猶豫起來。

「那……那萬一崔倚眞不識抬舉，怎麼辦？」

顧衸知道他是怕被崔倚眞的拒婚，失了顏面，便正色道：「陛下是君，崔倚是臣，陛下若眞想結這門親事，一道旨意賜婚罷了，難道崔倚還敢抗旨不成？若是崔倚不識抬舉，自然陛下也立時改主意了，不想結這門親了，此事便作罷。」

他知道這位陛下不太能聽懂那些含蓄之言，所以說得甚是直白。饒是如此，皇帝還是想了一想，才明白過來，說道：「對，對，卿說得對，他要是不識抬舉，難道朕還巴著想結這門親嗎？難道朕的齊王，就非要娶他女兒嗎？此事自然是作罷。」

待得從宮裡出來，顧祄不禁搖頭嘆息，心想那位齊王殿下，可真是野心勃勃，偏他又得皇帝私愛。而信王占了嫡長名分，為人卻是刻薄小氣，糊塗多疑，非人君氣象。再說，那不還有一位秦王殿下，戰功赫赫，偏生母出身低微，他又以戰功得封秦王，位在諸王之上，將來，只怕……一旦議立東宮，這儲位之爭，可真會是腥風血雨啊。

他嘆了口氣，心中煩惱無限。時值仲春，正是春意盎然，御街旁垂柳依依，碧綠如絛，拂得御溝水面，點點漣漪。坊間人家牆內開得一樹桃花，燦若雲霞，映得粉垣朱杜，分外好看。

路旁一樹一樹的野杏花，引得無數蜂蝶鬧鬧嚷嚷。春日裡行道，從南境越往北走，卻是越見春意繁盛。長州的杏花早就謝了，這山野之中，野杏花卻剛剛盛開。因為是班師回朝，所以鎮西軍離開長州之後，行得不快，後來接到朝中傳來的旨意，要趕在千秋節前回京獻俘，大軍行進的速度才提了起來。本來定勝軍先撤出長州返回洛陽，結果翻過長嶺之後，被後發好幾天的鎮西軍追上了。

「個奶奶的腿！」張剬如何能忍得，尤其看到鎮西軍的老鮑，身後跟著黃有義、趙有德等人，趾高氣昂從自己身邊策馬跑過去，就像一陣風似的，馬蹄激起陣陣煙塵，嗆了他一臉土。

張剼氣急敗壞。要說騎兵，那定勝軍的騎兵，號稱天下無雙，鎭西軍的這幫兵油子，當眞是太歲頭上動土。

於是當鎭西軍打尖歇息、坐下來吃乾糧的時候，只見遠處煙塵大起，旋即那天下無雙的定勝軍重騎就出現在了鎭西軍面前，整齊劃一，蹄聲隆隆，連鎭西軍的炊夫們剛架在柴堆上鍋裡的水，都快被震得蕩出來了。

謝長耳瞠目結舌，看著太陽底下，旗幟鮮明，盔甲鋥亮的定勝軍，不禁扭頭問道：「他們爲什麼行軍還要著甲？前方有敵人？」

「有什麼敵人？燒包唄！」老鮑瞇著眼睛，看著那迎風招展的「定勝」旗號，還有整齊如雲的鎧甲，以及馬背上得意洋洋的張剼，忽然大叫一聲：「趙六！」

趙六麻利地出現在老鮑面前，嘴裡還咬著半拉乾糧餅子，含糊道：「在！」

「把殿下的大纛打出來。」老鮑說道。

「啊？」趙六一時不解。秦王位在諸王之上，是有一面纛旗的，但李嶷不愛張揚，在軍中只用戎旃。此番既是奉旨出征，纛旗自然也是帶了來的，但是上陣的時候都沒亮出來，怎麼班師回朝行軍途中，卻忽然要用纛旗？

「叫你打就打出來。」老鮑瞇著眼睛，看著源源不斷從鎭西軍身邊揚長而過的定勝軍，罵道，「這群孫子，不給他們點顏色看看，土都要踢進我們鍋裡去了。」

趙六頓時明白過來，一下子將餅子塞進嘴裡，在衣襟上擦了擦手，扭頭從隨身背著的箱子裡取出那面特賜的織金繡龍的大纛，並另有幾面旗幟，帶著幾名儀兵一起，綁上旗杆。

巨大的纛旗在風中展揚開來，上面碩大一個「秦」字，四周金龍盤繞，張牙舞爪，極是威猛。這纛旗幾與天子的纛旃規制相似，一展開來，旆帶飛揚，金光燦燦，光照奪目。更有各色旗幟一起展開，如李嶷此次領的「嶺南道大都督」等等諸多名頭，簇擁著這面大纛，教人想不看見都難。

張剸都已經跑出了一箭之地，這才扭頭回望，本來是想要好好瞧瞧鎮西軍的窩囊模樣，以報那日長州城被罵縮頭烏龜之仇，沒想到這一望不打緊，鎮西軍竟然把秦王的大纛給打出來了，在春日暖洋下金光燦燦，想假裝看不見都不行。

「將軍，怎麼辦？」麾下的幾名郎將，惴惴不安地問。他們都是積年的軍中行伍，可太知道這面大纛的意義了。

張剸氣得雙眼發紅，過了好半晌，才從牙縫裡擠出兩個字：「無恥！」

確實無恥，但是……郎將們面面相覷，這能裝成沒看見嗎？

張剸委屈萬分，說道：「下馬！」

定勝軍只能齊刷刷停下來，下馬掩旗，避在道旁，恭恭敬敬，好讓打著秦王纛旗的鎮西軍過去。這面秦王纛旗，於國朝闔軍上下，爲統帥之旗，凡是國朝之軍，見到這面纛旗，都得下馬掩旗避讓。因爲當初太宗爲秦王時，身兼天下兵馬大元帥之職，是實質上國朝的三軍統帥，所以才有這樣成規的軍中之禮。

張剴心裡快慪屈死了，可是所有人入軍伍的第一天，新卒受訓的第一件事，就是將闔軍旗幟認得清楚，各種旗語背得滾瓜爛熟。這認旗教規矩的頭一樁就是，見到秦王的纛旗該如何行禮，縱然國朝百來年了，不曾再有過一位秦王殿下，不過各部軍中，仍將這纛旗仔仔細細畫了樣子，教所有新卒認得清楚明白，牢牢記在心裡。闔軍上下，從新卒到將帥，都知道這麼一條規矩，就連節度使崔倚，論禮如果見到這面纛旗，也得下馬。

這叫什麼事啊！張剴挽著馬轠，避在道旁的時候，委屈得眼淚都快掉出來了。一看見這面纛旗，就得跟孫子似的，等鎮西軍吃過了乾糧，喝足了熱水，再從定勝軍讓出的大路上揚長而過。

李嶷本來沒留意，越過長嶺之後，因爲鎮西軍追上了定勝軍，所以他特意趕上前去拜望了崔倚。崔倚自從中毒之後，雖然悉心調養，到底有幾分虧耗，因此長途行軍時，沒有騎馬，而是坐車。他陪崔倚在車上說了一會兒話，又從車裡出來，重新上馬，跟車旁的阿螢並駕齊驅。定勝軍要歸洛陽，鎮西軍要回西長京，此時兩軍還有好幾百里路可以一起走，因此他甚是歡喜。

「晚上烤魚給妳吃。」他說道，「這春天的魚，好捉。」

她笑了一聲，說：「晚上我有事。」

「妳答應了以後常常洗碗給我看的。」他忽然說了句話，她不禁想起當時在洛陽城外的農家裡，他做飯給自己吃的種種情形，忍不住甜蜜一笑。

李嶷與她約好了晚上相會，心滿意足調轉馬頭，回歸軍中，還沒走到一半，忽然發現定勝軍後軍一部停了下來，偃旗息鼓避在道旁。他心中奇怪，舉目一望，只見不遠處一面大纛迎風招展，大太陽底下甚是顯眼，正是自己的秦王纛旗。

「收起來收起來！」老鮑遠遠看見李嶷策馬回來了，趕緊跟趙六說，但這麼大的纛旗，捲起不易，還沒收到一半呢，李嶷早就已經馳馬到了跟前。

「怎麼把纛旗打出來了？」秦王殿下的臉色不太好看，趙六有些心虛，但是主帥問話，也不能不答啊，還沒等他說話，老鮑已經嘿嘿一笑，解釋說：「這南邊的春天，潮得很，前一陣子天天下雨，太潮了，這纛旗上頭又都綴著犛牛尾，發霉了不好，被蟲蛀了也不好，所以拿出來曬曬，曬曬！」

李嶷都懶得聽他胡扯。「收起來！」

趙六忙著將纛旗收起來，李嶷正待要說話，忽然只見一騎由北飛馳而來，他目力好，已經看清馬上之人身上負著竹筒，竹筒旁邊露出長長的雉尾，便知道八成是京裡有要緊的消息傳來。

果然騎手一見了他，立刻滾下馬鞍，氣喘吁吁地行禮，叫了聲：「殿下。」就解開背上的竹筒，雙手奉上。

謝長耳連忙接過去，李嶷一看，火漆是中書省封的，說明不是軍情，但竹筒封了雉尾，每天得換馬不換人遞出兩百里，用這種跑死馬的法子傳書來，又不是軍情，殊為特異。老鮑早就給信使遞上水囊，信使咕咚咕咚一口氣喝了半袋水，這才脫力，身子一歪，癱坐在了地上。黃有義等人忙上前將他架住，扶到一旁去，又給他盛了熱水和乾糧。

等看完信，李嶷的眉毛不由得皺了起來，知道須得盡快趕回西長京，但算來算去，還需頗多時日，甚至，比來時更慢。

因為李嶷出京的時候，心下憂急，又有裴湛在戶部，由他主張，並沒有由兵部從西長京給予糧草補給，而是直接由沿途州縣的太平倉，直接給予糧草，回頭由戶部從租庸調一併折算，所以來時行軍極快，因為軍務緊急，是特例，回程卻沒有這般特例了。

李嶷很快想到了辦法，他吩咐謝長耳：「把纛旗打出來。」

謝長耳不由得怔了一下，但立時去向掌旗的趙六傳令。

原來李嶷雖是嶺南道大都督，但除了嶺南全域之外，不向朝中請旨，是無法直接命令沿途州縣直接給予糧草補給的。不過太宗為秦王時曾兼任天下兵馬大元帥和行台尚書令，憑藉這面纛旗，是有權力調配天下所有州縣的糧草的——雖然百年來，再也沒有人動用過這項權力，而且傳回京中之後，必然會朝議沸然，實實過於張揚跋扈了。

不過，事急從權，趙六得到命令，立時就將剛解下來的纛旗重新又展開。老鮑剛安置好信使，一轉臉看見這情形，不由得笑嘻嘻地問：「怎麼啦？又要把旗幟打起來，咱們是要追上定勝軍搶親去嗎？」

「殿下要全力行軍了。」謝長耳匆匆只說了一句話，就認鐙上馬，他還有很多軍令要傳，尤其要派人去前頭的州縣。對各州縣而言，大軍過境，那可不是簡單的事情，要提前預備好多事物。

老鮑知道必有緣故，何況剛才眼見京裡剛傳了書信來，想必是有什麼要緊事。

這纛旗剛才自己就不該打出來，沒得提醒了他，老鮑有點懊悔。全力行軍這四個字說起來輕飄飄，但他全身骨頭都疼。上次范醫正說他臟腑有傷，還叮囑他不可使力打仗，當時他不以爲意，這次從京裡出來，雖然李嶷知道他有內傷，攔著沒讓他上陣，但是他也沒想到急行軍的時候，自己竟然會骨頭疼。

眞的是老了啊。老鮑心裡那點感慨，就像路邊杏花樹下的雀兒，一瞬間就飛走了。因爲鎭西軍全軍得令，立時結束了休整，開始了全力行軍。

總不能掉隊，教黃有義那些兄弟們笑話吧。老鮑在馬股上抽了一鞭，跟著大隊疾馳起來，都沒留意路邊張剬不忿的臉色。

秦王班師回朝，全力行軍，嶺南以北各州郡在秦王的要求下，給予糧草補給，自然是人人側目，甚至頗令朝中不安。但皇帝縱然想要斥責秦王跋扈，然而細究起來，李嶷是有這樣權力的，且頗有成例可循，連那些最聒噪的文官都無法置喙，雖然是百年前的成例，但那也是國朝的成例。何況秦王還特意遣了快馬，入京向皇帝奏報此事，解釋是怕行軍遲緩趕不上千秋節。

哪怕滿朝文武都心知肚明，秦王不是怕趕不上千秋節，然而這個冠冕堂皇的理由說出來，還眞令人無法反駁，總不能公然質疑秦王的一片孝心吧。

就連顧祄，也忍不住對顧婉娘道：「秦王這個人，我原以爲他只擅武略，沒想到當此朝局之事，也穩妥老辣得很啊。」

誰知顧祄剛誇了秦王沒兩天，秦王就做出另一件令朝野側目的事情來。全力行軍的秦王趕到嶽州，發現舟車斷絕，一問，原來嶽州山間竟然發現了一頭白老虎，這可是了不得的祥瑞，何況天子萬壽將近，岳州府尹乃是齊王的門人，當下連忙將此事上奏。齊王又從旁邊大拍特拍皇帝馬屁，什麼盛世現祥瑞，吉兆太平天子等等諸如此類的話，皇帝果然龍顏大悅，命嶽州速速將這個祥瑞趕緊送進京來。岳州府尹得了聖諭，頓時全力以赴，調集了闔州的民夫船隻，修路搭橋，要將這白老虎熱熱鬧鬧地送進西長京，呈給天子，所以導致秦王大軍過境的時候，竟然因爲此事被阻礙耽擱了。

秦王聽說了此事，倒也沒惱，就說要看看這難得的祥瑞，岳州府尹自然誠惶誠恐，將這位秦王殿下請到了虎籠前面。

只見那隻白虎身長丈餘，全身白毛，皮毛鋥亮，在籠中不斷低嘯，果然是凜凜一頭猛獸。

「把牠放出來。」秦王見著這麼一頭猛獸，卻連眉毛都沒有抬一下。

府尹嚇壞了，連聲音都顫抖結巴了：「殿……下……」心想這位殿下可眞和齊王殿下太不一樣了。

還沒容他思忖，旁邊的老鮑見狀，早上前一步，喝道：「秦王殿下在軍中令出必行，怎麼，你打算不遵殿下鈞令？」

秦王一路都擺出了那面金光燦燦的纛旗，他不僅僅有權力調用天下州縣的糧草，還有權力以貽誤軍機的名義，懲治所有州縣的官員，先斬後奏。眼見這麼一頂大帽子扣下來，府尹嚇得連忙解釋：「不是不是，我只怕猛獸危險，傷了殿下貴體。」

「笑話，殿下在千軍萬馬前也不曾後退半步，一隻畜生而已，你這是質疑殿下膽小無能嗎？」老鮑胡攪蠻纏起來，無人能及。府尹無奈，只得立時令人打開了虎籠。那隻白虎見籠門打開，遲疑片刻，步出虎籠，踱行兩步，張開血盆大口，長嘯一聲，直嘯得林間草木簌簌，好似山搖地動一般，嚇得府尹只想拔腿就跑，奈何那位尊貴無比的秦王殿下站在那裡，真的半步都不退，好像出籠的不是什麼猛虎，而是一隻大貓。府尹兩股戰戰，心道這位殿下不怕死，可是他還不想死啊，只是殿下在此，自己若是跑了，回頭自己仍舊是個死罷了。只在心中千祈萬求那白虎不要傷人，哪怕跑了祥瑞，自己要被治罪呢。但那畜生哪理會他所思所想，長嘯之後，見四周站著好些人，頓時後足一蹬，騰空而起，徑直撲向了離牠最近的李嶷。

當白虎騰空撲起的時候，府尹心中閃念便是完了……他本能地身子一軟，往後跌倒，還沒等他跌在地上，只見眼前一花，似有一道白光，原來是秦王拔劍了。只見秦王輕描淡寫地一揮，白虎哀號一聲，從半空中摔落，鮮血噴湧滿地狼藉。原來秦王這一刺，竟然從頭到尾，正正將白虎肚皮劃開，白虎內臟全都掉了出來，重重摔在地上，旋即斷氣。

這一切不過轉瞬間的事，李嶷一刺之後便閃身讓過白虎這一撲，所以衣袍上竟連虎血都沒沾染上半分，只不過春日陽光下，他手中垂下雪亮的劍鋒，兀自滴滴答答，往下滴落著老虎的血罷了。

府尹嚇得癱軟在地，哭也哭不出來。李嶷見白虎死了，便吩咐左右：「剝下虎皮，送進京去，給父皇做一條白虎皮褥子，我看墊在紫宸殿御座上，大小正合適。」

府尹聽了這話，越發欲哭無淚，這位秦王殿下是把白虎這麼稀罕的祥瑞給殺了，可是人家也說了，要給他父皇做條褥子，還說墊在紫宸殿御座上大小正合適。聽聽這話，自己哪怕承蒙齊王殿下關照，將來混得再好，頂格也就是入京做個三品的侍郎，都沒資格進紫宸殿參與小朝會，這輩子只怕也沒機會瞅見紫宸殿御座是什麼樣子，但秦王殿下就輕描淡寫地說，大小正合適。

得，自己還摻和什麼啊，老老實實按照秦王殿下的吩咐去辦吧。

秦王在嶽州殺了白虎，等到了襄州，又幹了一件轟動的事。

襄州刺史董進，是先皇后董娘娘的親侄子，也就是信王殿下的表弟。董家雖是襄州望族，奈何早就已經沒落，近三代都沒有什麼有出息的子弟，幸得梁王如今已經登基爲帝。董皇后雖然早就病逝，但董氏乃是信王嫡親的外家，信王嫡長，乃是未來的東宮，因此董家上下彈冠相慶。信王雖然知道這個表弟沒什麼本事，但他極是聽話，從小就會奉承自己，所以給表弟謀了襄州刺史這麼一個要緊的官職。

董進感恩圖報，知道信王正在爲千秋節獻什麼壽禮發愁，因此靈機一動，想到了一個主意，竟然花了天價，從涼州淘換到三百匹西域來的大宛馬。這三百匹馬高大神駿不說，董進又找到了之前先帝時御馬閒的人，將這些馬匹精心調教，要教成會隨著奏樂舞蹈的舞馬。

因為淘換了這三百匹馬，花了無數銀錢，自是要額外添加賦稅，還有各種名目的徭役。更有酷吏上下其手，從中盤剝，一會兒要交馬匹的草料，強令割了田地裡還沒抽穗的青麥，一會兒又說要攤派餵養御馬，硬搶走農人留作種子的豆子。一時闔州百姓苦不堪言，但是稍加反抗，就被扣上欺君大罪，上了枷鎖，被鞭子抽著去割自己地裡的青麥餵馬，或是被迫拿錢贖買；贖買之錢又被層層盤剝，竟有流離失所賣兒鬻女者。

秦王本來是路過襄州，董進還十分恭敬地設下宴席，款待這位秦王殿下，結果還沒開宴，秦王竟然帶進來一群面黃肌瘦的流民，個個都是因為獻馬之事家破人亡的。

董進瞠目結舌，都沒來得及辯解，就被這位秦王殿下下令，一索子拿了，遞解進京，讓吏部審問明白好治他的罪。

別人不說，信王聞訊，氣得立時就摔了茶盞。董進可是自己的嫡親表弟，秦王此舉，就是剝自己面皮，打自己耳光。再說了，他一個班師回朝的嶺南道行軍大總管，有什麼資格鎖拿襄州刺史？這簡直就是無法無天！信王殿下憋了一肚子氣，立時就要進宮去在皇帝面前參奏，被楊鶇一力勸阻，說道：「如今董刺史還沒到京城，不知事情到底因何緣由首尾，再說了，秦王殿下就是以貽誤軍機的名頭，當場把董刺史殺了，也是合禮有成例的，殿下又如何能去御前分說？」

信王氣得急了，脫口說：「當初就不應該攛掇父皇封他為秦王。」

原來信王當初不知聽了何人之言，暗戳戳想來一齣「鄭伯克段於鄢」，所以才攛掇皇帝直接下旨將李嶷封作秦王。沒想到陰差陽錯，李嶷竟然大剌剌接受了秦王之封，可謂搬起石頭砸了自己的腳。這倒也罷了，竟忘了秦王這個王爵除了名義上在諸王之上，還有著異乎尋常的種種特權。

不提信王悔之不及，總之秦王殿下還沒進京，劍殺白虎，鎖拿刺史，朝野之間，都已經被震驚了好幾回。

等到秦王殿下率著大軍，緊趕慢趕，以出乎所有人意料的驚人速度，趕到了距離西長京不遠的蓋州時，禮部尚書偏又在朝會之中，提出了一個問題：「秦王出征凱旋，即將獻俘太廟，禮應由百官郊迎。」

這下子如同沸油鍋裡傾水，頓時就炸了。禮部說，素有成例，喏，當初太宗為秦王時凱旋，天子不僅令諸王、百官郊迎，還許用天子的纛旓和鼓吹。

這下子連皇帝都不幹了。李峽機警，唯恐天子說出什麼失體統的話，連忙說道：「三弟尚且年輕，莫要驕縱壞了秦王。」這倒是個合適的理由，皇帝馬上也轉過彎來，連連點頭。「是的，不能太驕縱了他。」

禮部尚書此時不過被授意出面作試探而已，便也順坡下驢，議定了只令百官相迎，別的恩遇就暫且先不提。果然令百官郊迎的旨意先透給秦王，秦王立刻上奏堅辭不肯。皇帝也順水推舟，將此事作罷。

縱然沒有百官郊迎，但秦王入京的時候，仍舊轟動一時。當日收復西長京的時候還在打仗，京中百姓惶惶不安，哪敢出頭探望，如今孫逆被平，京中漸漸又恢復從前的太平盛景，行商往來，人口繁盛。都中故俗最喜繁華熱鬧，每年春時看牡丹都能擠死人，何況如今秦王班師凱旋。尤其城裡那些年輕的小娘子們，說那可是秦王，收復兩京平定天下的英雄，如今也才不過二十二歲，這樣的人物，都說是天上的七殺星下凡；又聽說長得是英俊非凡，有龍鳳之姿，不親眼看一看，哪裡還能忍得住？提前兩日，便有無數人在承天門之外的長街沿線，用竹床長凳等物占位置；更有那等富貴人家，十分豪奢地出重金賃下沿街商舖的雅間靜閣，預備讓女眷來觀看此等盛景。等到了秦王入城的那一日，長街兩側更是一早就壅塞得水泄不通，太平、萬年兩縣的差役自是遠不敷用，京兆尹提前數日就奏請調動左右羽林衛，才勉強維持出個秩序來。

等到秦王入城，長街兩側早就歡呼聲雷動，裡三層外三層。很多人站在凳子上，爬到樹上，也看不到什麼，只聽得鎧甲聲震天，馬蹄隆隆，眼見旗幟如雲，兵卒如同長河般湧來，連綿不絕。

話說承天門外這麼熱鬧，位於崇仁坊內的顧家宅子裡，顧祄卻與女兒顧婉娘正在窗下對弈。

這裡離被稱為「御街」的長街不遠，即使是這般深宅大院，也能隱隱約約聽到街上的歡呼聲，可見必定是歡聲雷動，不知有多麼熱鬧。

顧衸不由笑道：「今日滿京都的女兒家，只怕都湧到街頭看秦王率著大軍凱旋，皆說秦王眞是英武無儔，威風凜凜。」

顧婉娘不由一笑，手裡挾著一顆棋子，望著棋局，似在思忖何處落子，道：「說起來，殿下近日所作所爲，頗令婉娘覺得有幾分琢磨不透。」她道，「殿下本是個不愛張揚的人，爲何突然用了纛旗？還在岳州殺了白虎，又在襄州索拿了董進，令上下矚目。」

顧衸道：「那自然是與那件大事有關。」

他說的那件大事，卻是那封由中書省向秦王發出的急報，也就是秦王看到那封急報之後，就不惜亮出纛旗，披星戴月，日夜兼程，趕回京城的緣由。

只因二月底的時候，忽然有從前東宮先太子的內侍，帶著一名孩童，直接在承天門外伏闕，聲稱當初雲氅將軍韓暢爲了引開敵人，匆忙間將太孫託付於己，如今孫賊已死，天下平靖，韓將軍也不知所蹤，自己思量再三，特奉太孫以歸。

這下子可眞是震驚朝野。

這個內侍，宮中也還有人認得，說確實是從前曾經侍奉過先太子的舊人，名喚高選，至於那名孩童，看上去年紀大小與太孫一樣，相貌也依稀相似，身上還帶著故太子的一枚私印。

饒是如此，還是令人覺得疑竇重重。首先是侍奉先太子的近侍都已經被孫靖殺了；這個高選，之前雖然侍奉過太子，但後來犯錯被貶去掖庭，宮變的時候不知所蹤，誰也不清楚他到底去了哪裡。其次當初韓暢帶著太孫逃走，身邊還頗有幾名忠勇之士追隨，如何韓暢將太孫託付給一個手無縛雞之力的高選，而這些人一個也不見？

當然那高選另有一番說辭，只說當時危難，孫賊身邊的叛賊熟知韓暢樣貌，所以韓暢怕連累太孫，就把太孫託付給自己，韓將軍則帶人引開追兵。而自己後來帶著太孫小心隱匿多日，又輾轉回鄉，鄉鄰問起這孩子，便說是自己從京中買來的小童，作螟蛉義子。鄉人皆知他是內官，略有積蓄的內官收義子將來好給自己養老，比比皆是，便不以爲疑。等到孫叛被平，他見天下太平，聖天子登基，這才帶著太孫回來。

一番話，倒是合情合理。但太孫的生母，包括曾經侍奉過太孫的乳母等人，都在宮變中被殺。太孫的嫡母，先太子妃蕭氏，變節後與孫賊苟且，收復西長京後就不知所蹤，說不定也是羞愧自盡了。與太孫略熟識的諸王、諸王孫，早就被孫靖殺了，就連皇帝本人，也就是梁王當年，壓根就只見過這位太孫兩三次，還是在宮宴之中遙遙望見，孩童樣貌變化又快，這個孩子到底是不是太孫，一時真沒有人能認得清楚，說得明白。

而且，說到底，所謂太孫只是先太子的長子，如今天子已經登基，這位太孫的處境，就十分微妙和尷尬了。

但高選既然送了太孫回來，朝中就不能不辨別，也因此，由顧祄主張，中書省立時向遠在南境的秦王，發出了最快的急報。果然秦王在接到急報之後，立時全力趕了回來。

此刻顧衸聽到女兒如此疑慮，伸手拿掉了棋枰上被自己吃掉的幾枚白子，說道：「秦王是個狷介的人，素來不貪圖什麼虛名，也不在乎朝野之中自己的名聲。他知道太孫回朝，只怕立時就會有人蠢蠢欲動，搞不好，還有人爲了討好信王、齊王兩位殿下，做出什麼……大逆不道的事情來。所以他不僅全力趕回來，還亮出了秦王的纛旗，而且在途中殺白虎、索拿董進，大削信王與齊王的面子，引得朝野議論。太孫的事，也沒那麼多人矚目了，暫且仍舊是擱置著，況且……爲父的本意，也是覺得，這事須得秦王殿下回來後，再辨別太孫的眞假。」

顧婉娘沒想到李嶷這麼張狂，原來還有這一層用意，她不由問道：「那這太孫，到底是眞的，還是假的呢？」

顧衸一笑，甚是輕鬆。「秦王殿下說他是眞的，那他就是眞的，秦王殿下若說他是假的，那他就是假的。」

李嶷在入京之前的數日，已經知道了這太孫的眞假。

他接到中書省的急信後，思忖再三，還是如實告訴了阿螢，也就是崔琳。她當時吃了一驚，旋即道：「殿下將這麼要緊的事告訴我，不怕我趁隙作亂嗎？」

他本來心下略有幾分憂慮，聽了這句話，反倒笑了。「你們定勝軍在京裡有那麼多明哨暗探，京裡有什麼風吹草動，必然急傳給妳。內侍帶太孫伏闕這麼大的事，最晚妳明天就知道了，有什麼可隱瞞的。」

她不由得嗔了他一眼，說道：「那你就沒在洛陽放明哨暗探嗎？」

他說：「我眞沒有，畢竟我又不想著趁隙作亂。」

這話就太招人討厭了。這人就是這樣，說正事的時候，有時候說著說著，就開始與她鬥嘴了。

「那這太孫是眞的還是假的？」她也有幾分好奇。

李嶷的憂慮正在此處，他不禁喟然長嘆，十分苦惱。「我不知道。」

先太子妃蕭氏身中劇毒，後來雖然被救治過來，但很長一段時間，都奄奄一息，還是崔琳心細，帶著桃子精心照料，好容易才緩過來，漸漸康復，蕭氏便自求出家爲道。

那時候李嶷剛接手西長京的防務，正忙得恨不得三頭六臂，饒是如此，還是騰出工夫，親自給她選了一座道觀，名曰清雲觀。那所道觀雖在山間，極是清幽，但距離西長京也不算太遠，快馬三日可至，山下也有集鎭，諸物不缺。

李嶷還要另遣人手護衛，蕭氏婉拒道：「妾如今唯差一死，出家清修，已是偷生，何以用護衛？」

李嶷這才作罷。

蕭氏出家爲道的時候，確實是萬念俱灰的樣子，所以這個太孫到底是眞是假，是韓暢做了主張，還是什麼緣故，他眞的不知。

崔琳行事是極乾脆的，說道：「你既然要盡快趕回京去，左右也順路，我陪你一起，去請問一下蕭眞人，便知道太孫的眞假了。」

因蕭氏已經出家爲道，所以她稱蕭氏爲蕭眞人。於是她仍舊作軍中裝束，卻是與李嶷一起，朝夕行路，得至朝中議論要不要百官郊迎秦王的那一日，她與李嶷正好到了清雲觀的山腳下。

李嶷與她離開大隊，騎馬奔到山間，此刻要上山了。崔琳猶豫片刻，忽然對李嶷道：「十七郎，我有幾句話，想和你說。」

她很少這般鄭重其事，他不由微感意外，問道：「什麼話？」

「如果太孫是假的，你作如何打算？如果太孫是眞的，你又作如何打算？」

李嶷坦誠相告，說道：「如果太孫是假的，自然要想法子說服蕭眞人，迎眞太孫回朝。如果太孫是眞的，那自是一樁大喜事，我要勸父皇，立太孫爲太子。」

夕陽西斜，風吹起她的鬢髮，也吹動春日晚間的山林，樹木繁茂。倦鳥正自歸巢，夕陽下，一群群盤旋在樹梢。春日裡日落得晚，因爲趕路，她身上未免有風塵僕僕之色，但是在夕陽的映襯下，她的眸子仍舊明亮如星。她望著他，問：「其實有句話，我早就想問你了，你爲何做如此想？爲什麼一直想要讓陛下立太孫爲太子？」

李嶷道：「太孫乃是正統……而且，我的兩位兄長，都不宜爲儲君。」

這是顯而易見之事，她也就坦誠地問：「你想不想爲東宮太子？」

這是她和他，第一次說到這個話題。普天之下，也唯有她會這麼問他。

他十分乾脆地說道：「我不想。」

她說道：「你的兩位兄長皆不宜爲儲，太孫……」她改口換了稱呼，「李玄澤年紀幼小，且昔日宮變事起倉促。先帝生前，並未冊立其爲太孫，不過他是太子的長子，太子殉國，諸師勤王之時，他確也有此名分。但如果此時陛下立李玄澤爲太子，如小兒懷赤金行於鬧市，信王齊王，焉可干休？懷璧其罪也。」

李嶷很認眞地說：「我會保護好太孫，我會派最得力的人，或者，我親自任東宮太傅，可用裴源爲東宮詹事。」

她不由得笑了一聲。「殿下可眞是想得周全。」

他聽出她話語中淡淡的譏諷之意，說道：「那依妳之見，該當如何？」

她道：「太孫年幼，資質如何？天分如何？如果他長大了，是一個庸才，如何能執掌天下?!」他不由正色道：「太孫是天下正統，名正而言順。就算太孫還年幼，但有群臣可以輔佐他，悉心教導他！」

她忍不住冷冷相譏：「你有沒有想過，如果太孫眞的被立爲太子，會掀起何等波瀾？朝中群臣會不會各有所恃，你的兩位兄長，會讓他活到成年嗎？你就算傾盡全力保護，百密一疏，到時候如之奈何？」

李嶷終於忍不住說道：「其實，妳就是覺得我應該去爭那個儲位！」

她點點頭。

「不錯，你才是最合適做未來天下之主的人，你寬厚，仁慈，心中有大愛，會憐憫黎民百姓。你軍功赫赫，擅於掌兵，東西兩都是你收復的，戰亂是你平定的，你如果被立爲太子，群臣不會不服。朝中再沒有了紛爭，你也會讓天下百姓，過上好日子。你是一個當仁不讓的好君主，如果你繼位做皇帝，未來幾十年，都將是太平盛世。」

他沉默了片刻。「我不願意。」他握住她的手，叫了一聲她的名字，「阿螢，妳有沒有想過我們的將來？」她不禁微微一怔，他的手指是溫暖的，有力的，但他的話語中，有幾分淡淡的無奈。「阿螢，將來妳我必然是要成親的，如果我為太子，妳為太子妃，朝野上下，絕不能容許太子妃手握定勝軍，到了彼時，妳我又如何自處？如果我為秦王，輔佐太孫，終有一日，我是可以辭去王爵，回牢蘭關去戍邊，那時候，妳我何等地逍遙快活。便是我不回去牢蘭關，跟妳回去營州，也是一樣逍遙，等到將來遠離朝中，遠離紛爭，那不好嗎？」

他語氣極為誠懇，她聽在耳中，也不禁有幾分感動，只是默不作聲，過了片刻之後，說道：「倘若有一日，朝中令你來征滅定勝軍，殺了我，殺了我阿爹，你會如何？」

他怔了一怔，說道：「阿螢，我是絕不會聽從這樣的命令。」

「在相識之初，你和我，就因為該當救一人，還是當救天下，有過爭執。」她說道，「如今也不說救一人，還是救天下，你剛才說到，絕不會聽從這樣的命令，倚仗的是什麼？倚仗的是自己是戰功赫赫的秦王。只有自己強大了，才能保護自己，保護家人，保護所愛。」她抬起馬鞭，指了指遙遠的虛空。「秦王纛旗，為統帥之旗，三軍見之，莫不聽令。天下所有的州縣糧草，皆可調給，天下所有的州縣官吏，都可以殺之。這就是權力。你可以不聽朝中之令，是因為你手握權力，手握權力之人，一言可決千萬人生死。而東宮，不，不僅僅是東宮，不論誰爲天子，都是容不下這樣一個秦王的。」她注視著他的雙眼，「哪怕你眞的稱心如願，輔佐太孫平安長大，等到太孫登基，你以爲你可以平安回到牢蘭關嗎？這世上就不會有人因爲你還活著，還擁有這樣無上的權力，而不得安枕？」

他也不禁沉默了片刻，過了許久，方才說道：「阿螢，玄澤還年幼，所以我才想好好地延請名師，教導他，輔佐他，這就像從小養一棵樹，好生照料，它就會長得筆直。阿螢，現在一切都未有定數，妳爲什麼要這樣逼我呢？」

她靜靜地看著他。「因爲一旦有了定數，此事就晚了啊。」她說道：「你剛才問我，有沒有想過我們的將來，我自然是想過的，而且想過百遍千遍。跟你一起回牢蘭關去，生幾個孩子，日出而作，日落而息，何等逍遙自在；或是回營州去，春天在開滿杏花的山谷裡，帶著孩子們放紙鳶、騎馬，這些種種我想一想，就覺得心中喜樂。但是，不是我想，就能那樣的啊。」她話語中滿是悵惘，也滿是懇切，「你是天子的兒子，我是崔倚的女兒，你剛才說，朝中容不下太子妃手握定勝軍，那麼朝中難道就能容下秦王妃手握定勝軍嗎？阿爹總有一天會老……」她眼中依稀一閃，似有淚光，「會病……會離我而去，到了那時候，定勝軍可能就是這世上，除了你之外，我唯一的親人，唯一的倚仗了。你不願意做太子，難道拋棄權力，就可以保全我，保全定勝軍了嗎？」

李嶷一時無言以對。太陽漸漸落山了，風吹過林木蕭蕭，不知何處有一隻鳥兒，偶爾鳴叫一兩聲。過了許久之後，他才說道：「阿螢，正因爲如此，我才想請父皇立玄澤為太子。他年紀幼小，等他長大之後，甚至繼位親政之後，這些事，才會被朝臣們提出來，這中間，說不好會有十幾年，甚至，二十年，這麼長的時日，咱們總能想出辦法的。」

她說道：「你就是不願意做太子？」

他點了點頭。「我不僅不想做太子，我也不想做天子，我就想將來去戍守邊疆，成為衛、霍那樣，拱衛疆土的一代名將。」

她慢慢地，長長地，嘆了口氣，終於沒有再說別的話。

❀

蕭眞人聽說他們二人來訪，親自迎了出來。天色已晚，清雲觀中皆已經點燈，蕭眞人將他們迎入內室。聽說太孫還朝之事，蕭眞人不由得臉色微變，說道：「那應該不是眞的玄澤。」

李嶷心下了然，便想勸說蕭眞人，讓眞正的李玄澤隨自己返京。崔琳在山下就探得他心意，知他與自己意見相左，此時也不便再聽下去，便起身道：「眞人，我還沒有來過清雲觀，想要去參遊一番。」

蕭眞人會意，就喚過自己從前的心腹女官錦娘，命她陪伴崔琳。錦娘也早就作道家裝束，陪著崔琳，往前殿慢慢行來。山中風大，吹得錦娘提著的一盞燈籠忽明忽暗，走了不太遠，忽然一陣山風，竟將燈籠給吹滅了。錦娘不免心中發急，崔琳卻道：「無妨，妳去重新取了火來，我在這裡等妳。」錦娘道：「這山裡怪黑的，我是走慣這裡各處的人，何校尉一個人在這裡等，難道不害怕嗎？」她還是按照從前，在宮裡養傷時的稱呼，將崔琳喚作何校尉。崔琳不由笑道：「當眞無妨，妳去吧。」錦娘知道她素日在軍中，與其他女子不同，便也就轉身取火去了。

恰好那小徑旁有塊山石，突出來一塊，正可小坐，崔琳便在山石上坐下。其時山風陣陣，吹得松濤如雷，又好似波濤湧動。舉目望去，極高極遠一輪山月，卻是清輝泠泠，如水銀，如輕紗，籠罩著這山巒。

山高月小，風聲如濤，她坐了片刻，只覺胸襟爲之一滌，又因爲月色實在是可喜，照得山間清清楚楚，便起身又朝小徑深處走去。轉過一片松林，忽然只聞溪水潺潺，有一條瀑布，飛花濺玉。她靜靜看了半晌，又往前走，卻沿著溪水，有一個清幽的小潭，潭水如鏡，正映著一輪山月，越發顯得雅靜；潭中石子都在月色下，歷歷可數。潭邊又有一棵大松樹，足足有幾十丈高，粗圍得兩三個人懷抱，直入雲霄。她仰頭望去，只覺得如果攀上這棵樹，只怕連月亮都觸手可得了，然而小潭中的月亮，卻眞的是觸手可得。她蹲下來，試了試那潭水，卻是看著清淺，實則很深，因爲潭水冰寒徹骨。

此處雖然景致絕佳，但她怕錦娘折返尋不到自己，逗留片刻也就沿著小徑重新走回適才的山石處。

果然錦娘早已經點了燈來，在四周尋過她好幾遍，一見著她，不由得鬆了口氣，說道：「這裡山路險狹，若是校尉不回來，我眞眞擔心，只怕喚人來四處尋了。」

當下她仍舊提著燈籠，引著崔琳，從前殿山門，一一細說。崔琳是個不拜神佛的人，所以也就遊歷一番。等她們將這座清雲觀走了個七七八八，重新回到蕭眞人所居之地，剛進院門，只見李嶷站在簷下，似在負手看月。

她問他道：「事情了了？」

他點了點頭，她也不問旁的話，只是說：「走吧？」

當下二人仍舊下山去，回到大部紮營之處。天已經近曙，他們這麼多天都是同進同出，一起行路，但是等到了大營之外，她忽然叫住他：「十七郎。」

他不由轉過頭來看她，她還是面帶微笑，但眼中掩不住淡淡的惆悵之色，她說道：「這裡離洛陽很近，我就從這裡，直接回洛陽去了。」

定勝軍的大軍行得慢，是由崔倚帶著，慢慢行進，只怕距此還有好多天的路程。他也並沒有挽留，只是道：「我派一隊人護送妳。」

「不必了。」雖然有過好多次分別，但沒有任何一次分別，像今天這般傷感。她有些自欺欺人，但是很多事情似乎不一樣了，就在他倆的那一番談話之後，她就知道，他也知道。

他也並沒有十分堅持，因爲也知道她這一路也有人護衛，安全無虞。

他勒馬站在原地，看著大營邊上有一隊人馬悄悄地出來，護著她，掉轉馬頭，朝另一條路飛馳而去。

露水下來了，打濕了草葉，也在樹葉上結出晶瑩透亮的水滴，最終緩緩滑落，落在他的肩上。他想起下山的時候，她忽然問他，願不願意聽她唱歌，他自然是願意的，於是她又唱起了那首小曲：「杏花天，疏影窗，軒外幾杆幽篁。調金弦，折柳送，人誰不知離傷。兒郎，振甲至遼西，枕戈且待旦，胡馬鳴蕭蕭，朔風吹鐵衣，照我心彷徨，不知金閨人，淚有幾多行。」她漫聲唱著，聲音在山林間縹緲如雲，如霧，又像一隻黃鶯，婉轉動聽，如夢如幻。她繼續唱下去，原來這首曲子後面還有一闋，上次她並沒有唱完。只聽她輕唱：「四方，歸來入閣戶，薔薇滿院香。調墨知螺黛，畫眉閑不足，春水碧欄杆，並肩畫鴛鴦。」這首曲子的下闋本來極是甜蜜，但她的聲音之中，卻隱隱約約，彷彿有惆悵之意。

她唱完了之後，兩人皆是沉默良久，過了片刻之後，他才輕輕地喚了一聲：「阿螢。」上次她唱這首小曲，還是在洛陽城外，太清宮中，但是今日與昔日，彼時與此時，可真是有了種種不同，令人唏噓萬千。

她笑了一笑，說道：「十七郎，你也唱一首歌給我聽好不好？要不，就唱那首牢蘭河水十八彎吧？」

他點了點頭，正要唱給她聽，她卻忽然改了主意，說：「還是下次吧，等到下次相會之時，你再唱給我聽。」

他有一刹那沒想明白，爲什麼她會這樣說，但一轉念想明白了，心裡隱隱也忍不住有幾分惆悵。下次再見，那又是何時呢？那時候還會有一輪明月，像現在這樣照著山林，照著她清澈的眉眼嗎？彼時此時，又是今夕何夕？

他佇馬在路口，看著她被人馬簇擁著，越馳越遠。洛水分別，那時候雖然依依不捨，但心裡還是滿滿的歡喜，尤其當他隔岸追上去，與她相約樂遊原的時候。

他和她這一次，都還沒有來得及去看樂遊原上的杏花，春天都已經快要過去了啊。

他在心裡想。過了許久之後，她的身影終於小得如芥子一般，再也看不見了。又過了片刻，太陽升起來了，金色的光芒照耀著大地，山林裡鳥雀「啾啾」地醒來，清晨的露水早已經濡濕了他的衣袍。他從懷裡取出一朵嬌豔的花朵，經過大半夜的磋磨，花兒已經半蔫了。這朵花是還沒有上山的時候，他趁她沒留意，特意摘到的，那時候他在想什麼呢？是想著，這朵花真好看，待會兒是要替她簪在她左邊鬢角，還是右邊鬢角呢？

小黑長嘶了一聲，牽動了轡繩，似在催促他。他拍了拍小黑的脖子，拉過轡繩，大營裡已經升起細白的炊煙，是該歸營了。小黑有點遲疑，似乎對他不去追上小白這事困惑而不滿，但是在轡繩的控制下，還是一步一步朝大營走去，一直都快走到營邊了，小黑終於忍不住回頭張望，哪裡還有小白的身影。

秦王率大軍凱旋，觀者如堵，轟動京都，又獻俘太廟，堂堂皇皇，鐘鼓齊鳴，數十年來，未有如今日這般盛事。安坐於興安門上的皇帝躊躇滿志，甚是滿意，在文武班列中，也頗有幾名老臣忍不住熱淚盈眶。

待獻俘禮畢，秦王入朝的第一件事，卻是韓暢護送來了眞的太孫李玄澤，拆穿之前那個乃是假太孫。朝中上下譁然，秦王旋即奏請天子，立李玄澤爲太子。這下不僅僅皇帝，連滿朝文武都猝不及防，當下朝上便爭執起來，因爲從禮法上而言，李玄澤爲先太子的長子，先太子與先帝幾乎同時被孫賊所害，李玄澤爲先太子唯一的血脈，曾被勤王之師遙尊爲太孫，眼下確該立爲太子。但另一些朝中官員則認爲，先帝在位時李玄澤並未被冊立爲太孫，如今天子又已經登基，李玄澤不宜再立爲太子。這種情形，從禮法而言，國朝也不是沒有成例的，遠的不說，憫太子薨後，仁宗繼位，憫太子之子就並未被冊立太子。

但奏請立李玄澤爲太子的乃是秦王殿下，朝中文武，又不得不考量這位手握重兵，收復兩京，匡扶社稷，幾乎於國朝有鼎力之功的秦王殿下的立場，自然非同小可。

總之，朝中紛亂吵嚷了一連數日，也沒吵出個結果來。倒是皇帝氣極了，下旨先把假冒的那個李玄澤關在牢裡，又要把送來假皇孫的那個內侍高選以十惡不赦之罪活活剮了，還要株連九族……

正在此時，崔倚忽然派人送來一封奏疏，這封奏疏便如同火上澆油一般，令朝中又轟地譁然。

原來盧龍節度使、朔北都護，擁兵十萬的大將軍崔倚，在奏疏之中，毫不客氣地說，陛下遣人來詢問臣，是否願意將女兒嫁給齊王殿下，事關女兒的終身大事，臣問過小女，小女說既然要嫁人，那就要遵從自己的心意，要從陛下的皇子中自擇一名為夫婿。

這一石激起千層浪，皇帝縱然萬萬沒想到，連顧祄都覺得有幾分狼狽，畢竟皇帝有心以崔氏女為齊王妃，他心中不以為然，所以才建議皇帝悄悄遣人去問問崔倚的意思，心想崔倚必然婉拒，此事自然就作罷。誰知道崔倚連皇帝都半點面子不給，且官場中默認的體面都不顧了，公然如此這般上奏，把這事挑明而且奏到了朝堂之上。

御史中丞宋新不由得勃然大怒，出列就問皇帝：「陛下當真遣人去問崔倚？」

皇帝雖然庸碌，但御史台不好惹，卻是所有皇帝都深知的事，一時都有點赧然了，期期艾艾地說：「我……朕確實是派人去問了，沒想到崔卿會公然上奏……」

這話說的，崔倚作為列土封疆的節度使，當然可以上奏。但宋新絲毫沒理會皇帝話裡的毛病，而是拱手一禮，凜然道：「崔倚身為臣子，竟出此狂悖之語，妄言要為其女自擇皇子為婿，臣請治崔倚大不敬之罪，請陛下下旨申飭，並處奪爵。」

聽御史這麼說，文官行列裡有人不禁倒吸了口涼氣。崔倚此奏確實狂悖，皇帝悄悄派人去問，願不願意把女兒嫁給自己的兒子齊王，其實處理得甚是得當，縱然不願，私下回絕便是，竟然寫了這樣一封奏疏送到朝中來，還公然說，要從皇帝的兒子裡挑一個作女婿……這……簡直就是狂妄到了極點。但崔倚敢這麼狂妄無禮，自然是有倚仗的，不就是因為他現在有定勝軍十萬，事實上割據一方，占據東都洛陽，朝中拿他無可奈何嗎？如果皇帝眞聽了御史台的攛掇，下旨申飭，只怕馬上就要鬧出什麼亂子來呢！

果然，皇帝聽聞御史竟然這麼說，不由得也挺直了腰杆，說道：「對！這個崔倚，果然目中無人得很！他以為我們皇家是菜市嗎？想挑就挑？」

一名文臣見勢不妙，趕緊上前奏道：「陛下，崔倚為盧龍節度使，割據數州，又占據東都，朝中上下本就憂心他權勢過大，無人節制。陛下聖明，願意選崔氏女為皇子妃，如今崔倚不過婉言相求為女兒擇一皇子為婿，陛下不如應允！此舉不費一兵一卒，便能收攏崔家兵權，實在是高明！」

這話說到了皇帝的心裡，他不由點了點頭，眉開眼笑道：「其實，朕也覺得這法子不錯。」他說著說著，又生起氣來，「但是朕的兒子娶他的女兒，那是他們崔家無上的榮光，怎麼還能主動上奏疏，說要自己挑一個呢?!」

又有臣子出列奏道：「陛下所言甚是！崔家如此無狀，崔氏女怎堪為皇子妃？陛下絕不能應允！」

先前那文臣就道：「武人無狀，固然魯莽，也不失天眞，陛下是君主，胸懷廣闊，能容天下，崔家所為，陛下定然可以寬宥。」

「君為臣綱，天經地義！豈有臣子挑選皇子為婿的道理?!」

「你這是食古不化，不懂變通！」

……

大殿上頓時又吵嚷起來，「嗡嗡」的議論聲響成一片。其實這幾日差不多都這樣，曾受過先帝皇恩的老臣舊臣，都想立李玄澤爲太子，自覺這是報答先帝顯己忠義的時機。而皇帝從當初洛陽小朝廷帶來的大部分臣子，自然覺得天子已經登基，李玄澤不宜再爲太子，這可是爭統的關鍵時刻，否則百年之後，天子豈不成了竊位的小人？這兩撥官員在朝中人數相仿，吵鬧不休，自然沒完沒了。

如今崔倚既然上奏說同意將女兒嫁給皇帝的兒子，對於對天子有擁立之功的新臣來說，可是天大的好機會，只要崔倚的女兒嫁給了天子的兒子，那李玄澤自然就不能被立爲太子了，至於崔倚的女兒要自己挑一個皇子，那有什麼打緊，讓她挑唄！反正不吃虧。

而李嶷自從聽到這封奏疏的內容，就心情十分複雜，眼觀鼻鼻觀心，似是事不關己。齊王起先是錯愕，旋即就很快地掩飾起來，泰然自若。自從假太孫被揭破之後，齊王就處處小心起來，他沒想到李嶷竟然會尋出一個眞太孫來，倒白費了自己一番功夫，幸好高選被殺，不會有任何線索能追查到此事乃是自己暗中主使。倒是信王，心中大震，心想，萬萬沒想到崔倚竟然願意將女兒嫁給皇子，只可惜自己已經有王妃，可不論是崔氏女要嫁給齊王還是秦王，那對自己來說，可是一樁大大不利之事。就算自己順利被立爲太子，但不論是齊王或秦王竟有崔倚這樣一個岳父，自己如何又能睡得安枕？

他本來心中甚是惱恨李嶷，覺得韓暢送所謂太孫回來，必爲李嶷指使，存心是想阻攔自己登上儲位。而且萬一李嶷娶了崔氏女，將來必爲自己的心腹大患。

他心下盤算，未免悒悒，只恨自己年長，竟早早娶妻生子，不然這崔氏女，必會選中自己。無他，自己乃是嫡長，她嫁過來，便是十拿九穩的太子妃了。

話說散朝之後，李巖還沒回到秦王府，謝長耳已經騎了快馬半路迎上來，告訴他說：「殿下，桃子來了，說崔小姐約您樂遊原上相會。」

李巖不由得一怔，旋即掉轉馬頭，策馬馳上樂遊原。

暮春四月，京中繁花早謝，樂遊原上芳草萋萋，碧遠連天，野芍藥正當盛開，遍地粉白粉紫的小花，零零星星，點綴在長草之間，似還留得人間三分春意。

李巖策馬馳到原上，只見一棵大樹，卻是極大的一棵杏樹，只不過此時早已經綠蔭依稀，亭亭如蓋，她就站在樹下，似是在眺望遠處原下的西長京。小白在一旁低頭吃草，見他騎著小黑來，不由得長嘶一聲，撒歡似地迎上兩步。他跳下馬，將轡繩隨手一繞，搭在馬鞍上，拍了拍小黑的脖子，小黑這才撒著蹄子過去，與小白挨挨擠擠，甚是親熱。

樂遊原是高處，比西長京裡素來要涼上幾分，所以她仍舊穿著窄窄的春衫。她很少這般作女郎打扮，雖然沒戴什麼珠玉，但在暮春的豔陽下，她整個人便如同珠玉一般，熠熠發光。他看了她片刻，她也打量了他片刻，大概是剛下朝沒來得及回府，他連朝服都沒換，絳紗單衣肩袖上皆繡著盤龍與鹿，白紗中單，絳紗蔽膝，白襪烏靴。他身量極高，穿這一身，極是威武好看，又因爲不是隆重的大朝會，所以沒戴委貌冠，只束了髮，用了金冠；插在束髮中固定金冠的，正是自己送他的那枝白玉簪。

她看了片刻，終於笑了一笑，喚了他一聲：「十七郎。」停了片刻，卻又問道，

「你知道我讓父親上那道奏疏，是什麼意思嗎？」

他將目光從她臉上移開，說道：「剛才不知道，現下我已經知道了。」

適才在朝中的時候，他確實有點拿不準她爲何讓崔倚上這樣一道奏疏。雖然上次清雲觀外，山下一別，兩人並沒有再通過音訊，她不曾寫信給他，他也不曾寫信給她，這是兩人分別最久的一次。之前兩人也常常分隔兩地，相距千山萬水，數月之久都見不上一面，但兩個人總是會書信往來，有時候甚至一天一封，上一封信還沒收到，已經寫出了下一封信，縱然不得相見，但他並不覺得孤單，如同她就在自己身邊。

但這次不一樣，雖然她在洛陽，他在西長京，快馬兩三日可至，但彷彿就隔著萬里山海，甚至，他常常覺得每天的時辰都變長了，每一天都長得像亙古至今。夜深人靜時分，他也偶爾會想到她，阿螢在做什麼呢？她一定也睡了吧。寂寂的更鼓在沉沉夜色中響起，是三更了，他總是翻個身，想把她忘在身後，但是在夢裡，又總是想起她，想牽著她的手，低低地向她訴說別來的情形。

上次兩個人雖然意見相左，不歡而別，但他心裡還是有小小的希冀，尤其是在朝堂上看到崔倚的那封奏疏之後。

那一刻他心裡的希冀變成了忐忑，然後又變成了竊喜，他以爲她上這道奏疏，是婉拒齊王，是要選自己而嫁。

現在，他悵然開口道：「這道奏疏呈入朝中，如果是因爲妳想嫁給我，那今日妳就不會約我相見了，妳既然今日約我相見……」

那就是並不打算嫁給自己了，這半句話，他無法說出來，因爲就在想到這半句話的那一瞬間，他突然感覺到了痛楚，如同利刃穿過胸膛。原來如此啊，他從來沒有體會過，所謂心如刀割，原來是如此的痛楚啊。

她面上也露出悵然之色。他當然已經明白過來了，他從來就是這麼聰明，而且，總是與自己心意相通。她想起自己執意要讓父親上這樣一道奏疏的時候，父親曾經問過自己：「阿螢，妳會後悔嗎？」

當時她答：「世事如同棋局，這天下，是最大的一局珍瓏，我不會甘爲棋子，我要做執棋的那個人。秦王既然甘爲棋子，哪怕是逼，我也要將他逼成執棋的另一個人。」

皇帝派人來暗示，想要將自己賜婚齊王，朝中著實覬覦定勝軍。齊王打的什麼如意算盤，她一清二楚；信王是一個什麼樣的人，她也頗能看出一二，將來皇帝的這兩個兒子，遲早會兄弟鬩牆。而李嶷偏執意立李玄澤爲太子，朝中波詭雲譎，她下了決心，要攪動風雲，逼他不得不出面應子，逼他不得不看清這中間險惡。

但是眞的站在他面前的時候，看見他眼裡的痛楚與無措，她還是心下一軟，但旋即，她硬起心腸，說道：「十七郎，父親只我一個女兒，朝中派人探問，我不能不做此應對。」

他卻問了一句似是而非的話：「阿螢，妳眞的不願意嫁給我嗎？」

她說道：「十七郎，我嫁給你，此事就能解決嗎？」

「當然。」他說得又快又急，「阿螢，從前我非常明白妳，也總是覺得妳做得是對的，妳所思所慮，與我所思所慮，總是彷彿相似，我們兩個總是可以想到一塊兒去，但是阿螢，我現在不明白妳了……」他說到此處，只覺得心間又一陣酸楚，「妳就站在我面前，但我覺得妳離我，好像有十萬八千里那麼遠。」

她心中亦是悵然。是啊，自相識以來，他與她幾乎都是心有靈犀，唯獨這一次，如同參商不相見，如同山嶽兩茫茫。她說道：「十七郎，你說服蕭眞人，讓韓將軍奉太孫入朝的時候就應該知道，朝中必然會掀起驚濤駭浪，你無意於儲位，你將名利視作浮雲，但可惜了，這世間人心，不會都是如你這般。」

「那跟妳願不願意嫁給我，又有什麼干係？」他脫口道，「阿螢，我們這樣的情分，妳難道竟然要用婚姻之事，脅迫挾制我嗎？」

這句話一出口，兩個人臉色都已經煞白。他十分失悔，但是她也只是輕輕吸了口氣，過了片刻，方才道：「是又如何？」不等他解釋，她已經十分乾脆地說道：「我是崔倚的女兒，我們崔氏，有定勝軍十萬，如今據有平盧、范陽，乃至於河北、河南諸藩鎭，更有東都洛陽。對朝廷來說，我們只怕比孫靖彼時有過之而無不及，如今朝中不過拿我崔家無可奈何罷了。但兵權烜赫如此，殿下想娶我爲妻，難道我就要嫁給殿下嗎？我難道不該劍指西長京，謀取這天下？」

他的臉更白了幾分，說道：「阿螢，妳說著違心的話。」若是她眞意如此，她就不會勸崔倚與自己一同收復西長京，甚至，若是她眞意如此，她絕不會拱手讓出長州。

她不由冷笑。「你不也在說違心的話？你明明知道，我不是拿婚姻挾制你。」

兩人一時相對無言，倒是小黑與小白，吃著草越走越遠，偶爾抬頭嘶鳴一聲。日頭漸漸偏西，長草過膝，被風吹得「刷刷」輕響。

「阿爹問我會後悔嗎？」她說道，「我其實也想問，阿爹後悔嗎？爲了我。」她話並沒有說到十分，崔倚確實有機會逐鹿中原，但是她說她喜歡李嶷，要嫁給李嶷，崔倚自然另做打算。

「百姓著實太苦了，這天下也太苦了。」崔倚並沒有說旁的，只道，「不能再打仗了。」

她說道：「那也不能任由昏君當道。」

如今的天子，是個糊塗小人，這是他們父女心知肚明之事，好在皇帝已經年過五旬，且從來病孱，但未來儲君是何人，就變得異常重要。

她說道：「十七郎，李玄澤實在是年紀太幼小了，看不出資質好壞，且，若立他爲儲，信王與齊王焉能甘休？只怕將來會因儲位再起紛爭。」她說，「十七郎，百姓太苦了，這天下也太苦了，你忍心看這天下因爲爭儲再起烽煙？」

他說道：「正因爲如此，所以才要立玄澤爲太子，朝中舊臣顧念先太子之義，新臣將來輔佐太子長大，兩全其美，新舊皆不會再有嫌隙。」他說道：「至於信王與齊王，有我在，他們絕不敢輕舉妄動。」

「就算你日日夜夜保護太孫，你就能擔保得了萬無一失？如若如此，你是秦王，又手握兵權，你的兄長如果構陷你與太孫篡位謀朝，你如何自辯？如果你爲了清白自釋兵權，你又如何保得了太孫？」她說道，「就算你帶著太孫回去牢蘭關，你那糊塗父皇受人挑唆，一道聖旨下來，命你自裁，你是遵旨還是不遵旨？你陷入絕地，太孫難道還能保全？這一局珍瓏我處處都替你謀算過，皆是死局。唯有你自己入主東宮，你才有活路。」

他說道：「阿螢，我不相信那是我唯一的活路。妳將人心想得太險，太惡。」

「那殿下不妨等等看，說不定再過一些時日，殿下就會看到人心之險，人心之惡。」

他臉上又露出那種悵然之色，終於徹底明白了她上那道奏疏的意思，一桃殺三士，何況十萬定勝軍，她就是要以自身為餌，引得信王與齊王相爭，藉此攪動這滿朝風雲。

他忍不住問出一句傻話：「阿螢，妳喜歡我嗎？」

她悵然而無奈地看了他一眼，說道：「有一天，我遇見一個人，他很有本事，又非常聰明，我從來沒有見過像他那樣的人。雖然第一次見面，就和他大打出手，第二次見面，我就把他踹到井裡去了，但我那時候，心裡就喜歡他。我從來沒有喜歡過一個人，所以也不知道，喜歡別人會是什麼滋味。但是我就知道，我喜歡他啊，不論他是牢蘭關的十七郎，還是秦王殿下，不論他是販夫走卒，還是皇孫太子，我就是喜歡他而已。」

他甚是苦惱。「阿螢，我也喜歡妳，妳也喜歡我，妳為什麼不願意嫁給我？」

「殿下回去吧，再過些時日，也許殿下就明白了。」她說道，「不是秦王殿下想做牢蘭關的十七郎，就可以回牢蘭關做十七郎。而是秦王殿下，不能不做東宮太子。」

「那我再問妳一句話。」他看著她，夕陽在她衣衫上鍍上一層淡淡的金色，也給她的眉眼，籠上一層淡淡的金色。她長得多好看啊。其實同她一樣，他第一次看到她的時候，心裡就喜歡她，哪怕她把他一腳踹到井裡去了，他心裡也只有歡喜，他不能不喜歡她，哪怕此時此刻，他如同萬箭穿心一般。

他終於問出那句話：「如果我不做太子，妳是不是就不願意嫁我？」

她的眉眼，在夕陽下籠著淡淡的金色，也籠著淡淡的哀愁，她從來沒有像今天這樣。從前的她，總是恣意飛揚，那樣驕傲。但此刻，她燦若星辰的眸子注視著他，慢慢地說：「我若是說是呢？殿下心裡，是不是會好過些？」

他看著她，心中痛楚萬分，到了最後，只是說：「阿螢，妳這樣說，我心裡不會好過的，我只是十分難過。」

打馬回去的時候，他心下茫茫然，樂遊原是京外遊冶的勝地，有無數詩詞歌賦，寫到此處盛景，春花秋月，夏雨秋雪，各有題詠。

他自己最喜歡的一首詩，就是：「離離原上草，一歲一枯榮。野火燒不盡，春風吹又生。」[4]雖然三歲小兒都知曉這詩，十分直白，但是多好啊，生機勃勃。曾經他覺得自己的人生就像野草一樣，無人留意地活著，任人踐踏，歷經風霜，但是沒關係，每到春來，自然會再次新生，這就是野草的韌性。

所以他喜歡樂遊原。年幼無知的時候，這是快樂的遊冶之地，他把心事，把痛楚，把歡樂，都藏在這裡，及至稍稍年長，明白那些原上草的勃勃生機，他越發更喜歡這裡。後來他遇上了她，與她相約將來天下平定，同遊樂遊原。那時候的他，只有滿心滿意的歡喜，覺得天高地闊，自己竟然在茫茫人海，可以遇見這樣一個人，她就是稀世奇珍，是獨一無二，是他心尖的血，是他眼中的瑰寶，是他此生最大的幸運。她與他相知相親，她與他心心相印，這樂遊原，就是他們至樂之地，將來等有了兒女，他與她也是要帶著兒女，來這樂遊原上踏青歌舞的。

只是……將來只怕不會有這樣一日了，他每每思及，就覺得心中無限酸楚。在夕陽下，任由小黑載著他不緊不慢地走著，他十分不情願地想起，這樂遊原還有一首膾炙人口的詩句：「夕陽無限好，只是近黃昏。」[5]

夕陽一分一分地落下去，樂遊原上還有最後一分餘暉。崔琳仍舊站在那棵樹下，紋絲未動，風吹過她的衣袂，風裡像有隻手，在扯著她的衣袖。剛才他都已經馳出老遠了，卻有好幾次回頭，遠遠望著她，她知道他其實是盼著自己說句話，但她固執地站在那裡並沒有動，更沒有上馬向他馳去。她知道只要自己朝他馳去，他馬上就會掉轉馬頭，朝她奔過來，遠遠就張開雙臂，最後將她攬入懷中，他的懷抱是那樣溫暖，那樣令人貪戀，好像天地之間，旁的事物，只要他伸手一遮，都能替她擋在外頭了。

但她終於還是沒有動，也沒有說話，只是遠遠地，看著他慢慢走遠，直到成了一

4 出自唐・白居易《賦得古原草送別》。
5 出自唐・李商隱《登樂遊原》。

個小小的、模糊的小點兒。太陽落下去了，原上的一切都模糊起來，暮色沉沉，風也越來越大，有一顆明亮的大星升起來。天終於黑了。

皇帝這個千秋節，過得十分窩心。

先是朝中關於到底立誰爲太子爭論個沒完，然後是崔倚毫不客氣，聲稱自己女兒要從皇子中自擇一個爲婿，文武爲此又吵嚷個沒完，然後是秦王病了。據說是未帶從人，獨自去樂遊原遊冶，逗留到黃昏之後才趕進城裡，偏那日城門內有輛騾車翻了，這騾車載得滿滿一車油甕，打翻了好些，路上都淌得是油，秦王至此，竟然馬失前蹄，滑了一跤，竟摔得不輕。

皇帝初初認爲這定然是像上次一樣裝病，然而秦王摔了一跤是切切實實的，起碼胳膊腿上都破了好一大片皮肉。皇帝派去的太醫看過之後進宮回奏，頗有幾分憂心，認爲這樣大的傷口，近來天氣又十分暖和，雖用了傷藥，但只怕要不好。果然過了一日，秦王就發起高熱來，他從小到大，都十分結實，別說生病了，連噴嚏都很少打一個。如今一病，當眞病來如山倒，四五個太醫輪流診治，各種藥方，外敷內服，一時忙亂。

幸得裴源處置完長州諸事，終於趕在千秋節前回到了西長京，聞說秦王病了，不由得大吃一驚，連忙取了家中祕製的傷藥，匆匆到秦王府中來探望。

李嶷已經病了好幾日，每日高熱不退，傷處紅腫，但精神尚好，裴源看過傷處，只覺得觸目驚心，不由得細問是如何摔的，李嶷輕描淡寫，只說當時走神了。

裴源絕不肯信，說道：「別說你騎著自己的馬，就是當初在牢蘭關中，你套住一匹沒有鞍子最烈的野馬，也絕不會摔成這樣。」他越想越怕，不禁脫口問，「是誰暗算了殿下？」

「沒有誰，也沒人暗算我。」李嶷有幾分無精打采，說道，「就是一時走神了，自己摔的。」

裴源再難相信，狐疑地看著李嶷，他燒得顴骨發紅，嘴上起了細白的碎皮，看著甚是憔悴，整個人也瘦了不少，不過短短數日，看著竟好似有幾分脫相，可見真病得不輕。

裴源又去細問了幾名太醫，別人倒罷了，唯有范醫正嘆了口氣，說道：「殿下合該病這一場。」又說了一些什麼脾虛肝旺，憂慮太甚的廢話，裴源都快被他糊弄過去了，等送了范醫正出去，忽地想明白過來，不由得恨恨地頓足。

果然到了黃昏時分，李嶷又發起高燒。他懶進飲食，老鮑特意給他烤了羊肉，送來滿滿一盤子，他也一筷子都沒動，忽聽到窗外輕微一響，他心中不由得一喜，顧不得自己燒得渾身滾燙，披衣下床，走到窗邊，迫不及待地打開了窗子。

卻是裴源站在窗外，一見他開窗，便問他：「崔小姐給你寫信了嗎？」

李嶷聽到一個崔字，就覺得太陽穴突突亂跳，他「啪」一聲又將窗子關了，裴源卻徑直繞到門口進來，又問他：「你給崔小姐寫信了嗎？」

他不作聲，回到榻上躺下，裴源呆了一呆，又問：「她上了那樣的奏疏，難道不是為了嫁給你？」見李嶷不答，裴源只覺得如同五雷轟頂一般。

裴源一直覺得，何校尉會是自己最大的煩惱，但是誰知何校尉竟然是崔小姐！得知她真正身分的那一天，裴源只差要喜極而泣。他一直憂心忡忡，覺得李嶷這麼死心塌地，只怕非何氏不娶，但何氏安以作秦王妃？依李嶷的脾氣，如果天子強要拆散，只怕他立時就要頂撞天子，掛冠而去，帶著何氏隱逸山林，從此不問世事。誰知道何氏並不是何氏，她是崔倚的獨生女兒，這可真是峰迴路轉，柳暗花明。

裴源高興地覺得長州的天真是藍，雲真是白，十七郎真是英明神武，一眼就看中了崔倚的女兒，這可真是，天賜良緣。尤其在快到西長京的時候，得知崔倚上了那樣一封奏疏，他心道這不明擺著嘛，崔氏女不願意嫁給齊王，要自擇一皇子為婿，這是要嫁給咱家秦王殿下。

誰知道這一回來，竟然就五雷轟頂！他連前世不修都顧不上了，就在李嶷榻前坐下來，開始語重心長，勸李嶷道：「崔小姐絕看不上齊王，她一直是心悅你的，但女郎家面皮薄，總不好在奏疏中點名道姓地說，就要嫁給你，你快快跟陛下奏明了，讓陛下遣使去向節度使賜婚。」

李嶷嘆了口氣，只覺得渾身滾燙，偏裴源還在那裡喋喋不休，他只覺得聒噪萬分。他的手搭在榻上，那錦褥甚是溫暖，想是自己體熱高燒之故，但他心裡卻是一片冰涼，心想我都病成這樣了，她都不肯來看一眼，那她是眞的要棄我不顧了。

他知道自己此舉十分幼稚，馬蹄打滑的那一瞬間，他也確實走神了，但摔下去的時候，並沒有掙扎，也沒有閃避，只想痛快摔一跤也好，彷彿只有身體上的疼痛，才能令心上那種痛楚稍緩而已。

他把自己摔得這麼狠，她都不來看他，她可眞狠心啊。

裴源卻仍在狐疑，說：「崔小姐怕是不知道殿下病了吧，我讓人去給她傳書。」

怎麼會不知道呢？崔家不知道在京裡有多少明哨暗探，朝野上下都知道秦王病了。

他伸手抓住了裴源的衣袖。「別去！」

沒想到裴源卻誤會了，脫口說：「眞的是她不願意嫁你？」裴源匆匆低頭，看了看他臉上的神情，不由得急怒交加，「她怎麼能如此？」

「不是。」李嶷稍微平靜了一些，說道，「不怪她，是我不想娶她了。」

「扯謊。」裴源要跳起腳來，說道，「我還不知道你？你一副誰要敢攔著你娶她，你就要跟人拚命的架勢，就算陛下下旨，只怕你都要抗旨，你怎麼會不想娶她了?!」

「她是崔倚的女兒。」李嶷燒得渾身生疼，還要跟裴源說話，只覺得腦子裡嗡嗡作響，但仍舊耐著性子，「所以我不想娶她了。」

「胡說！」裴源都失態了，「十七郎，你不用騙我，也不用騙自己，你怎麼可能不想娶她？你一直都喜歡她，從剛認識她沒多久的時候就喜歡，藏都藏不住，我當時就心想壞了，這女人只怕是你命裡的劫數。」

他確實是在騙自己，但在這樣的時候，他覺得騙自己是不得已，但還是得先騙一騙，尤其是燒得這般耳鳴眼花的時候，尤其是心裡那層淡淡的怨恨與絕望浮起來的時候。他像是回到了很多年前，那時候他是一個赤手空拳的孩童，母親早亡，他又為父親不喜，天地之大，卻沒有他的容身之處。是的，其實只要她狠心拋下他，天地再大，其實是沒有他的容身之處的。他想到這裡，就覺得心裡七零八落，像有什麼東西正在碎成齏粉，比死都還要難受。他也不想跟裴源爭吵了，他用低沉無力的聲音說：「不管你信不信，反正是我不想娶她了，就是如此而已。」

裴源怔怔地看了他半晌，就像是忽然不認得他了。過了許久之後，他才說道：「好好養傷，十七郎，不管到底是怎麼回事，你都不能病成這樣子。」

李嶷其實覺得這時候病一場是正好的，他還從來沒有這樣虛弱過，也從來沒有這樣六神無主，但他心裡也清楚，再重的傷也會漸漸好起來，自己病得再久，她也是真的不會來看自己了。

裴源因此每日都來府中探望，李嶷大病了這麼一場，到了千秋節前，還沒有痊癒，但他終於叫人取了燒酒來，親自將刀用火燎了，將傷處的腐肉爛肉都剜了去，再用燒酒洗刷傷處，雖然痛得錐心刺骨，但傷處終於漸漸不再紅腫，慢慢也好了起來。

在皇帝千秋節前一夜，又出了一件大事。信王府忽然走水，信王略受了點輕傷，信王妃卻不幸殞命，信王因此哭得不行，只口口聲聲結髮夫妻，如摧心肝。當夜信王本歇在別處，聞說王妃殿中走水，信王連外裳都沒顧得上穿，只著裡衣，便去指揮眾人救火，後來眼見火勢太猛，搶救不及，信王就要衝進殿中去救妻，左右一時沒拉住，差點讓他衝進火場。後來殿宇燒塌架了，屋瓦掉下來砸中信王，他雖頭破血流，還直呼王妃的小字，定要去相救，被左右奴僕生生架了出來，不然，只怕連信王都要在這天災中送命。

皇帝早晨聽說了此事。火勢是已經救下去了，但半個信王府已經燒成了黑灰，又聞說信王妃殞了。他是老年人，未免有些不吉之感，但這天是千秋節，信王妃又是晚輩，不應衝撞，於是皇帝還是打迭起精神來，一面派人去慰問信王，一面又按禮制登含元殿接受百官的朝賀。本來這一天的下午及晚上，皆安排有宴樂，但皇帝沒了玩樂的心思，就在賜宴群臣後，匆匆返回了西內。

李嶷猶未痊癒，還在府中養病，聽說信王妃殞了，也不由吃了一驚。待得晌午賜宴結束之後，裴源也出宮到秦王府來，李嶷不由對他道：「信王府這事，有點古怪。」

裴源深以為然，說道：「京中常有走水之事，但王妃的院子，極是華麗軒暢，一時半會兒也燒不透，怎麼一燒就塌了，令王妃殞命，這也太湊巧了些。」

李嶷想了想，說道：「你不要驚動別人，就用我的權杖，去調動人手，好好查一查這件事。」他憂心忡忡，另有疑慮，因為李玄澤歸來之後，蓋因名分未定，並沒有居住宮中。倒是韓暢因為護衛太孫有功，被擢為渤海縣侯，並賜了一處宅院。這處宅院距離宮門不遠，韓暢仍舊奉李玄澤住在這宅中，以方便照拂。這宅院既然距離宮中不遠，自然離信王府也很近。

他又令裴源多派些人手，交與韓暢，暗中護衛李玄澤，種種不一而足。

裴源狠下力氣探查了一些時日，等到信王妃大殮的時候，終於查到了眞相。原來信王妃確實死得有蹊蹺，她院中不是走水，而是被人故意縱火。縱火之人十分狡猾，怕堆砌柴木油脂留下痕跡，就在王妃所居後殿庫房中，堆滿了綾羅綢緞，作爲助燃之物，這些綾羅綢緞點燃之後，便轟然而燃，再難一救，很快就燒穿了屋頂。

幕後主使之人，不問可知。

李嶷只覺得渾身冰冷。信王爲什麼要殺信王妃……他不願意去想那個原因，雖然明明知道，就是那個原因，因爲崔倚說，崔琳要自擇一皇子爲婿。

她果然一猜即中，就如同她說的，這世間人心險惡，非他所能想像。

李嶷又痛又悔。信王妃何其無辜，他不顧裴源的阻止，堅持要將人證物證，親自去呈於御前。

裴源苦苦相勸。「殿下，不爲旁的著想，只想一樣，信王居長，又與殿下素有齟齬，立儲之事，朝中已是暗流洶湧，信王銜恨殿下已久，此時出面，不吝於瓜田李下，說不定反令信王藉此逃脫罰責。」

李嶷一想確實有幾分道理，正沉吟間，裴源又道：「此時不過欲彰信王之惡，請殿下放心，自有法子將種種證物呈於朝中。」

李嶷這才點一點頭，裴源也在心裡鬆了口氣。他早就與裴湛商量過了，務必勸得秦王不要出面，至於旁的，不就是找個人將信王的惡行揭發出來，這對於世代爲官、人脈極廣的裴家來說，可再容易不過了。

窗前最後一叢芍藥花也謝了，不遠處搭的格柵架子上，爬著一架薔薇，不知有幾十幾百朵薔薇花，兀自綻放。風吹過，滿院都是薔薇淡淡的清香。洛陽城的午後，暖陽已經曬得窗紗裡透進來一分暑意。崔琳拿著小折刀，正在拆看京裡剛送來的密報。

桃子拿著一碟點心走進來，遞給她嘗。見她在拆看密報，便問道：「秦王病好了嗎？」

崔琳並沒有作答，桃子又說：「活該，他騎著高頭大馬，這下子摔得，哼，夠他受的。」

崔琳仍舊不說話，等看完了密報，拿了碟子裡一塊點心，咬了一口，方才說道：「有力氣在朝堂中爭吵，那必然是傷全好了。」

桃子詫異地睜大了眼睛。

「他傷一好就回朝中吵架？這個秦王，眞是……沒救了。」

眞的沒救了，桃子在心中暗暗腹誹，謝長耳給她寄過三四回信了，秦王卻連半句話都沒捎來。謝長耳跟她說秦王病得死去活來，她才不信呢，就算病得死去活來，就不知道寫封信來嗎？自己把信遞到校尉……哦不，小姐面前，難道小姐會不看嗎？等小姐看完，沒準她就會回信呢……或者立時動身去看他。哼，不要以爲她不知道他打的什麼小算盤，騎馬都能把自己摔成那樣，不就是希望小姐去看一看他嗎？

桃子不由得嘆了口氣。

崔琳看了她一眼，問道：「妳嘆什麼氣？」

桃子有氣無力地說：「我就是……所以嘆口氣。」

崔琳不說話了，又隨手將密報理一理，桃子沒話找話：「秦王在朝中跟誰吵架？爲什麼吵架？」

因爲有人出首，於是御史將信王殺害信王妃的人證物證都呈於朝堂，這下子當然朝野譁然。皇帝堅信兒子是無辜的，信王又痛哭流涕，堅決不承認，口口聲聲自己被小人構陷。皇帝私下召見顧衸，說能不能令證人改口供，承認是證人縱火燒殺了王妃，之前不過攀汙信王，就此了結。

顧衸自然爲難，說道：「陛下，如今人證物證俱全，要證人改口供，實在是難，就算是能令證人改口供，前後這般，又如何能堵得天下悠悠之口？」

一番話說得皇帝啞口無言，但信王素來是自己倚重的長子，總不能眞治他的罪。幸好信王的親信楊鶄急中生智，還眞找出來一個替死鬼，原是信王府中的管家。楊鶄作主花了重金安置了那人全家，那人便出來頂罪，承認是自己被王妃薄待，因此懷恨在心，縱火燒殺了王妃。

這下皇帝鬆了口氣，打算好好撫慰信王，再殺了這刁奴。不想秦王聽聞，顧不得傷勢未癒，徑直入朝，就在大殿下直斥此爲欺君之罪，非說是信王買通那管家頂罪，還把那管家家眷都扣了，逼問之下，那頂罪的管家嚇得頓時就如實招供。

這下子連皇帝都回護不了信王，只得把那頂罪之人也殺了，令信王遷爲安陽王，又罰俸三年，並令信王在府幽居不出。

這般處置，李嶷覺得太過輕微，奈何信王妃娘家已經被信王花重金安撫，畢竟那才是眞正的苦主。王妃娘家都不肯再追究，李嶷也無可奈何。這一場鬧劇，才就此甘休。然而李嶷如此，信王……哦不，安陽王李峻自然恨他入骨。

「裴源都勸不住他？」桃子不禁問。

「強驢脾氣，我都勸不住，何況裴源。」崔琳淡淡地道，「活該他總要吃一次大虧，才知道不該如此。」

桃子不由得道：「妳好像還是挺憂心他的。」

崔琳並沒有作聲。午後長風寂寂，她其實經常會想起他，尤其是得知他病了的時候，有那麼一瞬間，她覺得自己得去看他，不然只怕……

她知道其實他心裡是有一點怨恨的，因爲一直以來，他總以爲，她比他涼薄一分，哪怕明明知道她確實是心悅他的。大約是因爲小時候種種境遇的緣故，他總是略有一點點忐忑，彷彿患得患失。

從前公子在的時候，他就如此，但掩飾得極好，她從來都知道，只不過絕不會說破罷了。

他這麼聰明的人，有一回也說了傻話，說：「阿螢，同樣是喜歡，我喜歡妳，總比妳喜歡我要多一分。」

其實她心裡知道，並不是的，她喜歡他，甚至比他喜歡她還要多一分。他心裡有怨，她心裡又何嘗沒有呢？就比如現在，難道就因爲不願意爲太子，就寧可不娶她，將她就此拋卻嗎？

有時候午夜夢迴，她也會從心裡泛起淡淡的酸楚。就眞的這麼狠心嗎？明明知道，無論如何，她都不會不再喜歡他，他把他自己摔成那樣，不也正是在逼迫她嗎？自己如果去了，他必然會拉著她的手，懇求她回心轉意，不要再與他執意起生分。

那時候她一定會心軟的，所以她絕不肯去。

芍藥花都謝了，薔薇花都開了，惱人的春天都要過去了，但是他還沒有回心轉意，她也沒有。

第十三章　端午

才只四月裡，天氣已經一天比一天熱起來。

老鮑特意在院子裡架起柴禾，烤了一隻羊，說以後天氣太熱了，就暫且不烤了，等到立秋再說。李嶷自從病癒，似乎仍舊同從前一樣，飛揚跳脫，但又似乎同從前不一樣了，高興得有些過分，動不動就拉著謝長耳、老鮑、黃有義、趙有德等人，去豐迎樓吃酒。

老鮑覺得吃酒這事甚好，起先他也頗爲快活，後來漸漸回過味兒來了，就私下問謝長耳：「十七郎這是怎麼了？」

謝長耳是個憨直的，就老實說了：「我不知道，桃子說，他跟崔小姐吵架了，吵得可厲害了，上次殿下病得那麼狠，崔小姐也沒來看他，連封信都沒寫來。」

「怪不得呢，」老鮑說，「我也納悶了好久這事呢，不過，崔小姐不是寫個什麼奏書，跟皇帝老頭說，她要嫁給秦王嗎？」

「不是不是，」謝長耳耐心解釋，「是節度使上奏疏，說崔小姐要從陛下的兒子中選一個嫁。」

「那還用選嗎？」老鮑說道，「她不嫁給十七郎，還能嫁給誰？」

「我也鬧不懂，」謝長耳窘迫起來，「反正桃子說，兩個人吵翻了，說不定，從今往後，都不來往了。」

這是桃子在信裡跟他說的，還說如果眞的秦王與小姐不來往了的話，只怕她也不好再跟他來往了，嚇得他足足寫了三張紙的信去問她，又攢了休沐的假，特意去了一趟洛陽。

桃子見到他還是挺高興的，帶著他去吃洛陽最好吃的胡餅，還給他補了衣服，又給他買了新襪子。他從來沒被人這麼照顧過，一時感動得無以復加，連忙把自己最近攢下的所有錢都給了桃子。桃子也沒推辭，全都收下來，跟他說自己會替他好好存著，將來用。

將來，他一想到這個詞，心裡就喜滋滋的，將來她還是會幫他存著錢的，那將來她就不會不跟他來往的。

但是一提到秦王和崔小姐，桃子的臉頓時就垮下來了，先是痛斥李嶷蠢笨，爲什麼謝長耳都知道來洛陽看自己，秦王居然不來，然後又垮著臉對謝長耳說道：「我們小姐這次是眞的傷心了，我從來沒看到她這樣子過，她半夜睡不著，就坐在那裡，也不知道在想什麼，她都瘦了哎……」

謝長耳不由說：「妳剛才吃胡餅的時候不是說，不能再吃了，女郎還是要瘦一點……」

桃子氣壞了，伸指在他額上戳了一下，恨恨地道：「你懂什麼！」又說，「回去八成秦王會問你，那時候你可千萬要記得說，我們小姐睡不著，還有，她瘦了很多，可千萬別忘了。」

他連忙點頭，牢牢記在心裡，但是等他從洛陽回到西長京，見到了秦王——秦王殿下也知道他往洛陽去了，畢竟從來他做什麼，去了哪裡，十七郎不用問都會知道——他就是沒有問他，崔小姐如何。謝長耳快憋死了，來來去去，在李嶷面前走了好幾遍，但他就像沒看見一樣，既不問他是不是去了洛陽，更不會問，崔小姐如何。

謝長耳只好再給桃子寫信，問她，如果秦王殿下不問，那自己要不要主動跟他說，崔小姐最近不太好，崔小姐都瘦了。桃子的回信只有氣急敗壞的三個字「大傻瓜」，也不知道是在罵他，還是在罵秦王。

應該還是在罵自己吧，謝長耳忐忑不安地想。

且不說謝長耳與桃子在這裡糾結，便是裴源，也覺得甚是反常。

李嶷從來就沒有這麼愛晃蕩，他一會兒出城打獵，一會兒去豐迎樓喝酒，一會兒又去城外的廟裡看碑帖。

看碑帖？他記得小時候李嶷最厭惡臨帖，每次提到碑帖他就說腦仁疼，寧可舞弄刀槍三個時辰，也不肯在案前臨半個時辰的字。

再這麼下去，只怕秦王殿下都要賦起詩來，那就真的太可怕了，裴源不由得打了個寒戰。

裴源好容易逮著個機會，藉口給自己的兄長裴泊踐行，扎扎實實灌了李嶷好幾罈酒。李巍也並沒有醉，兩隻眼睛炯炯有神，跟他說：「阿源，要不明日我們出城跑馬去。」

裴源快要哭出聲來了，他抓著李巍的手，說道：「殿下，要不請范醫正來給您號個脈吧。」他覺得李巍一定是又病了，病得不輕。

李巍莫名其妙，把手抽出來，說道：「范醫正不是前兩天剛給我號過脈，說我都好了。」

裴源欲哭無淚，等再喝了一會兒，裴泊已經醉得不省人事，李巍與他又喝了兩罈酒，這才打馬回去。

夜已經深了，李巍騎著馬，彷彿很高興似的，嘴裡還哼著那首小曲：「牢蘭河水十八灣，第一灣就是那銀松灘……」

裴源跟在他後面，看著他的背影，大概是因為之前生病，最近他瘦了一些，越發顯得寬肩窄腰，就這麼一件素色的圓領袍子，生生被他穿出了幾分浪蕩不羈的勁兒來，只是他騎著馬，搖頭晃腦地唱著歌，背影卻顯得那麼寂寥，那麼孤清。

「殿下。」他忍不住叫了一聲。

他回過頭看他，臉上笑嘻嘻的。「阿源，你愁眉苦臉的做什麼呢？」

他並沒有答這句話，卻問道：「殿下，你心裡難受是不是？」

「我不難受啊。」在暗夜中，他的眼睛仍舊是爍爍有光的，彷彿有星輝在其間流動。他語氣甚是快活。「阿源，夏天就要來了，別發愁了，你看看你天天愁眉不展的，回頭你眉心裡都要擰出個川字來了。」見他怔忡，他又笑著說，「阿源，你別擔心了，我不難受，真的。」他把真的兩個字咬得重重的，彷彿從心裡擠出來這兩個字，彷彿想要重複強調，就能變成真的一樣。

裴源心裡一咯噔，知道他其實是難受到了極點，只是不願意說出來罷了。

裴源回到家中之後，不免長吁短嘆。平時公事上若有拿不準的地方，還能向父兄請教一二，偏生這樁事情，委實不宜告訴旁人，所以只在心裡發愁，輾轉反側，幾乎到五更才朦朧睡去。

第二日乃是半旬一次的休沐，不用上朝，但裴家的家規，早上是要起來練劍的。即使裴源幾乎一夜都沒怎麼睡，還是頂著眼下的烏青起床，拿著劍去了後院。裴家的後院有一大片空地，平時也作校場用，安放了些箭靶、石鎖等物，供家中子弟操練。裴源剛走進校場，裴湛也提著劍來了，他雖然做了多年的文官，但劍術卻是半點也沒擱下。見裴源一大早就垂頭喪氣，不由問：「阿源，你這是怎麼了？」

裴源心裡糾結，還沒想好怎麼搪塞過去，忽見一名家僮氣吁吁地跑進校場，對他們道：「十一郎、二十六郎，快，大將軍召見你們。」裴家堂兄弟眾多，所以大排行裡，裴湛排行十一，裴源則排行二十六，故此家僮都是如此這般稱呼，二人對望一眼，知道定是有要緊事。

果然，等二人快步走進後堂，只見裴獻面沉如水，坐在榻上，見他們到來，裴獻便說道：「揭碩破了白水關。」

裴源大吃一驚，幾乎脫口而出：「怎麼會？」

確實啊，怎麼會？

宮裡的皇帝一大早也被人從御榻上叫醒，得知了這個消息。皇帝其實還沒睡醒，但內侍告訴他這是十萬火急的軍報，由邊關一刻不停地快馬送來，他不免有些慌神，忙在內侍的服侍下穿上衣裳，又派人趕緊召裴獻、顧相等人入宮商議。

等數名心腹重臣齊聚在紫宸殿，皇帝還是有點摸不著頭腦，於是問道：「白水關在哪兒？」

裴獻知道這位陛下其實對國朝疆域毫無概念，對邊關要塞也是一無所知，於是解釋道：「陛下，白水關為廉州緊要之地，也是國朝至北最要緊的門戶。白水關之後就是雁州、濯州，無險可守，只能據濁河抗敵。揭碩的鐵騎，甚至可以直入朔州腹地了。」

皇帝聽了這話，越發茫然無措了，只得將目光轉向了顧衸。

顧衸想了想，方才躬身道：「臣請問，白水關是怎麼被攻破的，那是據守揭碩的重要關隘，盧龍節度使崔倚本該在白水關屯有重兵。」

皇帝自然看向裴獻，身為大司馬的裴獻便又說道：「眼下只收到急報，說白水關守將是被崔倚的養子柳承鋒親自勸降，投了揭碩。如今白水關已破，白水關往南的城池，烽煙處處，被揭碩的鐵騎踐踏蹂躪，更細緻的軍報，恐怕還要些時日，才能傳到朝中來。」

顧衸不由得面露憂色，說道：「崔倚割據數鎮，東都洛陽又在其掌控，東都距此，不過數百里，三五日即可兵臨西長京城下，既然破白水關的是他的養子，若是崔倚早就與揭碩勾結，那現在豈不山河危殆？」

裴獻本欲解釋一二，但一轉念，自己乃是武將，國朝慣例，文臣素來以挾制武將為先，此刻若是為崔倚辯解，只怕朝中對崔倚會更生猜忌，當下緘口不言。

皇帝聽顧祄這麼一說，頓時驚得冷汗都出來了。白水關在哪兒他確實不知道，但崔倚近在咫尺，他卻是十分清楚的，他忙問：「秦王呢？快召秦王進宮！」

傳召秦王的內侍氣喘吁吁趕到秦王府上，結果因這日是休沐，一大清早，秦王殿下說是要去釣魚，獨自就帶著釣竿出城去了。內侍心急如焚，只得立時又命人四處尋找。

這下子城裡城外，眾人好一通找尋，幾個時辰之後，才在城外渭水邊找到秦王。他聽聞有要緊的軍報，毫不遲疑打馬即回，待得入宮的時候，恰好洛陽的急奏也到了。

崔倚比西長京要更早兩日收到白水關失陷的消息，毫不猶豫，立時便動身領兵北上，同時也往西長京送出了急遞，言道邊關遇襲，事發突然，自己來不及請旨，便要率兵北上云云，文字上一如既往敷衍地客氣，也不知道出自哪位幕僚的手筆，畢竟按理來說，節度使調兵，須得朝中同意。

皇帝收到洛陽送來的這封急奏，又聽聞秦王奉詔進宮來了，不由鬆了口氣。

待李嶷進到紫宸殿中，與裴獻一起看了白水關及洛陽各自送來的急報，又由裴獻，略略向皇帝及幾位近臣解釋了一下崔倚的兵力布置，及可能的防守之地。李嶷話說得十分耿直，言道：「崔大將軍與揭碩交戰多年，屢戰屢勝，被揭碩視作剋星，且定勝軍在濁河之南駐有重兵，揭碩不足慮也。」

皇帝聽他這麼說，不由把心放回肚子裡，心想這個兒子雖然脾氣討厭，但從來打仗都是一把好手，他說無礙，那自然是無礙的。顧祄又對皇帝道：「崔倚既然即刻提兵北上，可見還是國事為重，有耿耿忠君守土之心的。」皇帝不由點了點頭，深以為然。

待出了宮門口，只見長街兩側，垂柳濃翠，晴日之下，雪白的柳絮，如飛雪，如細綿，一團團，一球球，被風吹得四處飛揚。街邊青石階下，也積了絨絨一堆堆的柳絮，又被風吹散。小黑素來不喜歡這些絨絨，一直打著噴鼻，不安地踱著步子，他安撫似地拍了拍小黑，這才認鐙上馬。他本是從城外徑直打馬回來，馬鞍之側還綁著魚竿，此時手觸到魚竿，忽然想起當日在嶺南道上，他對阿螢說要捉魚烤了給她吃，心下不由一酸，心想崔倚已經提兵北上，不知道阿螢在做什麼。他怔忡了片刻，終於掉轉馬頭，打馬回府去了。

白水關失陷，揭碩入侵，崔倚北上，這幾樁事情自然變成了朝中議論的大事。忽然有人提出，崔倚既已北上，留守洛陽的，正是他那個獨生女兒崔琳，留守兵力不足萬人，不如趁此良機，朝中出兵收復東都。

皇帝一聽，不由得龍顏大悅，大加讚賞，頗有幾名文臣亦覺得這確是一個極好的機會。李嶷極力反對，畢竟崔倚匆忙北上是為了抗擊揭碩，替朝廷守土迎敵，如果此時兵圍洛陽，豈不令崔倚如腹背受敵。再說了，此舉儼然是替揭碩抄了崔倚的後路，動搖他的軍心，朝中焉能如此出賣大將？

皇帝嫌他的話不中聽，當即斥道：「洛陽是朝廷的東都！崔倚厚顏無恥，占據已久，難道不應該攻其不備，趁機收復嗎？」

李凝據理力爭：「陛下，崔倚在前線抗敵，我們此刻不宜出兵，亂他的後方，有百害而無一益也。」

皇帝不由得勃然大怒。「崔倚的兒子賣了白水關，朕還沒問他的罪呢！白水關到底是怎麼丟的，軍報上寫得清清楚楚。崔倚的兒子跑去勸降，守城之將念及舊情，不忍殺他，他倒好，帶著揭碩的死士，把守將殺了。崔倚養出這樣的兒子來，通敵賣國！朝中群臣都說要治他的罪，是顧相勸我，讓崔倚將功贖罪！怎麼，朕寬容恩養，還養出白眼狼來了?!」

李凝道：「崔倚上次的奏疏裡說得清楚，早就與其養子柳承鋒恩斷義絕，只因那柳承鋒勾結揭碩，崔家與揭碩世代血仇，陛下不論懷疑誰，都不應該懷疑崔家與揭碩勾結。」

皇帝見說不過兒子，越發氣急，指著李凝的鼻子大罵了一通。這次李凝倒沒有頂撞他，只是跪在那裡，默不作聲罷了。皇帝見狀，卻越發動怒，借題發作，責問裴獻作為兵部尚書，於白水關之事有失責之嫌。顧衸素來知道這位陛下的脾氣，氣頭上最易當眾說出不當的話來，急忙相勸，皇帝這才悻悻地作罷。

朝中如斯爭執了數日，依然沒爭出個結果來，畢竟皇帝雖然想出兵收復洛陽，但洛陽畢竟是東都，城池堅固，守軍雖不足萬，但據說崔倚的女兒亦擅用兵，既要攻城，必得派出精兵強將，而朝中能用的，不外乎鎮西軍。裴獻自從上次舊傷大作，越顯老病，不宜再出征作戰，這是朝中心照不宣的事。那麼能用之人，唯有秦王，但是秦王明明是反對出兵的，皇帝也知道這個兒子的脾氣，真逼著他去打洛陽，他八成又會拂袖而去，目無自己這個君父。

正在作難的時候，忽然得到奏報，說盧龍節度使、朔北都護、大將軍崔倚的女兒崔琳，已經到了西長京，希望代父上殿，覲見陛下。

朝中頓時又炸鍋了。

李嶷聽聞了此事，更是惱恨不已，拍著桌子對裴源道：「她到底要做什麼？朝中忌憚崔家，議論紛紛，都跟煮沸的油鍋一樣了，但凡有點兒水星子濺進來，都要炸，她偏來火上澆油。再說了，她口口聲聲代崔大將軍覲見陛下，這簡直匪夷所思。節度使不奉詔，尚且不能擅自入京，她還是節度使的女兒，怎麼能上朝堂呢？那些文官的唾沫星子都能噴得淹死人。」

裴源看他氣得額角上青筋都爆出來了，自己前所未見他發過這麼大的脾氣，忽然問：「殿下，你到底是氣她不守禮法，私自入京呢，還是怕她被扣押京中，不得解救？」

原來朝中頗有人主張，既然崔琳來了，那就立時把她扣押，好收回洛陽。還有人說，不如直接用她挾制崔倚，畢竟崔倚只此一女，驕狂到敢上書要自擇皇子為婿，須得嚴懲以儆效尤。

所以李嶷聽裴源這麼問，不由得怔了怔。

裴源又道：「殿下如果只是生氣，反正如今崔小姐就住在靖良坊的平盧留邸，殿下出府上馬，半炷香的工夫，就能上門親自質問崔小姐，再不濟，拔出刀子來打一架也是成的。如果殿下是擔心崔小姐，那臣就無能為力，幫不到殿下了。」

李嶷欲語又止，罕見地沉默了。裴源自與他相識以來，還從來沒在言辭上如此占據過上風，但他也並不覺得高興，反倒也默然一嘆。

崔琳自進了西長京，朝中對於她請求覲見一事，不置可否，她倒是泰然自若，彷彿對目下尷尬的情狀視若無睹。

倒是桃子，私下裡見了謝長耳，不免沒有好氣。「秦王到底怎麼回事，我們小姐都到西長京裡來了，他竟然不來看一下！」

謝長耳滿頭大汗，手上托著剛給桃子摘的櫻桃，說道：「桃子，妳別生氣了，要不先吃櫻桃吧，這是京裡最有名的櫻桃了，可甜了。」

桃子看那一顆顆櫻桃如瑪瑙，如珊瑚珠子，紅亮剔透，極是可愛，拿了一顆吃了，果然極甜。她心裡的氣慢慢下去了，心想待會兒可以再買些拿回去，給小姐吃。待她將這想法跟謝長耳一說，他卻說：「這不是買的，是我摘的，秦王府裡有好幾棵櫻桃樹，結了好多果子，要不我馬上回去再摘一些，妳去送給崔小姐？」

桃子頓時覺得這主意不錯，但要不要撒謊說是秦王特意派人送來給小姐的呢？她又糾結起來。

李嶷可不知道還有兩個人替自己操碎了心。秦王府裡這幾株櫻桃樹著實有名，極大極甜，每到暮春時節，一樹累累垂垂，不知結幾千幾萬顆果子。京中素有賞櫻之俗，倒不是賞櫻桃花，而是櫻桃結果之時，在樹下設筵席，招待親友吃櫻桃澆酥酪。

李嶷特意給顧相下了帖子，請他來賞櫻。顧衸欣然赴約，待進得秦王府，走入後院，只見沿著粉牆下一列七八株櫻桃樹，都如傘如蓋，紅英爍爍，不知有幾千幾萬顆，實在是招人喜愛。

待得入席，先奉上一碗櫻桃澆酥酪。顧衸嘗了一口，只覺得異香撲鼻，不由贊了一聲「好」。李嶷便笑道：「這是牢蘭關做酥酪的法子，摻了駱駝奶，我還怕顧相吃不慣。」

顧衸道：「怪不得別有一番風味。」

當下兩人又閒話了一些牢蘭關的風土人情，顧衸聽得悠然嚮往，說道：「人皆道讀萬卷書，行萬里路，也不怕殿下笑話，自從我六歲開蒙，讀萬卷書如今算是做到了，但這行萬里路，卻是想都不敢想吶！」

李嶷笑道：「孫叛剛平，朝中事務繁雜，皆得顧相操持，等再過些時日，承平久些，說不定顧相可以外放做一任大都督，行幾千里路。」

顧衸已經是文臣之首，官職上已經是頂格了，但國朝的舊例，丞相是可以外放大都督的，而且回來之後，品秩會再升半級一級，甚至可封國公，一般是皇帝特別信任的臣子才會有這般殊榮。顧衸聞言笑道：「承殿下吉言了，若能行幾千里，那自然是人生快事。」二人相視一笑，顧衸又低頭吃櫻桃澆酥酪，心道，旁人只說秦王狷介孤傲，因戰功卓著，頗有些目下無塵的樣子，素來又不跟文臣打交道，但這些官場中的門道，秦王可一清二楚得很啊。

他心想今日秦王既然相請，那必定是有事相商，或者有什麼話要對自己說。果然過得片刻，李嶷命人捧出兩盆蘭花，顧衸見那蘭花枝葉清麗，含蕊初綻，幽香陣陣，細看花瓣與葉片，卻是前所未見的品種。

李嶷道：「這兩盆蘭花，是裴泊到了泌州之後，派人給我送來的，說在泌州山上挖的。雖不值錢，但頗有意趣。我是個粗野的人，不懂這些花月之事，但也聽聞顧相畫蘭乃是京中一絕，這兩盆蘭花，擱我府裡可惜了，回頭一併給顧相送去府中。」

顧相聞言心想，原來今日秦王相請，是爲了給裴泊換一個更好的州郡，畢竟秦王素來與裴家小郎極爲親厚，泌州也確實不算什麼好地方。他自然樂於給秦王殿下做這個人情，便笑道：「多感殿下盛意，卻之不恭，這蘭花我就收下了。」頓了頓，又問，「裴郡守在泌州還好嗎？」

他只待秦王說一句，諸事皆好，就是泌州太僻遠些，那他馬上就會心領神會，明日就令吏部尋個上好的州郡，給裴洎挪動挪動，換個肥差。

誰知秦王只說了句：「挺好的。」就又岔開了話，說起牢蘭關的羊肉來。顧衸便知道自己是徹底會錯了意，於是又吃了幾口酥酪，心思一轉，笑道：「這幾日朝中事務繁雜，各部爭執不下，我們這些做輔臣的，不能爲陛下分憂，也深感羞愧。今日能偷得浮生半日閒，到殿下這裡吃一碗櫻桃澆酥酪，眞是令人心曠神怡啊。」

果然，李嶷似是毫不在意，卻問道：「崔倚的女兒，要覲見陛下之事，禮部還沒爭出個分曉嗎？」

顧衸心裡一動，知道自己八成蒙對了，便笑道：「現在不只是禮部爭執不下，兵部也摻和進來了，說崔家定勝軍正在前線抗敵，崔琳可視作節度使之子覲見，早先有節度使之子覲見陛下，爲什麼不能依作前例？禮部駁說萬萬不行。戶部又說，定勝軍的糧草軍餉，未從戶部調撥，自從平盧、范陽賦稅中抵扣，如今崔氏既至，這筆糊塗帳不能不算……再這麼下去，崔氏女還沒見到陛下，六部自己先吵了個不可開交。」

李嶷用勺子撥弄著碗中的櫻桃，眼皮微垂，隨口道：「其實，崔氏女要覲見陛下，禮部不就是拘泥於沒有先例嗎？崔氏女的母親賀氏，是朝廷敕封的武烈夫人。我記得瑞景年間，朝廷爲了旌表輔聖夫人，特意在大朝之日，令輔聖夫人的女兒上殿，由中宗皇帝親自賜了金表。」

顧相不由得一怔，道：「殿下眞是一語驚醒夢中人，確有此先例。既然如此，禮部便有前例可循，自可令崔氏女上殿覲見陛下。」又笑道，「禮部吵了這麼多天，殿下一句話便解了癥結所在，殿下眞是睿智明見。」

李嶷不過微微一笑，說道：「崔家定勝軍正在朔州抗擊揭碩，崔倚既然命他女兒入朝覲見，自然是有要緊事想要面奏陛下。安撫節度使，爲君父分憂，這是爲人子，爲人臣，應該做的。」

這幾句話說得冠冕堂皇，顧祄點頭笑道：「殿下說得是。」

顧祄出了秦王府，上車之後若有所思，掀開轎簾，吩咐了心腹家僮一句，那家僮便領命而去。

等顧祄回到顧宅，正巧秦王派人送來的蘭花也到了，他就命奴僕將蘭花放置在自己的書架旁。過不多時，先前派出去那家僮也回來覆命，稟報了一些事情，顧祄沉吟了片刻，又令人去傳顧婉娘。

顧婉娘走進書房時，顧祄正捧著一杯清茗，望著那兩盆蘭花出神，直到顧婉娘娉娉婷婷行至近前，喚了一聲「父親」，他方回過神來。

顧祄指了指那蘭花，對顧婉娘道：「今日秦王邀我過府，請我賞櫻，還送了這兩盆蘭花。」

顧婉娘不由得微感意外，但旋即道：「想必是殿下聽說，父親擅長畫蘭，所以才這般相贈。」

顧祄嘆道：「是啊。秦王信手而爲，揮灑如意，實在是絕頂人物啊。妳倒猜一猜，他請我去吃櫻桃澆酥酪，爲的是什麼事？」

顧婉娘想了一想，方才道：「秦王殿下既然相請父親，想必是爲朝中之事，難道是爲了鎮西軍，或是裴大司馬之故？」

顧衸不由得喟嘆：「我起先也是這麼揣測，結果，秦王說，聽說禮部吵了這麼多天，還未能決斷崔氏女是否可以覲見陛下，不就是拘泥於沒有先例嗎？崔氏女的母親賀氏，是朝廷敕封的武烈夫人。瑞景年間，朝廷曾爲了旌表輔聖夫人，特意在大朝之日，令輔聖夫人的女兒上殿。」

顧婉娘神色震動，似乎難以置信，過了半晌，方才喃喃道：「原來如此。」頓了頓，顧婉娘方才道，「秦王對何校尉，也就是如今崔倚的女兒崔琳，確繫有情。」

顧衸沉默片刻，道：「六娘，妳是我最聰明的一個孩子，當初妳從並州回來，在這書房裡說的話，令人刮目相看，爲父不能辜負妳這般的靈慧。後來，妳又出城替爲父去聯絡秦王，立下大功，我心裡一直在琢磨妳的前途。」

顧婉娘聞言，只是輕輕地「嗯」了一聲。

顧衸道：「爲父一直覺得，妳與秦王殿下頗有緣分，而且，自相識以來，他對妳也有諸多照拂。婉娘，妳想不想嫁給秦王殿下？」

這句話著實直白，但顧婉娘並未遲疑，立時便點頭道：「女兒自然是想的。」

顧衸似乎是鬆了口氣，又似乎是長長嘆了口氣，說道：「這條路，只怕艱險。」

顧婉娘道：「婉娘不畏艱險。父親當初讀書，何其辛苦，後來入仕爲官，宦海風波，其中艱險，難言萬一。如果父親替女兒謀前程，女兒卻畏懼艱險的話，那婉娘就不配做父親的女兒了。」

顧祄不由點了點頭，說道：「妳的志向，爲父素來明白。」他話鋒一轉，說道，「只是，我剛才命人去查了卷宗，果然秦王幾天前翻閱過那份卷宗。輔聖夫人女兒特蒙上殿之事，那都是六十多年前了，只有禮部積年的老吏才找得到這些卷宗。秦王爲了崔氏女，藉口查閱旁的事，親自在禮部的庫裡待了好幾日，才終於尋出了此舊卷。又因爲怕落下嫌疑，請我過府，將此舊例講給我聽，由我出面，去對禮部言明此事，可見對那崔氏女，用心之眞，用情之深，爲了她的事，費盡思量，千方百計，想讓她得償所願。」

顧婉娘細白的牙齒不由得咬住了嘴唇，她全神貫注地聽著，顧祄每說一句話，她的臉色就不由得越發蒼白上一分。

顧祄道：「婉娘，妳是個聰明的孩子，所以爲父不得不再問妳一句，若妳的對手是崔氏女，爲父覺得，頗可一試，但如果妳的對手不是崔氏女，而是秦王對崔氏女的一腔癡情，妳可有幾分勝算？」

顧婉娘沉吟片刻，終於盈盈一笑，說道：「試都不試，就自認失敗，那就眞不配做父親的女兒了。何況，秦王殿下的心意如何，與秦王殿下的婚姻，是兩回事，殿下的姻緣，得聽憑陛下賜婚。女兒從來只聽說，君主猜忌手握兵權的封疆大吏，卻不曾聽說，君主會忌憚手無縛雞之力的文臣。」

顧相聞言，不由得笑著連連頷首。

話說桃子糾結了半晌，終究還是讓謝長耳第二天一早，摘了一籃新鮮櫻桃，送來給自己。謝長耳倒是仔細，那籃子本是細篾編成，極是精巧，櫻桃又挑得顆顆渾圓飽滿，上頭又覆著一張翠綠的桐葉，襯得十分好看。

桃子滿意地點了點頭，說道：「這次你辦得不錯。」

謝長耳沒敢接話，一大早他拎著櫻桃出府的時候，恰巧撞見了秦王殿下，當即他心虛地想把裝著櫻桃的小籃子藏到身後。李嶷素來眼尖，早就看到了，卻好似什麼都沒看見，也沒問他，轉身就走了。

謝長耳大氣都不敢喘，一路糾結，不知道要不要跟桃子說這件事，後來想想，還是不用說了吧，畢竟殿下也沒問，更沒說別的。

崔琳見了這籃櫻桃，果然微微一怔。桃子裝作漫不經心的樣子，說道：「秦王特意派人送來的，可甜了，妳嘗嘗。」

崔琳卻看都沒再看一眼，說道：「既然是謝長耳送來給妳的，妳就吃吧，我不喜歡吃櫻桃。」

桃子幾乎氣了個半死，揪著謝長耳的耳朵，問他到底是哪裡露出了破綻。謝長耳還從來沒被人揪過耳朵，雖然她不過作勢而已，手指上壓根就沒有用力，但桃子的手指又溫又香，他不由得滿面通紅，磕磕巴巴說了早上的事。

又說：「但是殿下什麼也沒說呀，他都沒多看一眼，崔小姐怎麼就知道，不是他叫我送來的。」

桃子氣餒了，嘀咕：「還說不喜歡吃櫻桃，她明明特別喜歡吃櫻桃。」

兩個人正在那裡糾結，忽然禮部派了人來，說到可以上殿覲見之事，又給出了循前例輔聖夫人女兒上殿的禮節儀程。桃子不由得大喜，連忙返身前去告訴崔琳。

崔琳聽聞這個消息，並沒有顯出什麼特別的神色，也並沒有覺得意外似的，只不過片刻之後，忽然又問她：「妳前幾日說，謝長耳不知道在忙什麼，每日裡弄得灰頭土臉的，衣服上的灰，撣都撣不完。」

「是啊，」桃子也沒多想，介面就說，「說是秦王要查一個什麼事，謝長耳跟著殿下在禮部庫房裡好幾天，每天都翻舊卷宗，那些東西，好多年沒人動過了，都是灰，弄得滿頭滿身都是。」

崔琳「噢」了一聲，也並沒有再說別的話，只是掉轉目光，看著窗外，似在看映在院子裡的天光雲影。桃子覺得她面色如常，不知爲何，眼中卻似乎有一抹淡淡的惆悵之色。桃子心裡想，這又怎麼啦？謝長耳弄得灰頭土臉的，又有什麼關係？小姐爲什麼又露出這種神情，好像有一點點開心，又好像特別特別的不開心。

眞煩啊，桃子覺得，自己眞搞不懂了，反正都怪秦王，她恨恨地想。

廿八日，是日大朝。

暮春近夏，文武百官穿著春日的朝服站在橫街之上，已經難免有幾分暑熱。皇帝對待這樣的大朝之期，都是十分慎重，坐在御座之上，神色肅然。當內侍拖長了聲音，喊出「傳——盧龍節度使、朔北都護、左威衛大將軍崔倚之女崔琳，上殿覲見」時，所有人不由得精神一振。

朝中許多臣子，並沒有見過崔倚，何況來的還是他的女兒，簡直比民間那些話本都還要離奇。從小充作男子長大，後又常在軍中，據說竟頗知軍事，有將帥之才。前次上書要自擇皇子為婿，已經足夠驚世駭俗，此次竟又請求代父上殿覲見，不知會是何樣的一個人。

眾人好奇不說，就連站在殿中前列的齊王李崍，亦覺得好奇，心中竟有幾分惴惴不安，心想朝中群臣總說崔倚是個威風凜凜的莽漢，不知他的女兒，長成如何模樣。雖說哪怕是無鹽嫫母，自己只怕也得娶了，不過……他心中忐忑，不時想要偷瞄大殿門外，但於大朝會之中，卻又不合時宜如此，因此心癢難禁。

漸漸地，眾人聽到了遙遙傳來的步履聲，走得不快，但是極穩，是軍中皮靴落在光可鑑人的方磚地上的聲音，緊接著，殿中諸人只覺得眼前一亮，崔琳已經緩步走入殿中。

她本就身形苗條修長，身著鎧甲，戴著定勝軍中的盔帽，帽垂紅纓，襯得她的臉龐皎然如月，長眉入鬢，目如橫波，極是美豔，卻又極是英氣。入殿之後，按禮她摘下了盔帽，抱在懷中，她竟似男子一般束髮，如漆的髮絲一絲不亂，越發顯得明眸皓齒，但步履從容，氣度非凡，彷彿天然就應該穿著這樣的鎧甲，行走在這樣堂皇的大殿之上。排列在兩側的文武百官，每一個看到她的人，都不由得瞠目結舌，萬萬沒想到崔倚的女兒竟然著甲上殿，也萬萬沒想到，崔倚的女兒竟然是一位如此美貌的絕代佳人。

李峽看到她的瞬間，只覺得口乾舌燥，心裡只有一句：竟然是這樣一位美人！

崔琳卻絲毫沒有在意殿中任何一個人的目光，她一直走到御座前的第九塊方磚處，那是禮部曾經在儀程中指明的位置，她便停下行禮，行的卻是軍禮。朝中百官從來沒見過女子行軍禮，但她叉手行禮的時候，十分從容灑脫，甚至另有一種風姿。她聲音清朗，不大不小，但落在殿中每一個人的耳中，卻聽得清清楚楚：「臣女崔琳，參見陛下。」

面對這樣一位年輕美貌，卻是著甲上殿、前所未見的女郎，連皇帝都呆了片刻，直到內侍示意，他才回過神來，示意崔琳免禮，又問道：「妳說妳代替妳的父親，非要上殿來見朕，既然如此，有什麼事就說吧。」

崔琳躬身道：「崔琳代父覲見，是爲東都洛陽，於孫靖叛亂之時，由崔家定勝軍暫爲代管。今天下平靖，陛下御極，垂拱而治，恩澤宇內。故我崔家定勝軍理應即刻退出洛陽，將東都洛陽還於朝中。」

殿中瞬間靜了片刻，忽然「嗡」一聲，百官忍不住紛紛低聲感嘆議論起來。

皇帝十分欣喜。「妳是說，要將東都洛陽還給朕？」

崔琳落落大方，含笑道：「洛陽是國朝的東都，自然也是陛下的東都，崔家定勝軍不過代管而已。如今叛亂已平，定勝軍當然該退出洛陽，將東都還於朝中。」

皇帝忍不住一拍大腿，連聲讚嘆，歡喜不勝。「好！好！原來妳上殿是要說這件事，早說呀，朕就是喜歡妳這樣爽快的孩子。很好！」他高興得覺得崔倚都是個忠臣了，連崔琳這樣冒天下之大不韙穿著鎧甲上殿，都能看得順眼了。他左瞄右瞄，心想雖然這個崔琳有些驕橫，但還算識趣，何況長得眞是不錯。忽然想起崔倚曾經說過要從皇子中挑一個爲女婿，這個崔琳長得這麼好看，又這麼識時務，倒也配得上齊王，於是說道：「朕要告訴皇后，讓她設宴，好好款待妳。」又說，「妳父親出去打仗，妳不要害怕，也不要擔心，既然來了京裡，就在西長京多住些時日，這京裡好吃的好玩的挺多的。」心想她可別要反悔，一定要留著她到將洛陽交割清楚爲止。

崔琳似乎絲毫也沒覺察這位陛下私下盤算的小九九，她只是叉手行禮，道：「謝陛下恩典！」

崔琳著甲上殿一事，轟動一時，也頓時成爲美談。人人都覺得這女郎非同尋常，不愧是崔倚的女兒，甚至，青出於藍勝於藍，就這麼三言兩句，立刻就撥弄朝局，重新獲得皇帝的喜愛與尊重。皇帝按照對武將功臣的犒賞，特許她出宮的時候可以騎馬，於是散朝之後，一堆在宮門外準備上馬的武將，眼睜睜看著一個嬌俏的小姑娘——就是桃子，牽過來一頭極爲神駿的白馬，而這位全身著甲的崔小姐，輕鬆從容地翻身上馬，一看便知道騎術精湛，在軍中多年。

「異端啊！」有人忍不住在心中腹誹，但也有人忍不住在心中讚嘆：「唯有這樣的好馬，才配得上這樣的人物。」更有人思忖，崔倚教得如此好女兒，怪不得他大大方方地告訴天下人，我並沒有兒子，我只有一個女兒。

這個女郎，確實比很多世家的那些紈褲子弟要強上很多。

眾人側目不說，唯有秦王殿下，目不斜視。今日是大朝會，所有人都穿了大朝服，李嶷亦頭戴梁冠，穿了秦王的紫色大科綾羅公服，腰用玉帶鉤。宮門外更有全套的秦王儀仗在此等候。上馬之後，鼓吹齊奏，前有六人，更有節、夾槊、告止幡、儀刀等等諸物儀仗，並八十騎典衛，前呼後擁，揚長而去。

他素來低調，這次前所未有地擺出全套的秦王儀仗，不禁令群臣側目。更有人在心中感嘆：秦王殿下果然想得周到，明見千里，不然今日這朝會，全然教崔家那個女郎出盡風頭。如此儀仗甚好！幸好還有秦王殿下，英姿勃發，威儀赫赫，才壓過那崔氏一頭。

話說那盧皇后，得到皇帝的親自叮囑，讓她好好設宴招待崔琳，皇后不禁犯了難。她也聽說了崔琳著甲上殿之事，聽說是個不讓鬚眉的奇女子，這樣的女郎，不會嬌氣，卻怕有驕氣，稍有不慎，或失了皇家體面，因此琢磨了好幾日工夫，終於想出個萬全之策。

原來宮中最重端午、中秋、重陽諸節，可巧臨近端午，正好於太液池上泛舟設宴，又定了由公主、郡主、縣主等小娘子參宴。饒是如此，皇帝猶嫌不足，說道：「辦得熱鬧點！多找些世家的女娘來，讓那崔琳也看看，京中眞正的大家閨秀都是什麼樣子的，也好壓一壓她的氣焰。」

皇后點頭稱是，心想此事倒也不難，從京中官宦人家，挑一些氣度大方的閨秀來宮中領宴即可。皇帝想了想，又說：「崔倚不是說，這崔琳要從皇子中挑一個做夫婿嗎？叫上齊王一起。」那日朝會後，齊王便留在宮中，軟磨硬泡，想讓皇帝賜婚將崔琳嫁給自己。皇帝卻知道崔倚不好惹，他說要挑一個，那眞得讓崔琳自己挑一個，因此想趁著宴會，讓齊王與崔琳多多相處，齊王這樣的孩子誰不喜歡啊，沒準再見一面，崔琳就立時想要嫁給他了呢！

皇后聽皇帝這麼說，便笑道：「單叫齊王也不妥，不如令秦王也進宮來。」

皇帝一想也是，瞬間又想到一個主意，說道：「這都要過節了，峻兒被關了這麼久，也知道錯了，就解了他的禁足，讓他出來過節吧。」原來李峻雖然被貶爲安陽王，且被禁足府中，但皇帝著實心疼他，時不時就要打發內侍前去探望。內侍回來都說，安陽王殿下鬱鬱寡歡，委屈萬分，可恨自己被小人陷害，失愛於陛下云云。皇帝聽了，十分心痛。又一日，時氣相交，李峻又病了，一連數日，滴水不進，皇帝聞訊，連忙微服簡從，去從前的信王府、如今的安陽王府探望。那李峻似病得奄奄一息，在床榻上竟不能起來，見到皇帝，掙扎著還想爬起來行禮，皇帝連忙止住了。李峻一時號啕痛哭，說道：「父皇，兒臣今生竟然還能得見父皇一面，縱是死了，也能瞑目了……」

皇帝被他哭得心中難過，連聲安慰，說道：「哪裡就能說出這種不吉之話，你這是病了，過兩日就好了。」

他素來倚重這個長子，之前做梁王的時候，他就素乏主事之才，李峻又是正妃所出。待李峻年長，梁王府中大小事務，都是李峻主張，當時李桴身為梁王不過安享富貴罷了。所以聽到李峻此時的言語，想起這個兒子從前多麼能幹，多麼孝順自己，不由一陣陣難過。何況李峻又抱著他的胳膊，哭道：「父皇，我冤枉啊，我真的沒有殺王妃，都是那些小人陷害我。」口口聲聲道，「這世上唯有父皇才肯信我，如今若連父皇也不信我，我唯有一頭碰死。」說完，作勢又要朝柱子上一頭撞去，幸好被左右及時攔住，李峻再次號啕大哭，說道：「那些人陷害我，冤枉我，父皇偏聽信了，一直這樣關著我，我不如死了才好。」

直嚇得皇帝連聲安慰，說一定馬上就找機會解了他的禁足，讓他重獲自由。最後皇帝要回宮的時候，李峻還含淚牽著皇帝的袖子，說道：「父皇，你就看在我命在旦夕的份上，可憐可憐我吧。」

皇帝自然心軟，當下便囑咐負責看守之人，令李峻可以悄悄出入不禁，說道：「等你病好了，就算想出去透透氣，也是方便的。」

李峻尤嫌不足，說道：「如此偷偷摸摸，倒好似我真有罪一般，我本來就是被小人誣陷，父皇何時才能光明正大，解除我的禁足之懲？」又恨聲道，「定是李嶷，威逼父皇如此，他早就嫉恨父皇疼我，買通人誣陷我不說，還逼得父皇不得不降了我的王爵，眞是個陰險小人！」

皇帝心裡確實是忌憚李嶷，但面上還是安撫了李峻幾句，說道：「再過些時日，父皇一定找機會把你放出來。」

也因此，皇帝想到端午節氣，皇后要宴請崔琳，公主郡主，濟濟一堂，又是闔家團圓的日子，於是就在朝會中提出，要解除對安陽王李峻的禁足。

旁人還沒有說話，果然秦王第一個站出來反對，說道：「謀害結髮妻子，泯滅人倫之事，如今禁足才不些時日，便要赦免，以後朝廷的法度要置於何地？」

皇帝本來想拍著桌子，斥責李嶷，奈何這次百官都站在李嶷那一邊，哪怕就算是顧祄，也勸道：「陛下恩澤浩蕩，對待安陽王已經是格外開恩了，此時不宜輕易開赦。」

皇帝無奈，只得作罷。而李峻聽聞了此事，更加對李嶷恨得入骨，說道：「秦王唯以此圖我性命爾。」認爲李嶷就是要逼死自己。

皇帝雖然不能赦免了李峻，但依舊在節前賜了無數諸如粽子、長命絲、錦衣並各種玩器玩物到安陽王府，這才作罷。

然後又按照皇后的建議，除了廣邀閨秀，更擢選了很多適齡的世家子弟入宮領宴。於是這個端午宮宴，著實辦得熱鬧非凡，京中凡是三品及以上的世家子弟或大家閨秀，幾乎都接到了賜宴的恩典，少年小郎君們，和方當韶齡如花似玉的閨秀們，濟濟一堂。皇后居中上坐，諸王及公主、郡主、縣主分列兩側，再往下的席位便是那些世家小郎和名門閨秀了。

時辰尚早，但既然入宮，自然人人趕早，陸陸續續已經到了八九成，正是熱鬧的時候，忽然宮娥來報：「啓稟皇后，崔小姐前來覲見。」

皇后忙道：「快請！」

她心中其實也十分好奇，心想這位崔小姐，莫不又穿著鎧甲進來，那眞是難得一見的情形。只見門外嫋嫋婷婷，走進來一位麗人，頭上金玉釵鈿，身上穿著一件流霞似的輕裳，周身似蘊有寶光一般，縱然滿堂皆是十七八歲的少女，但人人爲她的容光所驚豔。

皇后也沒想到竟然是這樣一位嬌美的少女，一時也怔住了，直到崔琳走至近前，行禮如儀。「臣女崔琳，拜見皇后。」

皇后這才回過神來，一時不禁感嘆，忙命免禮，笑道：「前日崔小姐著甲上殿，據說英氣勃勃，不讓鬚眉。我正想著今日大約能見著一位女將軍，沒想到今日崔小姐作閨閣女兒裝扮，卻又這般儀態萬方，窈窕動人。」

崔琳嫣然一笑，更顯姿容豔麗，光彩奪目，她說道：「皇后娘娘過譽了。」

她從來未曾這般盛妝，齊王早就看得呆了，殿中的小郎君們，也禁不住屏住了呼吸，似乎怕這位仙子一般的美人，目光會掃到自己。

唯有秦王李嶷，泰然自若地舉起杯來。

只聽皇后笑道：「不必拘束，快入座吧。這太液池之畔，景色甚美，所以設了佳宴，邀妳共賞湖景。」

當下宮娥引著崔琳，坐到齊王對面，這是皇后早就煞費苦心安排好的。

皇后又道：「今日盛會，一爲崔小姐洗塵，二爲佳景難得。崔小姐久居營州，難得來京都，今日就讓齊王、秦王這些個年輕孩子，招待妳遊冶盡興。」

齊王便趁機站起來，含笑舉杯道：「今日滿飲此杯，爲皇后娘娘壽，爲崔小姐接風。」

眾人聞言，紛紛起身，皆舉杯，李嶷無奈，也只得起身，舉起面前的金杯。

崔琳含笑道：「謝皇后娘娘，謝齊王殿下。」說完便滿飲一杯。

皇后見她喝酒喝得這般豪氣，越發心生好感。當下歌舞宴樂，酒過三巡，眾人又登上樓船，泛舟太液。

原來端午之俗，不僅有龍舟競渡，更有水鞦韆、射粉團等等各種遊戲。其中數這水鞦韆最爲好看，兩隊伎人在水鞦韆上各種相搏，能奪得繫在船頭的彩球者爲勝，落水者即爲出局。因爲鞦韆懸在船頭，船又還在水上行進，因此驚險萬分，動人心魄。這種相競，非得參與者機巧靈變，擅搏擊，擅鞦韆，擅水性方可。今日皇后選的這兩隊伎人，十分高超，也因此鬥得十分精采，看得舟中眾人不由得連連讚嘆。

雖是御舟，到底不比殿宇闊大，也因此舟中宴席設得更緊湊些。皇后居中，齊王與崔琳仍舊於皇后之下相對而坐，只不過中間距離已經只是丈許，齊王見崔琳注目水鞦䗉，便笑著道：「崔小姐要不要下一注，博一個彩頭？」

原來這水鰍䗉，也可以下注博彩，不過是押哪一隊勝罷了。崔琳見齊王與自己說話，便嫣然一笑，說道：「那殿下覺得，我應該押哪一隊？」

齊王舉目望去，只見水鰍䗉上，一隊穿紅，一隊穿藍，便說道：「我覺得紅隊可勝。」

崔琳點點頭，說道：「如此，依殿下所言，我押紅隊勝。」說畢，從手腕上摘下一枚金跳脫，作爲博戲的彩頭。

當下便有宮娥上前來，接過那枚金跳脫。齊王見她巧笑倩兮，早已經覺得全身皮都酥了，忙大聲道：「那我也與崔小姐一起押紅隊勝，我押一萬錢！」

如此豪闊，御舟之中，自然喝起彩來，便是水鰍䗉上的伎者，也齊齊謝賞，因爲如果輸了，這些彩頭都會賞給伎者。

李嶷聽到齊王如此大聲，又引得眾人嘖嘖讚嘆，心中不免一陣煩亂。正在此時，忽聽到身側有人細語輕聲，問道：「秦王殿下，您要押哪一隊勝？」

李嶷回頭一看，原來不是別人，正是顧婉娘。她今日也進宮來赴宴，而且座位就在距離李嶷不遠之處，不過他並不曾留意罷了。

見她問，他便道：「我願押藍隊勝。」

顧婉娘點了點頭，說道：「那我與殿下一樣，押藍隊勝！」

李嶷解了身上一枚玉魚作博戲的彩頭，顧婉娘也拔下一枝金釵，放入宮娥所捧的盤中作彩頭。

因爲齊王所出的彩頭最多，因此便由齊王開彩，即一局始發之前，將一匹彩帛擲向船頭，稱爲開彩。齊王卻將這開彩讓給了崔琳。她倒也毫不推辭，站在船頭，將一匹彩帛揚手擲出，只見彩帛如長虹貫出，極是好看，齊王忍不住拍手叫好。

這一局終了，卻恰是紅隊得勝，藍隊輸了。齊王越發志得意滿，不由得睨了李嶷一眼，笑道：「三弟，打仗你行，但是這博彩，你還是不行。」說完，又得意洋洋，將那一萬錢賞給伎者，頓時歡呼聲雷動。齊王卻說道：「此乃崔小姐贏回來的，當謝崔小姐。」於是那些伎者又拜謝崔琳，崔琳不過微微一笑罷了。齊王在佳人面前出了這樣的風頭，頓時躊躇滿志，得意難言。

這時候又是一局要新開，齊王便問崔琳：「崔小姐覺得，此局哪隊可勝？」崔琳還未答話，忽聽李嶷道：「二哥，這般博彩，甚是無趣，要不咱們親自下場，鬥一鬥這水鞦韆。」

齊王聞言，不由得一怔。他知道李嶷從小就身手靈活，十一二歲的時候就特別會玩水鞦韆，在京中頗有點聲名，不免心下有點作難。卻忽聞崔琳笑道：「齊王殿下，若是與秦王相鬥，妾願爲殿下一隊。」

齊王聞言大喜，對李嶷道：「如何？要不你再從伎者中選個人，做你搭檔？」李嶷心下氣惱，面上卻不動聲色，笑道：「無妨，我一以敵二亦可。」

話音未落，那顧婉娘早已經從席間站起，道：「若是秦王殿下不棄，婉娘願與殿下一隊。」

她雖然是閨閣女子，但素日裡極會蹴鞦韆，還曾被同父異母的胞姊笑話說，若個小娘子偏會這般刁鑽功夫，不如去街頭賣藝。此時見李嶷如此，自然挺身而出，果然李嶷見她如此，反倒遲疑了，問道：「水鞦韆比尋常鞦韆更凶險，可不是輕易一試的。」

她答道：「無妨，之前曾經蹴過，我也會水。」

又有另一位閨秀笑道：「殿下莫要替她擔心，她素日裡蹴鞦韆，眞個要飛起來。」

原來眾閨秀之中，十停倒有七八停，暗暗戀慕這位秦王殿下，畢竟當初秦王率大軍還朝，獻俘太廟，威風凜凜，英姿勃發，萬人空巷，觀者如堵，哪個小娘子午夜夢迴，不是念念不忘？此刻見顧婉娘竟然要與秦王殿下去蹴水鞦韆，自然萬分羨慕，也因此大著膽子搭了一句話，果然秦王殿下極是和氣，對著自己一笑，點頭示意。這位小姐心裡頭一甜，只恨自己不會蹴鞦韆，更何況那是水鞦韆。

皇后見他們這般興致，便令人取了一對龍鳳釵來，笑道：「便將這龍鳳釵，作爲彩頭罷。」卻又朝李嶷招一招手，李嶷無奈，只得上前。

皇后低聲道：「你仔細些，崔姑娘是客，又是姑娘家，不比你們在軍中成天舞刀弄槍的，千萬照應著些。」她本是世家出身，慣會察言觀色，只覺得崔琳待齊王頗爲親切，但要說男女情意，暫且看不出來，想是方當初識的緣故，但秦王卻與這位崔小姐似有舊怨。也不知道是何緣由，想必是之前鎭西軍與定勝軍，曾經兩軍相爭，或有什麼嫌隙。今日宮宴，她是主事之人，生怕鬧出什麼不快來，難以收場，所以有此一囑。

李嶷心想皇后不知，別看崔琳此刻打扮得斯文幽靜，跟舟中那些大家閨秀彷彿一般無二，其實她比軍中那些舞刀弄槍的莽漢厲害一萬倍，待會兒還不知怎麼詭計百出呢，但只得應下。李崍見皇后單叫他上前，不知叮囑些什麼，他不由看著李嶷，心想待會兒若是與崔小姐一塊兒，先將李嶷踹到水裡去，那才眞是有趣。

待搭了跳板，齊王卻客客氣氣，笑道：「三弟，請。」

李嶷道：「自是二哥先請。」兩人兄友弟恭，十分謙讓，待過了跳板走到另一艘船上，顧婉娘和崔琳也自換了一身利索的衣裳，被小黃門們簇擁著過了跳板。李嶷目不斜視，只看著船頭那兩架鞦韆中間懸著的巨大花球，心想待會兒先下手爲強，搶到花球便上御舟，可千萬不要著了崔琳的道兒。

樂部奏起羯鼓，一聲急過一聲，敲出花樣點子，四人都上了鞦韆，待鼓樂聲驟停。御舟上由皇后親自拋出一匹彩帛，迎風展開，便如彩虹一般，如虹彩帛尙未落入水面，鼓樂再起，齊王已經迫不及待一腳踹出，直踢李嶷面門，李嶷單手攀住鞦韆索，指間用巧勁，鞦韆蕩起，在半空中急旋半個彎，避過這一踢。鞦韆另一頭的顧婉娘見這一蕩逼近花球，心中大喜，還未去摘花球，另一側的崔琳已經後發先至，一腳踢在顧婉娘腳側的鞦韆板上，鞦韆斜蕩出去。顧婉娘一個趔趄差點跌下水去，幸得李嶷眼明手快，拉了她一把，顧婉娘驚呼聲未及出口，李嶷已經扶著她的手臂，讓她在鞦韆上站穩。

顧婉娘心中甜蜜，還未及道謝，忽見齊王又氣勢洶洶催動鞦韆，便叫一聲：「小心！」用力攀住鞦韆索，試圖避讓開去。不想齊王這一蕩起勢稍緩，崔琳卻擰身一探，擎住了鞦韆索，直將顧婉娘拽過去。李嶷不欲與之相爭，眉頭一皺便探身抓住了李崍身側的鞦韆索，試圖圍魏救趙，不想崔琳毫不理會，一掌將顧婉娘推下了鞦韆。

李嶷急忙收勢，探身抓住顧婉娘的手臂，他這一下勁力過猛，鞦韆也猛然蕩出去，也幸好這一提一攜，重新將顧婉娘拉回鞦韆之上。此時齊王也明白過來，和崔琳一起，配合默契，只想將那顧婉娘打落鞦韆。

四人在鞦韆上爭搶翻騰，十分驚險好看。御舟之上，自皇后以下，人人注目，不時讚嘆驚呼。片刻之後，只見齊王終於趁隙將顧婉娘推下了鞦韆，李嶷救之不及，只得在鞦韆上以一敵二，卻絲毫不落下風。

落水的顧婉娘自有水性絕佳的羽林郎划著小舟近前救起。顧婉娘披著羽林郎遞上的氅衣，抬頭看鞦韆上翻滾爭搶的三人，不由恨自己無能，未能助得秦王。待上得御舟，在後艙更衣梳妝完畢，剛踏出船艙，忽聽歡呼聲驚嘆聲四起，顧婉娘連忙奔到船舷，原來是李嶷將齊王打落水中，雖然崔琳也趁機一腳踢中李嶷後背，李嶷雖然跌倒，卻是足尖勾住倒懸在那鞦韆板上，探手入碧波，正巧撈起那起先擲入水中的彩帛。

崔琳見他即將落水，再不理會，便伸手去摘花球，李嶷飛身躍起，重新蹂身攀住鞦韆索，整個人便如一隻大鷹一般，翻落鞦韆板上，手中彩帛沾水濕重，脫手甩出，如同棍棒一般朝崔琳掃去。崔琳急轉鞦韆，如輕巧的燕子一般，避開這一擊。兩人為爭花球，瞬間便過了二三十招，快如閃電，疾若迅風，令人眼花繚亂，御舟上諸人早就歡聲雷動，喝起彩來，連樂部的鼓樂之聲，都被喝彩聲壓下去了。

這兩人相爭與適才四人相爭更不相同。崔琳身手靈巧，心思敏捷，極擅機變。李嶷打迭起十分精神來與她過招，只是這種實打實的爭鬥，數十招後，她漸漸力氣不濟，出招便漸緩。李嶷心想，皇后特意囑咐過，不便將她踢落於水，令她難堪，待會兒自己搶了花球贏了就是了。他心思如電，見崔琳催動鞦韆——這一蕩欠缺了兩分力氣，角度微斜，正是機會，手中彩帛揮出，只待將她阻得一阻，自己扯了花球便走。不想彩帛揮出之後，崔琳卻借勢在鞦韆板上一個平沙落雁，就手將那彩帛一揚。彩帛過天，便如旋轉著一條長虹一般，又似矯龍飛天，盤旋著落下。他不顧彩帛，手指已經扯住繫花球的絲繩，指端剛想用力，忽然手背一涼，原來是她兩根如蔥管般纖細的手指，已經搭在他手背上，他心裡一驚，她另一隻手卻扯住了他的衣領，將他拽過去。

其時彩帛如虹，緩緩落下，便如游龍裹罩住兩人，亦正好遮住御舟上諸人的視線，她的臉龐極近，近得連她微微抖動的睫毛都看得一清二楚。他忽然想起從前自己總喜歡親吻她的眼睛，她的睫毛就像一隻忽閃的蝴蝶翅膀，總是癢癢地掃過他的唇角。他正怔忡走神，只見她嫣然一笑，露出唇角一個小梨渦兒，他不由氣促神驚，她已經湊在他唇上輕輕一吻。他只覺得腦中「嗡」一聲，氣血上湧，大驚之餘，手指鬆開，花球已經被她奪走，她指管如玉拈著花球，笑吟吟地看著他。

李嶷氣惱已極。「妳……妳怎能這般！這般……」斥責的話還未說出口，她已經飛起一腳，將他同彩帛一同踹落於水。李嶷被湖水一浸，頓時清醒，鳧水而起，只見她坐在鞦韆板上，鞦韆微微晃動，她足尖輕點碧波，水光柔美，反映著她雪白的面龐，便如同淩波仙子一般，只見她拈著花球笑嘻嘻地看著他，十分招搖地說道：「秦王殿下忘記了，崔某本就是這般人。」

李嶷苦笑一聲，御舟上此時才看得分明，歡呼聲驟起：「秦王殿下落水了！」「崔姑娘奪了花球！」「是崔姑娘勝了！」

羽林郎划著小舟，七手八腳將李嶷拉上小舟。崔琳站在鞦韆之上，手舉花球，朝皇后盈盈行禮。小舟極快，不過片刻就依附御舟，李嶷登舟，自要去後艙更換濕衣，他步履沉重，不由喟然長嘆一聲。旁邊忽有人道：「殿下爲何嘆息？」

李嶷扭頭一看，竟然是裴源，他今日未穿武將的皮甲，卻著了一身過節的錦袍，手裡拿著的，正是自己的衣裳。

李嶷不禁問：「你怎麼來了？」

今日裴源亦在被宣召入宮領宴之列，但之前上御舟的時候，他並不在這條船上。裴源道：「適才聽聞你要和崔小姐打水鞦韆爭彩頭，就知道你要輸，所以趕緊替你預備下了衣裳送過來。」

李嶷一時語塞，過了片刻，方才冷笑道：「你這麼機靈，要不就調你去洛陽，辦理與定勝軍交接之事。」

裴源毫不在意，道：「殿下差遣，臣無不從命，別說調我去洛陽，便是殿下欲親自往洛陽一行，臣必然追隨。」又正色道，「臣早就諫言，你若是把崔小姐娶了，她就是主母，主公輸與主母，那是懼內，天經地義，不算恥辱。」

衣。

李巖惱道：「誰說我今日輸了便是恥辱？」從他手裡接過衣裳，氣恨恨去換下濕衣。

待他裝束停當，重新回到皇后座前，崔琳也已經回來了，她亦已重新換了衣裳，高髻華服，金鈿搖搖，衣袂飄飄，便如仙子一般嫻靜文雅，好個端莊秀麗的大家閨秀，哪有半分適才鞦韆上的狠厲模樣。李巖見她笑盈盈地看著自己，她唇上正是剛塗的胭紅，心中一蕩，忙避開她的目光，在皇后面前行禮。「兒臣無能，卻是輸了。」

皇后笑咪咪地道：「皆道秦王的水鞦韆乃是天下無雙，難得一見，今日可知人外有人，天外有天。」

李巖不好說崔琳耍詐，只得默然拱手，十分慚愧的模樣。

皇后道：「這龍鳳釵，既是彩頭，自然就歸崔姑娘了。」

當下宮娥捧了龍鳳釵，奉與崔琳。

崔琳笑盈盈問道：「皇后殿下，這釵既歸了我，是不是亦可轉贈他人？」

皇后一怔，旋即笑道：「自然。」

崔琳拈起盤中那枝龍釵，說道：「這釵做工不愧是內省重工，做工細巧，世上罕見。這樣的好東西，自然應該贈與秦王殿下。」

皇后不由睜大了眼睛，看了看崔琳，又看了看李巖。顧婉娘更是芳心零亂，但面上仍舊強自鎮定。

李巖道：「愧不敢當，既然是好東西，崔小姐還是自己收著吧。」

崔琳似笑非笑，卻瞥了李嶷一眼，說道：「哦，秦王殿下是瞧不上這東西經過我的手？」

皇后見他們語帶機鋒，又見適才鞦韆上那番爭鬥，心裡猜到了一二分，只想此二人曾經各自領兵，可見從前確有舊隙。

她怕僵持不好收場，便笑道：「十七郎就拿著吧。」

這是皇后諭意，李嶷無奈，只得作勢要接過去，崔琳卻一轉手，將龍釵給了宮娥，由宮娥奉與李嶷。崔琳拿起那一枝鳳釵，仔細瞧了瞧，卻拿著那枝釵，漫步走到顧婉娘面前，舉手將釵插入顧婉娘鬢髮中，說道：「只有顧家娘子這般花容月貌，才配得上這枝釵！」

顧婉娘心下一驚，臉色暈紅，心裡頓時轉過千百個念頭，盈盈下拜：「謝過崔姑娘。」

崔琳笑道：「這是皇后賜的彩頭，顧姐姐當與秦王殿下一起，謝過皇后才是。」

李嶷無奈，亦只得和顧婉娘一起拜謝皇后。

李崍本來看她拿了龍鳳釵中的那枝龍釵送給李嶷，心中猜忌，結果後來她又將鳳釵送給顧婉娘，不由得一樂，心想這眞眞是位妙人兒，心中更是歡喜。崔琳卻是笑盈盈的，只任憑那位齊王殿下似狂蜂浪蝶一般，圍著自己忽左忽右，各種獻殷勤。

宮中宴樂良久，直到黃昏時分，歡宴散去，崔琳這才辭出。

待回到留邸，卸下那些沉甸甸的珠玉釵環，重新梳洗換過衣裳，已經是新月初升。她不免有幾分倦意，便斜靠在軟榻上，有一句沒一句，和桃子說話。

桃子道：「滿京哄傳，說妳把秦王踹到水裡去了。妳還真踹啊？」

崔琳伸了個懶腰，說道：「他當初還把我踹河裡去呢，不過是一報還一報罷了。」

桃子卻急了。

「什麼？他什麼時候把妳踹河裡去的？水涼不涼，水裡有沒有吸血的蟲？」

「我想吃八寶葫蘆鴨，要燉得爛爛的那種。」

「不要岔開話！」

「我在宮裡餓了一天。」崔琳扁了扁嘴，說道，「那宮宴上，無甚有趣的吃食，便是粽子，都是涼的，妳倒只在意姓李的那個輕薄小人。」

桃子頓時面有愧色，說道：「那我去給妳做八寶葫蘆鴨。」她起身去下廚，卻又轉身問道，「這道菜甚是費工夫，怕沒有兩個時辰做不來，要不我拿幾碟點心來，給妳墊墊饑？」

崔琳搖頭。「不必，我只要吃那個。」

桃子素來知道她的脾氣，便匆匆去廚房，親自做這費工夫的精細吃食。而崔琳待她走後，便放下床前帳幔，將枕頭塞進被子裡，整理一番，裝作有人捲被睡著的樣子。然後換了夜行衣，悄悄翻窗而出。

她細心潛行，躲避城中巡夜的金吾，不過一盞茶的工夫，就已經到了秦王府那連綿的高牆外。她自知此處看似十分尋常，但實則防備森嚴，便深吸一口氣，看準了後花園的位置，悄無聲息潛入。

饒是她十分精細，未發出半分聲響，但剛從花園矮牆上翻過來，忽然一柄冰冷的劍鋒便指住了她的喉嚨，崔琳藉著月色，往持劍人的臉上看了看。那人見是她，果然手抖了抖，訥訥地道：「秦王殿下在園西的松風水月閣。」

崔琳笑道：「多謝小裴將軍指點。」

裴源胡亂將一面金牌塞進她手裡，說道：「我會調走各處的守衛，妳拿著這金牌，免得被誤傷。」

崔琳笑了一聲，便如一隻輕巧的燕子一般，重新躍入黑暗中。她手持金牌，又有裴源相助，闖入這秦王府深處，眞如無人之境。待到了松風水月閣外，隔著花窗一看，只見院落裡清輝遍地，松風陣陣，院中卻擺著案几，供著一桌素宴。

崔琳想了想，還是翻過高牆，就在牆頭，往下一探，就這麼電光石火的瞬間，勁風突襲，她不及多想，手在牆頭一按便旋身飛起，果然一柄寒芒，擦著她頭髮刺過去，這一刺未中，立時收劍，又刺向她腳踝。崔琳連身閃避，不料牆頭青苔極滑，她落腳未穩，整個身形一晃，便向牆下摔去，那人見機極快，一見她跌下，馬上探身躍下，不假思索將她接住打橫抱起，然後穩穩落在地上。

松風陣陣，清涼貫耳，崔琳低笑一聲，說道：「多謝。」

李嶷被她這麼一謝，頓時覺得自己這一接實在是莫名其妙，馬上用力將她往外一拋，但又擔心她應變不及撞在牆上，那牆乃是青石牆，只怕撞上去劇痛無比，當下這一擲就收了七八分力，她已經趁機輕輕巧巧地落地站穩，藉著月色看了看李巖的臉色，笑道：「你爲什麼又生氣？」

李巖冷笑。「我生什麼氣？妳三更半夜跑到我府裡來，形如刺客，卻沒有被當場擊殺，我正要問裴源的罪呢！」看到崔琳腰間掖著的金牌，越發大怒，「裴源怎麼把這面金牌都給妳了？」

崔琳笑道：「你這般生氣，難道不是因爲今日晝裡，我把鳳釵送給了顧婉娘？」

李巖一時氣急，反倒笑了，說道：「這有何好生氣的，我和顧婉娘是一隊的，妳和齊王是一隊的，妳縱然贏了，卻把彩頭送給我們，難道我不應該十分歡欣嗎？」

崔琳笑咪咪看著十分歡欣的他，說道：「你既歡欣，那也算我功德圓滿了。」

李巖只覺得一口氣噎著，只差要吐血。他早知與她鬥嘴只得自己生氣，卻頻頻忍不住接話。

崔琳明眸一轉，忽看到院中設著一桌素宴，想起今日除了是他生辰，又還是他亡母的忌辰，這素宴必是在相祭，頓時收斂了嬉笑，走到祭桌前，肅容對著月色，鄭重拜了三拜。

一時松風壑壑，清月無言，院中唯有新蟲一兩聲。

過了良久，李巖坐在院中石凳上，只仰著頭，注視著那松風間的一彎新月，崔琳便也在另一處石凳上坐下，對李巖道：「今兒是你生辰，你有什麼願望，說不定我可以助你實現。」

李嶷卻回頭瞪了她一眼。「妳若是少氣我兩回，或許我能活得長久些。」

崔琳笑著探過頭來，說道：「就說你在生氣，你卻偏不肯承認，不就是親了你一下，你就這般記恨，要不然，你親回去？」她兩眸沉波如水，用如玉管一般的手指點了點自己的絳唇，卻是又瞟了李嶷一眼。

李嶷氣得跳起來。「妳一個姑娘家，能不能、能不能矜持一點……」

話音未落，崔琳卻探身過來，又在他唇上吻了一下，這下李嶷說不出話來了，就在她雙頰微紅，想退開時，他一下子摟住她，狠狠在她唇上輾轉親吻。

離別並沒有太久，但仍舊相思如渴。過了良久之後，他才鬆手放開她，戀戀不捨地用手指摩挲著她的臉，問她：「阿螢，妳就不能聽從我這一回嗎？難道妳眞的就要捨棄我嗎？」她只是含笑看著他。「那你呢？你就不能依我這一回嗎？」

他只覺得十分氣餒，連肩頭都不由得垮下去了。她忽然心裡一軟，喚了他一聲「十七郎」，只見他抬起眸子，充滿希冀地看著自己，她便柔聲道：「咱們眼下，誰也說服不了誰，你心中難過，我也心中難過。要不明日我們暫且忘卻此事，就當作不曾有過這般爭執。我們曾經相約一起同遊樂遊原，但自從收復西長京之後，有太多事情和紛爭橫亙其間，你很忙，我也總是很忙。明日那十二個時辰，你只需要做十七郎，不是什麼秦王殿下，我只需要做阿螢，也不是什麼節度使的女兒，咱們把一切煩惱都忘記，也不要去想那些朝局上的事。等到明日十二個時辰過去之後，再想旁的事。我們一起去樂遊原，好不好？」

他怔怔地看著她，過了許久之後，方才輕輕地點了點頭。

月色當空，湖中半畝新荷盈盈，裴源抱著劍守著一爐驅蚊的艾香，湖中有蛙聲偶鳴，旋即又「撲通」躍入水中，銷聲匿跡。老鮑拿著個蒲扇，一邊拍著蚊子一邊走過來。老鮑一見了裴源，就問：「這不是小裴將軍嗎？怎麼在這兒餵蚊子呢？」

裴源嘆了口氣，說道：「大約是前世不修吧，這輩子才得半夜在這裡餵蚊子。」

老鮑見他臉色愁苦，不由攬了他的肩，說道：「走走，吃酒去。」

「今天不行，今晚我當值。」裴源說道。

其實府中本有典軍守衛，但是鎮西軍的規矩，越是逢年過節，越是由軍中職位更高的將領當值，好讓普通低層軍官和士卒多休憩。

老鮑滿臉惋惜，忽然遙遙隔湖望見似有人影出來，旋即一閃，竟然就不見了。老鮑猛吃了一驚，幾疑眼花看錯，捏著蒲扇本能就轉頭去看裴源，裴源卻一副好像什麼都沒看見的樣子。

老鮑難得大驚小怪，隔著湖指著那高牆下仍在不斷晃動的樹影，失聲問：「是不是有個人剛剛越牆出去了？是不是刺客？」

裴源長嘆一聲，說道：「什麼刺客，就是前世不修罷了！」

且不說裴源在這廂長吁短嘆，崔琳回到留邸，一進屋子，就見桃子橫眉冷對，手裡還端著一盤熱氣騰騰的八寶葫蘆鴨，一見她回來，將鴨子放在桌上，咬牙切齒地問：「小姐說餓，卻越窗而歸，這是去哪裡了？」

崔琳坐下來，笑嘻嘻地舉起筷子，拆那八寶葫蘆鴨，一邊吃一邊誇：「桃子妳手藝眞好！這八寶葫蘆鴨做得眞好吃，妳要不要也嘗嘗？」

桃子氣得充耳不聞，徑直走到邊上去打開櫃門，只聽一陣叮零噹啷，是桃子把那些瓶瓶罐罐都收攏了來。

崔琳故作不解。「大半夜的，妳弄那些毒藥做什麼？」

桃子沒好氣。「下毒，我去秦王府下毒！」

崔琳噗哧一笑，說道：「得啦，我給妳賠不是。明天妳也別在屋子裡悶著了，出去跟謝長耳去逛逛吧。」

桃子說：「哼，妳別以爲這樣說，我就會不生氣了！」

話是這麼說，第二天一早，桃子還是高高興興就跟謝長耳出去了，因爲崔琳出去得更早，桃子剛起床還在盥洗的時候，她就說：「桃子，我先走了。」

當時桃子滿臉都是水，等慌忙拿布巾擦了臉，抬頭一看，早已經不見了崔琳的背影。

李嶷牽著小黑，在留邸外面等她，崔琳一見他牽著馬，不由問：「要騎馬嗎？」

「不是說去樂遊原嗎？」

她抬頭看了看東方剛剛升起的朝陽，說道：「還這麼早，你陪我去西市吃朝食吧。」

李嶷答了一聲好，把韁繩理好往小黑背上一搭，拍了拍小黑的脖子，對牠說：「你先在這裡等我。」

小黑聞言，長嘶一聲，旋即，留邸後的馬廄裡，遠遠傳來小白的嘶鳴聲。小黑也不用人招呼，徑直大搖大擺，就從留邸大門走了進去，自去後面馬廄裡尋小白了。崔琳看到這一幕，不由得又氣又好笑，說道：「牠從來沒來過，倒是一點也不客氣。」

「牠都有好久沒見到小白了。」李嶷話語中滿是惆悵之意。其實也並不久，但還是令人感傷。她牽住他的手說道：「咱們不是說好了，這十二個時辰，高高興興的。」

他點了點頭，反手也握住了她的手，緊緊地握著，一直牽著她走到西市裡，都不曾放開片刻。

他們二人在西市裡吃過朝食，偌大的西長京才一點點蘇醒，也一點一點活絡起來，更是一點一點熱鬧起來。胡商的舖子開始叫賣，有各種新鮮有趣的玩意，從大食來的琉璃酒壺，鑲金的玉杯，胡桃木剜的精緻小盒子，水晶的棋子，嵌著細碎寶石和金子的匕首，更有熱騰騰的胡餅，灑著芝麻的甜茶，當街煮著的駱駝肉，種種不一而足。

兩個人從街市的這頭，一直逛到街市的另一頭。李嶷從出生以來，還不曾這樣仔細逛過街市，看見什麼都要停下來看一看，嘗一嘗。後來遇見射柳，卻是圍起來不大的一個場子，旁邊放著一些彩頭，除了錢帛等物，更有一隻鸚鵡。那鸚鵡比尋常鸚鵡要大上一倍，羽毛華美，幾如孔雀一般，陽光之下熠熠生輝，眼珠靈活，立在一旁的橫枝上，並沒有被鎖住。遇有人來，眼珠一轉，便高呼：「客至！」又呼：「若個郎子，快將奴奴贏回家去。」難爲牠竟說得一口清楚流利的西長京官話，引得無數人駐足好奇探望，亦有許多人躍躍欲試，畢竟才只十個錢就可射一枝箭，便是射上十枝箭也才一百錢。頗多人都上場一試，有箭箭落空的，也偶有能得些彩頭的，只不過都是零星財帛，卻無一人能射中頭彩，贏得這鸚鵡。

李嶷與崔琳連袂而至，這鸚鵡眼珠一轉，歪頭打量了片刻，竟如人般嘆息一聲，方才說道：「好一對玉人兒，教奴奴羨煞。」

崔琳不由得噗哧一笑。

李嶷見她笑了，便向那射柳場中的主人道：「我買一枝箭來射。」

那主人連連擺手，說道：「沒有賣一枝箭來射的，最少也得三枝。」李嶷聞言，也就掏了三十錢，買了三枝箭，先選了一枝箭搭在弦上，瞄了一瞄，那主人看他拉弓的模樣，倒不像是熟手，誰知李嶷一箭射出，正中最遠處插著的那枝最細的柳枝，「啪」一聲令柳枝折斷。四面圍觀之人見著，不由得喝彩聲四起，聒噪起來。那主人見他射中頭彩，不由得臉色微變，李嶷又拿起一枝箭，又射中次彩，這下子歡聲雷動。李嶷又拿起最後一枝箭，再次射中次彩，除了那隻鸚鵡，連場中最貴的兩匹綢帛彩頭也贏去了。

那主人頓時愁眉苦臉，心想哪裡來的一個殺神，看著年紀也不大，竟然能有這般百步穿楊的弓箭功夫。但是圍觀的人這麼多，毫無辦法，只得提過籠子來，裝了那鸚鵡，又捧了兩匹綢帛，強顏歡笑，說道：「小郎君，這是您家贏的彩頭。」

李嶷接過那鸚鵡，笑道：「適才叫你賣我一枝箭，你偏不肯。」那主人聞言，當眞欲哭無淚，忽聽李嶷道：「這鸚鵡是我贏來的，我拿走了，這兩匹綢帛，便送給你吧。」

那主人不由得大喜過望，千恩萬謝，見李嶷與崔琳神色親暱，誤以爲二人乃是夫妻，忙滿嘴吉利話：「郎君如此心善，將來必然與娘子富貴長壽，生得十兒八女，將來小郎君們都出將入相，小娘子們個個都嫁貴婿，只怕將來郎君家裡頭笏板都要堆不下呢。」

李嶷聽他這不倫不類的話語，未免哭笑不得。倒是崔琳嫣然一笑，說道：「多謝郎君，也祝郎君你多多發財。」說畢，扯一扯李嶷的衣袖，兩人提著鸚鵡籠子，一起轉身離開。

等出了人堆，走出去老遠，崔琳忽又噗哧一笑。李嶷問道：「妳笑什麼？」崔琳慢悠悠地道：「這個人雖然是個奸猾小人，說起吉利話來，卻是一籮一籮的。」

李嶷問道：「人家也老實將彩頭給了，妳怎麼說人家是個奸猾小人？」

她卻努一努嘴，指著那鸚鵡籠子說道：「這是什麼？」

李嶷說道：「鸚鵡啊。」

她悠然道：「你信不信，等到了晚上，這鸚鵡就會自己打開籠子，飛回去。」

李嶷聞言不由得一怔。她又道：「你看，適才這鸚鵡站在場邊橫枝上的時候，腳上連鎖鍊都沒有，這定是那射柳場的主人養熟了的，這鸚鵡機靈著呢，牠一定有法子打開這籠門。說不定以前也有人贏到過牠，但都被牠跑掉啦，悄悄又飛了回去。你以為你贏了彩頭，但這隻鸚鵡訓練不易，價值百金，難道就會教咱們輕易贏走？」

那鸚鵡本來在籠中歪著頭，似在全神貫注聽著她說的話，偏李嶷望過來時，牠又若無其事，左顧右盼。李嶷本來半信半疑，但見牠眼珠骨碌碌亂轉。他素來聰明，前後一想，便明白其中的關竅，知道那射柳場的主人，為何絲毫不心疼被贏走了鸚鵡，只心疼被贏走了綢帛，不禁點了點頭，說道：「妳說得有理。」

「不過，既然是你贏了送我的，我就絕不會讓牠再跑了。」崔琳伸出食指，隔著籠子，逗引了一下那隻鸚鵡，那鸚鵡一動不動，任她撫摸，只是一言不發。

當下崔琳另買了新的籠子，又將鸚鵡連同籠子送回留邸去，這才與李嶷牽了馬，馳馬上樂遊原。

時值初夏，樂遊原上卻盛開著星星點點、無窮無盡的野花，似鋪著一張巨大的錦毯，連綿直到天際。淺草沒蹄，馬蹄輕快，小白與小黑都跑得發了興，並駕齊驅，越馳越快，幾如御風一般。

崔琳只覺得風聲過耳，整個人如同飄浮在浩瀚的天地之間，也彷彿天地之間只剩了他們兩騎，一切都變得清晰了，一切也都變得遙遠了。她忍不住快樂地縱聲大笑起來。「十七郎！」

他轉過頭來看她，也忍不住笑起來，叫了她一聲：「阿螢！」樂遊原可眞好啊！像無憂無慮的仙境，他只是她的十七郎，她也只是他的阿螢，這世間所有的煩惱都沒有了，這世間所有的紛爭也沒有了，她輕盈地拋去了蟬蛻一般的愁緒，像蝴蝶，幾欲振翅而飛。

他們穿過了樹林，繞過了湖邊，來到一片靜謐的草地上，小白與小黑終於放慢了馬蹄，兩人相視一笑，翻身下馬。

「這裡眞好啊。」她忍不住感嘆，雖然樂遊原素來爲京中游冶的勝地，但這裡卻十分幽僻，遊人罕至。

小白和小黑自去飲水吃草了，李嶷牽著她的手，帶她走到一棵樹下。這棵樹足足有半人合抱，正開著滿滿一樹粉白色的花，像一簇簇的小扇子，又像細碎的紅纓。她仰頭看了一會兒，只見他從樹洞裡掏出一個小盒子，打開給她看。

原來那小盒子裡放著一把做工粗糙的彈弓，皮筋早就已經腐壞，盒子裡還有幾顆泥丸彈子，那泥丸也裂得支離破碎，還有幾顆竟徹底化作了塵土。他說道：「這是我小時候藏在這裡的，王府裡沒有什麼可以讓我玩的東西，大哥有一把犀骨做的彈弓，我可羨慕了，倒不是羨慕那材質名貴，而是羨慕那彈弓著實好用。後來我就自己找了個樹杈，削了這個彈弓。但是那時候我人小，又尋不到趁手的刀具，削彈弓的時候，正好刀戳在手背上，血流如注，把奶娘嚇煞了，只怕我將自己的手掌戳穿了，從此成了殘廢，幸好後來長好了。」他指著手背上淺淺一道印痕給她看。

她小心翼翼撫摸著那道傷疤，心疼地問：「很疼吧？」

他滿不在乎地說：「忘記了。」

其實他並沒有忘，只是不願意說罷了。她伸開雙臂，再次抱住他。他說道：「收復西長京之後，我派了許多人，去尋找奶娘的下落。當初我被貶去牢蘭關的時候，王府中每個人都歡欣鼓舞，覺得少了一個禍害，只有奶娘著實記掛我，心疼我，把她攢下來的所有月錢都偷偷塞在了我的行囊裡。我早就知道她會這樣，所以又拿出來藏在她枕頭下，當時只想等她發現的時候，一定驚訝極了……可是沒想到我走了不久，奶娘就因爲老邁多病，被逐出府去了……她跟我講過鄉下的家，所以等回到西長京，我派了好多人去尋，但是奶娘已經死了……」他似乎哽了一下，說道：「這世上對我好的人，總是會離開我的。」她知道他在害怕什麼，於是緊緊摟著他，兩人靜靜地站在樹下。

他說道：「阿螢，這輩子能遇見妳，我眞的很歡喜。」他把「眞的」兩個字咬得極重，說到「歡喜」兩個字的時候，卻落音極輕，喃喃如同夢囈一般，彷彿怕驚醒了什麼。她說道：「我也是。」

他把後面的話都嚥下去。其實她仍舊是喜歡他的啊，就像他不能不喜歡她一樣，所以才約定了這十二個時辰，把俗世的一切都拋卻，只是把臂同遊樂遊原。

他們倆就坐在樹下，她又講起了她小時候，他聽得入神。她講起自己怎麼學會騎馬，怎麼練劍，怎麼在軍中行走，如何打的第一場仗，又如何憑藉自己的本事，成爲定勝軍的「錦囊女」。聽她說到得意處，他忍不住拍手叫好，聽她講到失意時，他也忍不住伸出雙臂，緊緊抱住她。

黃昏時分，他去湖裡捉了些魚來，烤給她吃，雖然沒有鹽，但這活魚烤出來，魚肉鮮甜，兩個人吃得津津有味。她吃魚眞的像一隻貓兒一樣，眼睛微瞇，一根根刺都退出來，將魚肉吃得乾乾淨淨，嘴角彎彎的，像是在吃這世上最美味的東西。

因爲是他給她捉的魚來烤的呀。魚皮微焦，她吃得像一隻小花貓一樣，他用手指替她去擦，卻越擦越髒。

兩個人蹲在湖邊洗臉，太陽落下去，星辰升起來，月亮不知道去哪裡了，或許是被樹梢擋住了。她和他依偎著，坐在火邊，火苗忽閃忽閃著，映著他們的臉龐。她仰著頭看星星。「這裡眞美啊，星星這麼多，這麼亮，一閃一閃的，像天上都飛著螢火蟲。」她說道，「小時候營州苦寒，螢火蟲特別少，每逢秋夕遇見一隻，稀罕得不得了。我出生的時候，本已經是深秋，偏偏那一年時氣暖和，還像初秋一樣。就在我出生的那晚，忽然有一隻螢火蟲從窗子裡飛進來，就停在我的繈褓邊，一閃一閃，熒熒發亮，我娘便給我取了一個乳名，叫我阿螢。」

他不由得道：「原來妳的乳名是這樣來的。」

「後來，阿娘和我講過牛郎和織女的故事，說他們一年才得一會，等到相見的時候，會有喜鵲替他們搭橋。我心中常想，喜鵲搭成的橋有什麼好看，若是能用螢火蟲搭橋，那才配得上天上的神仙呢。」

她的眼睛在黑夜中閃爍映著火光，像漫天星辰倒映在眼底，也像無數螢火蟲映在她眼底，他不由看得癡了。過了半晌，方才說：「我們阿螢，配得上所有的神仙。」

她不由得微微一笑，語有所指：「我不喜歡神仙，我就喜歡一塊頑石，山裡面的石頭，又硬又硌，也不知道有什麼好。」

「我瞧我這塊山石挺好的。」他本來順著她的話說，卻忽然又黯然，「不過我的名字，是宗正寺取的，字面意思也挺好，希冀我聰穎，所以名嶷。但到底，也沒人給我取一個乳名。只有乳母，從小喚我一聲十七郎，倒就叫開了。」

她伸手握住他的手。「每次我想到十七郎的時候，其實覺得這三個字可好了，我本來有許多煩心的事，可是只要一想到你——都不用見到你，只要一想到你，我的心裡就安靜下來，就好像你就在我身邊。」

他也反手握住了她的手，兩人一時都沒有言語。又過了片刻，她才說道：「營州的螢火蟲，實在是太少了，夏天我們會住在幽州，幽州比營州要暖和許多，但螢火蟲也很少。阿爹看我喜歡，晚上有時候，常常出去想替我捉一隻，每次他總說，阿螢，我給妳捉到一隻螢火蟲，妳答應我一件事好不好？或是讓我寫字，或是讓我背書，我每次總是要賴，說捉到一隻螢火蟲不算，要捉到一百隻螢火蟲，我才能答應他一件事。但爹爹太忙了，哪裡有工夫去替我辦這些小事，所以到最後，我也不曾見過一百隻螢火蟲在一起的樣子……」她的語氣裡有淡淡的遺憾和惆悵。

他不由得道：「夏天的時候，這裡有很多螢火蟲，到時候我們再到這裡來看。」

她輕輕地「嗯」了一聲。他也知道，不知夏天的時候，她還會不會來到這裡。他心中一酸，忽然道：「阿螢，如果我給妳捉一百隻螢火蟲，妳能不能答應我一件事？」

她轉過臉來看他，眼中倒映著篝火，也似映出了淡淡一層水霧，她很快又轉開了臉，過了片刻才說道：「我心裡想說答應，可是十七郎，你也知道，我是沒辦法答應的。」

他心裡有無限的酸楚，仰起頭來望著天上的星辰，他知道此後每一顆星星，都會讓他想起今天這個夜晚。

這個夜晚是如此的美好，卻又如此的短暫，他忽然希望天上能墜下一顆流星來，因爲牢蘭關的風俗說，見到流星，如果把衣帶打一個結，就可以許願，十分靈驗。

但是星輝燦然，沒有流星，也沒有螢火蟲。

天亦不遂人願。

第十四章　伏中

御街兩側，御溝流水無聲，反射著日頭的點點白光，垂柳依依，蟬聲嘶鳴。

雖然剛入伏，但天氣已經頗爲酷熱，趁著清晨涼快，小販推著瓜果蔬菜，在街坊間叫賣。等日頭再升起來一些，街坊間也少人走動，連小販也只能無精打采坐在樹下躲著陰涼。

一騎從城門外馳進來，「得得」的蹄聲如急雨連聲，那人身著青衣，早已經全身汗濕透，背上負著密封好的竹筒，上面貼著雉羽，正是傳遞要緊軍情的急足。等到了宮門口，一層層地奏報進去。皇帝身邊的袁常侍拿到這個竹筒的時候，竹筒已經被太陽曬得滾燙，也被汗漬得發白。殿中朝會未散，所有百官聽聞有要緊的軍報，都不由神色緊張起來。

「大捷！這是大捷啊陛下！」

裴獻明顯喜形於色，照著軍報念給皇帝聽：「殺敵數千，俘獲揭碩深利部、方功部萬餘……更有車馬、弓箭、糧草無計數，並奪回白水關，將揭碩逐至白水山以北，不令犯境。臣崔倚即親自押解揭碩深利部、方功部首領七人入京面聖……」

皇帝聽著這一連串的戰功，不禁心裡又得意起來，心道吳國師說得沒錯，自己這個天子當眞是天命所歸！所以才無往不利，戰無不勝！

裴獻又道：「崔倚奪回白水關，獲此大捷，都是陛下納言求治、知人善任之故，若非有陛下旨意，並令朝中六部，予以力援，非有今日大捷。」

皇帝覺得這話中聽極了，不由點了點頭，說道：「裴卿說得是，雖然此事是我下旨，但還得朝中六部，各位愛卿兢兢業業，幫襯他們定勝軍啊。」

眾臣不由得一起拱手行禮。皇帝越發得意起來，說道：「這樣的大喜事，理應獻俘太廟，還應該大赦天下。」他覺得自己這個理由找得特別好，也特別自矜於自己的靈機一動，忙喜滋滋地說道：「快派人去傳旨，解了安陽王的幽禁，將他放出來，等獻俘的時候，也好跟我同去。」

李嶷聞言，立時上前一步，說道：「陛下，定勝軍大捷，安陽王何功之有？安陽王謀殺結髮之妻，滅絕人倫，縱火燒死數十條人命，這才幽禁他些許時日，陛下便要將其赦免，這難免不令天下人側目，疑陛下有徇私之心。」

皇帝勃然大怒。「那可是你親哥哥，你爲何這般不依不饒?!」

李嶷立時就頂上一句：「信王妃之死，何其無辜！」

皇帝指著李嶷，氣得手指直抖，想罵又罵不出來。

裴獻見狀，只得上前解圍，奏道：「陛下，剛剛說除了急報之外，崔倚大將軍另有一封奏疏，是隨急報一齊送來的。」

皇帝忍住一口氣。「袁常侍，你將奏疏也念一念。」心想必是那崔倚覺得軍功太多，急報裡頭一頁紙寫不下，還另外上了奏疏保薦此番立功之人，獲此大捷，自己還是要給崔倚這點面子的。

袁常侍連忙躬身稱「是」，展開奏疏一看，臉色不由一變。皇帝絲毫沒有留意，只是催促：「念啊！」

袁常侍只覺得頭皮一陣發麻，但只得硬著頭皮念道：「臣盧龍節度使、朔北都護、朔州道行軍大總管、左威衛大將軍崔倚，特爲東宮立儲之事奏陛下，請，立秦王嶷爲太子……」

朝中眾臣聽到此處，不由得瞠目結舌。皇帝一氣之下，竟然猛然從御座上站起來，怒斥：「住嘴！這個崔倚！這個崔倚簡直混帳之極！」

群臣紛紛倒吸一口涼氣，朝中因到底該立李玄澤爲太子，還是該立皇帝的兒子爲太子，已經爭執許久，並未爭出來個結果。反倒是信王李峻因爲謀害髮妻，給貶成了安陽王，皇帝的嫡長子居然有了這樣的道德瑕疵，哪怕皇帝再寵愛，自然是不宜立爲儲君的，這是群臣心照不宣的共識。但是萬萬沒想到，遠在千里之外的崔倚突然送來這麼一封奏疏，這……簡直就是唯恐天下不亂！

顧衸見皇帝再次失言，只得上前勸道：「陛下，陛下乃是性情中人，但陛下是聖人，金口玉言，不能言辭輕慢，以免寒了前線大將之心。」

皇帝已經氣得滿臉通紅。「崔倚以爲打了勝仗，就能對朕的家事指手畫腳嗎？這個老匹夫！眞不知道天高地厚！」

顧衸正色道：「陛下，立儲不是陛下家事，立儲是國之大事。崔倚身爲節度使，上此奏疏，是理所應當。」

皇帝又驚又怒，脫口問道：「什麼？顧相竟然覺得，這老匹夫說得有理？」

顧衸肅然道：「陛下雖然春秋鼎盛，但儲貳之事，深唯宗社根本之重，早正東宮之位，以繫宇內之心……」

皇帝已經氣得直喘粗氣，他沒想到連顧衸都說出這樣的話來，可見朝中上下，都不知不覺被李嶷收買乾淨，自己這個皇帝還做得有什麼意思？於是連聲音都高昂起來：「不要跟朕掉書袋，講這種大道理！就算要立太子，那也得由朕說了算！再說了，立嫡立長，都輪不到李嶷！」

李嶷忍不住道：「陛下，兒臣不堪驅用，立儲當立玄澤……」

皇帝一聽到李玄澤的名字，氣得忍不住跳腳。他忍此事已經忍了很久了，明明自己乃是眞龍天子，憑什麼不能立自己兒子，反倒要立先太子的兒子？先太子又短命又福薄，他的兒子又還是個小娃娃，憑什麼就要立作太子？偏自己生得李嶷這個逆子，一意孤行到如今。李峻還是他的親哥哥，李嶷卻再三逼迫，顯然對兄長毫無手足之情；對自己這個父皇，更是沒有半分放在眼裡，不過就是覺得自己這個皇帝無能，這皇位他有大半功勞罷了。皇帝用顫抖的手指指著李嶷，語近咆哮：「你閉嘴！跪下！」

顧衸唯恐秦王會像上次那樣拂袖而去，把事情弄僵，但是李嶷沒有作聲，最後還是跪下了。

顧衸鬆了口氣，又道：「陛下，如今戰亂雖平，但北有揭碩虎視眈眈，西有黠民始終爲患，秦王率鎮西軍勤王平叛，收復兩京，方能擁陛下即位，垂拱宇內，爲國朝萬年之計，臣以爲，當立秦王爲儲！」

他身爲首輔，第一次公開在立儲之事上表態，分量自然非同小可，偏裴獻又上前：「臣附議，當立秦王爲儲！」

這下子可把皇帝氣壞了，他覺得剛才的大捷已經成了煙雲，不，是這堂堂皇皇的宣政殿成了煙雲，自己身爲皇帝，竟然被臣子和兒子逼迫至此，皇帝氣得雙眼一黑，就此昏了過去。

朝中頓時一片大亂，群臣與內侍都慌作一團，七手八腳地將皇帝扶起來，然後宣召御醫，幸得皇帝並無什麼大礙，只是急怒攻心厥過去了而已，在御醫的救治之下，悠悠醒轉，又被軟榻抬回了紫宸殿，只餘幾名重臣還在榻前。皇帝素來病孱，但是當了皇帝之後，許是心境大好，登基後倒是很少生病，這下子怒火攻心，頓時覺得自己虛弱起來，就躺在榻上拉著顧衸的手。「朕這是好不了了，快把安陽王放出來吧，讓他來見朕最後一面……」說完就聲淚俱下，口口聲聲罵李嶷不孝。

顧衸無奈，只得暫且答應下來，說自己會去說服秦王。

皇帝這才覺得自己胸口沒那麼悶了，一轉頭看見李嶷，又怒道：「這逆子爲何還在此處，是想活活氣殺朕嗎？把他趕出去！」

眾人無奈，倒是李嶷見狀，一言不發，轉身就出殿而去。

在平盧留邸的崔琳，卻是比朝中晚了整整半日，才知道崔倚那道奏疏的消息。崔倚是特意瞞住她的，傳來信說道，妳耽於情義，不忍逼迫秦王太甚，所以這個惡人就讓阿爹來做吧。又說，知道她事先知曉這道奏疏，必會反對和阻攔，所以才瞞著她。到了最後，又在信裡勸她，說秦王若是再游移不定，就絕非良人，不可託付終身，勸她重作思量。

她不禁苦笑，崔倚確實是惱了，才會以此來逼迫李嶷，也是想令她看清楚也想清楚，但無論如何，只怕李嶷都會認定，上奏立儲之事爲自己主張吧。

她不禁慢慢嘆了口氣。

她在屋中枯坐，也不知過了多久，忽然聽到窗子「吱呀」一聲，旋即李嶷越窗而入，卻是朝服都沒來得及換下，滿面怒氣，直直朝她伸開手，說道：「還我！」

她明知而故問：「什麼？」

「我母親留給我的明珠絲條，還給我。」他大約是氣極了，眼尾發紅，一邊說，一邊就從袖中取出那枝玉簪，說，「這是妳的簪子，還給妳。」見她遲遲不肯接，便指上用力，將簪子一甩，簪子正正穿過她的頭髮，插在她髮髻中。

她不由得怔了一怔，這才從腰帶間解下明珠絲條，遞給李嶷。李嶷伸手接過明珠絲條的下端，她忽然手指用力，似是不願意放手，李嶷抽出短劍，就要去割斷明珠絲條。她連忙伸手去攔，李嶷誤以爲她是要搶那明珠，劍尖微挑，她手已經探到，就這麼電光石火的瞬間，刀尖從她手上劃過，頓時血流如注。

他不由得怔住，伸手想去抓她的手，查看傷口。

她手上雖痛，但比不得心上更痛，將明珠絲條擲到李嶷懷中，說道：「東西還給你了，你走吧。」

他又怔了一怔。她目光幽冷，聲音更冷：「走！東西都還給你了，走！」

他終於掉頭不顧而去。

她這才捧著手，坐下來，只覺得兩眼發黑，心裡一陣陣難過。手上的傷其實不重，也不深，不過是皮肉之傷罷了，過個十天半月，連疤痕都不會留下，但是她心裡好生難過，原來所謂肝腸寸斷，亦不過如此。

皇帝病了好幾日，在顧祄的主張之下，安陽王李峻終於被放出來侍疾。皇帝病情果然就好多了，也能吃得下飲食了，就是皇帝執意要將安陽王的爵位重新封爲信王，顧祄堅決不允。

皇帝念念不忘此事，又覺得委屈了長子，難免又想痛罵始作俑者李嶷，然而皇帝病後沒有朝會，李嶷也一連幾日，皆在休沐。

這日是李玄澤五歲生辰，他身份尷尬，眼下朝中也沒任何說法，韓暢就打算悄悄過去罷了。沒想到李嶷卻親自來了府中，接李玄澤去秦王府玩耍，還給他帶了一柄小劍，作爲生辰之禮。

李玄澤甚是喜歡那小劍，愛不釋手。他也喜歡騎馬，尤其李嶷親自抱著他騎馬。李嶷這匹黑駒甚是高大，但他坐在鞍前，一點也不害怕。等到了秦王府，花園很大，後頭還有練武的校場，李嶷還特意拿了一張小弓，教他射箭，他學得興致勃勃。韓暢陪他一起來的，還擔心他怕生，見他如此高興，也漸漸放下心來。

玩了半晌，李玄澤肚子餓了。李嶷笑道：「今日可巧了，有一樣好吃的。」原來奶娘雖然已經去世，但因爲李嶷曾派人尋訪到她家中，得知她有兩個兒子，便留下些銀錢。奶娘的兒子鄭五郎由此常常送些新鮮的瓜果蔬菜來秦王府，李嶷心中感念，每次這鄭五郎前來，都不會令他空手而歸。恰巧今日清晨，鄭五郎送了一籃子蒿筍乾來，說道：「娘親生前就常常念叨殿下愛吃此物，這是今年新曬的，送來給殿下嘗嘗鮮。」

李嶷喜歡吃蒿筍乾包子，原也不是什麼精細吃食，可那時候在梁王府裡，誰會惦記他愛吃什麼，特意給他做什麼呢？只有奶娘，總是從家裡拿了蒿筍乾，給他做包子吃，久而久之，這便成了他最掂記的口味。今日鄭五郎送了蒿筍乾來，他就令廚房包了包子，此刻李玄澤腹中饑餓，這包子恰好也蒸熟了，熱氣騰騰地送了一屜來。

李嶷見包子來了，先從池子裡摘了一片荷葉，洗乾淨了，又將包子放在荷葉上頭，自己拿著不燙了，才遞給李玄澤，說道：「吃吧，這包子餡裡頭有湯汁，你少少地咬一口，不要燙到自己。」

李玄澤點點頭，說道：「謝謝十七哥。」他接過包子，聽話地咬了一小口，剛蒸出來的包子鬆軟可口，散發著陣陣香氣，他不由笑道：「眞好吃，十七哥，你也吃呀！」

李嶷拿了個包子，笑道：「我就吃。」又讓韓暢，韓暢忙道：「殿下放心，我也嘗嘗。」說著也拿起一個包子，李嶷正待要張嘴咬下，忽然只聽「咕咚」一聲，李玄澤手裡的包子已經掉在地上，旋即他整個人就栽倒在地上。李嶷與韓暢大驚，搶上去扶起李玄澤，只見他七竅流血，呼吸微弱，顯然是中了劇毒。

李嶷立時便令人取牛乳來，一邊又喚人去請范醫正。牛乳很快拿來，李嶷撬開李玄澤的牙關，就給他灌下去，這是當初在牢蘭關他學到的解毒偏方，直灌了整整兩大碗牛乳，灌得李玄澤「哇」一聲全都吐出來，范醫正也火急火燎地趕到了。他一看這情形，馬上說道：「殿下，崔家有一種藥，可解百毒。」他曾隨李嶷前往長州給崔琳診治，所以與桃子打了頗多時日的交道，也是聽桃子說起來這種藥。因爲揭碩的巫醫極擅用毒，崔家子弟屢有中毒，所以才備有此藥，據說可以緩解許多種毒物的毒性，哪怕不能徹底解毒，也能暫緩毒性侵入心脈。當初桃子還跟他探討過，這種藥能不能給崔倚解毒，所以他印象深刻。

李嶷怔了一怔，叫了一聲「耳朵」，謝長耳已經會意，立時就飛奔而去。

謝長耳趕到平盧留邸，桃子一看見是他，差點把門摔在他臉上。「你還敢來！」

謝長耳心急，一把伸手攔住門板。「桃子，太孫中毒了，十七郎叫我來求藥。」

桃子一聽，氣更不打一處來，冷笑道：「十七郎？他是誰？我們不認識！你走，你快走！你再不走，我要拿毒針刺你了！」

謝長耳嘴拙，一時急得滿頭大汗，說道：「桃子，事出緊急，妳就去幫我求求崔姑娘……」

桃子不住冷笑。「幫你？爲什麼要幫你？你是誰？我不認識！」

忽聽屋子裡崔琳的聲音道：「人命關天，既然上門求助，妳就給他吧。」

桃子氣得兩眼發黑，掉頭就走，去尋了藥瓶，擲在謝長耳懷裡。摔上門板，卻仍舊忿忿不平，走回屋裡。「爲什麼給他？一邊兒跟我們恩斷義絕，一邊跑來問我們拿藥，我那藥是天上掉下來的嗎？節度使當年花了多少人力物力，耗了多少心血，才配得這麼幾丸藥，妳倒大方……」

她本來還想罵李嶷那個負心薄意之人，但看到崔琳坐在窗下，雖是夏日，但臉色蒼白，身形消瘦，整個人憔悴得不像樣子，不由得心一軟，說道：「小姐，咱們回營州去吧，住在這裡，天氣又熱，院子又小，讓人心煩意亂的。」

這話她這幾天說了不知道多少遍了，崔琳不過是沉默罷了，今日卻輕輕點了點頭，說道：「阿爹既然凱旋還朝了，咱們就北上迎一迎吧，離了這裡，咱們不回來了。」

桃子張了張嘴，心裡不知爲何，湧起一股悲傷之意，想說什麼話，卻覺得又說不出來。反倒是崔琳安慰她：「我沒事，真的，出城跑跑馬，離了這裡，也許就開心起來了。咱們營州，天高雲淡，有萬里的草場，心胸都會爲之一滌，這京裡，太逼仄了。」

她最後甚至笑了一笑。「妳瞧，我留了這麼多時日，他一直沒再來過，剛才那一刻，全當是還清欠他的吧。」

「妳欠他什麼啊！」桃子又氣得跳腳，崔琳卻催促她，「快去收拾行李吧，我想爹爹了。」

李玄澤被灌了三遍牛乳，被范醫正施了金針，又吃了謝長耳取來的藥，終於緩過一口氣，被救了回來，只是神志不清，還不能說話。

這個毒太歹毒了，幾乎是沾唇即死。李嶷縱然憤怒，但很快就找到了線索。因爲送蒿筍乾來的鄭五郎，被人滅口，淹死在了河裡。追查下去，很快就將王先兒與張二郎拿到了。那張二郎原是信王府管家的兒子，知道奶娘之子鄭五郎常到秦王府上走動，於是買通鄭五郎的賭場朋友王先兒，由王先兒攛掇鄭五郎將蒿筍乾送來秦王府裡，以換些賞錢；至於那籃蒿筍乾，是被張二郎下了劇毒。王先兒只喊冤枉，但是張二郎垂頭喪氣，一言不發，明顯已經打算死豬不怕開水燙了。

李嶷知道，他們全盤的計畫，並不是打算毒死李玄澤，是打算毒死自己，只不過湊巧今日自己接了李玄澤來府裡，又湊巧給了他一個包子罷了。看著李玄澤小小的臉面如金紙，如今仍舊奄奄一息，李嶷痛悔不已，二話不說，提劍就走出門去，老鮑等人連忙拿了兵器，追上他。

話說安陽王李峻，頗有幾分坐立不安，心神不寧，倒是那楊鶇道：「殿下，每逢大事，需有靜氣。」

李峻嘆道：「沒想到誤中副車，怎麼這李玄澤竟然去了李嶷府上。」

楊鶇胸有成竹。「殿下，這是副車，又不是副車。若是李玄澤死了，於殿下而言，也是一樁獲益之事啊。」

李峻點了點頭，說道：「你說得有理。」又問，「秦王不會察覺嗎？」

楊鶇道：「絕計不會，咱們又沒直接經手，都是旁人隔著旁人，就算他查到什麼，也沒有什麼眞憑實據，眞鬧起來，咱們就讓陛下覺得，是他又想冤枉殿下……」

一語未了，忽然堂外喧嘩聲大起，數名奴僕驚慌失措地跑進來。

「殿下！殿下！秦王殿下帶著人殺進來了。」

李峻一驚。「什麼？」

李嶷早已經一腳踹開門，提劍闖進室內，一見了李峻，他眼中幾乎要噴出火來。

「你好狠毒的心，你殺了大嫂還不夠嗎？竟然還往我府中投毒！」

李峻驚恐萬分。「你……你胡說八道！你……你血口噴人！」

「不要以爲殺了鄭五郎滅口，我就追查不到，是你讓人在鄭五郎帶來的蒿筍乾中下毒，是你……是你差點害死了玄澤！」

李峻慌亂不堪。「你眞是胡說八道！我爲什麼要害你……害那個什麼李玄澤！」

李嶷不再言語，一劍朝李峻刺出，楊鶇嚇得魂飛魄散，李峻抱頭鼠竄。眼見就要被李嶷刺中，裴源忽帶著人一擁而入，見狀衝上前來，抱住李嶷的手臂，連聲只叫：「殿下！殿下！咱們既然有眞憑實據，不如去朝中，當著陛下和文武百官的面，討個公道！」

李嶷不語，推開裴源，一劍又朝李峻劈過去。裴源撲上來抱住李嶷的腰，李嶷這一劍不由劈歪了，劈在茶几上。李峻抱頭縮在桌後，瑟瑟發抖。李嶷冷笑：「公道？他謀害大嫂，竟還能這麼快被陛下赦免！哪裡還有公道可言？」

裴源死死抱住李嶷的腰。「殿下！切莫衝動行事！安陽王試圖毒殺您，結果令太孫中毒，陛下面前，還有朝中群臣，必得給予交代。您若是一劍將安陽王殺了，那國朝法度又從何談起？本來鐵證如山之事，怎能逞一時之氣！殺了安陽王事小，陛下會如何發落殿下？陛下更如何恨我等在場卻沒能攔住殿下？」

最後一句話實在是懇切又哀傷，李嶷心裡憤懣，用力將長劍擲出。裴源大驚失色，李峻本能抱頭躲避，劍鋒擦著李峻頭皮掠過，割下一大片頭髮，然後斜插入柱子，劍身微微顫動。李峻伸手一摸，滿手是血，嚇得哭叫起來。

這一場大鬧，待李嶷一走，李峻就哭著喊著連滾帶爬進宮去，只說李嶷要殺自己。皇帝縱然還沒弄明白怎麼回事，倒是好言好語安慰一番，又說有父皇在，那個孽障絕不敢動你半根毫毛，派人去傳李嶷，卻說秦王出城替太孫求醫去了，皇帝氣得一個倒仰，只連罵逆子不孝。

結果到了第二日朝會，李嶷毫不客氣，帶著人證物證，徑直就在朝堂上一一呈現出來。這下所有人都覺得，安陽王李峻，眞是蠢到無可救藥了，也實在是，罪無可恕了。不論是想毒殺李嶷，還是誤毒到了李玄澤，令李玄澤如今奄奄一息、性命垂危，戕害手足，這放到哪朝哪代，都是悖逆人倫的大罪。

皇帝見滿朝文武都眾口一詞，要重重問李峻的罪，竟頭一回心生無力之感。等散了朝之後，紫宸殿中，單獨留下裴獻與顧祄兩人，原本是想讓他們倆想想辦法，誰知裴獻開口就說，應該將李峻削去王爵，貶爲庶人，並流放千里。

顧祄又緊跟上一句：「這也是臣的意思。」

皇帝跌坐回座位，驚疑不定地看了看顧祄，又看了看裴獻。

「那可是朕的兒子！」皇帝痛心不已，「再說了，就算所謂人證物證是眞的，是安陽王指使人給秦王下毒，可是李嶷又沒死啊，爲什麼要將安陽王削去王爵，還要流放他？」

顧祄知道這位陛下糊塗，但是沒想到他糊塗如斯，只得正色道：「秦王也是陛下的兒子！況且秦王收復兩京，功在社稷。李玄澤又是先太子唯一的遺孤，安陽王毒殺先太子遺孤，陛下有何顏面對九泉之下的先帝及先太子？」這句話說得很重，皇帝不由得沉默了，心想如果眞中毒的是李嶷就好了，反正他命硬，肯定死不了，也不會有什麼大礙。如今中毒的偏偏是李玄澤，李玄澤危在旦夕，又是先太子的遺孤，這確實無論如何，都交代不過去。今日朝中眾臣群情激憤，還有數名老臣哭著說要去泰陵哭先帝，他從來沒有感受到像今天這樣孤立無援，皇帝心裡其實是很害怕的。

顧祄又道：「當初安陽王謀害結髮之妻，舉朝皆知，卻未得嚴懲。如今他剛被赦免，又做出這等謀害手足之事，如此泯滅人倫，罪無可恕之人，難道陛下還要公然違背國法例律，偏袒回護嗎？」

皇帝不由囁嚅：「這……就是李玄澤，御醫不是說他緩過來了，暫且並無性命之憂嗎？哪有顧相說得這樣嚴重。再說，說他謀害秦王，此事不過是他們哥兒倆鬧了些意氣，秦王不也拿劍砍傷了安陽王嗎？他都出氣了，為什麼還不能放過他哥哥，那可是他親哥哥啊。」

裴獻聽到皇帝如此說，再也忍不住，離座上前跪倒。他是大司馬，又是太尉，按禮制，入朝都可以不拜，何況此刻並非正式的朝會，皇帝不由得慌了。

「裴卿為何行此大禮？」

裴獻悲憤萬分。「陛下，秦王自領鎮西軍勤王，收復兩京，平定孫叛，有大功於社稷。今日謀害他的凶手，竟然可以毫髮無損，逍遙法外，那日後，是不是誰都可以任意謀害有功之臣？鎮西軍中，凡同袍蒙冤，必自我而下，為之鳴不平，這是鎮西軍軍魂命魄所在。陛下如此徇私枉法，一意偏袒安陽王，臣只能領鎮西軍，奉秦王遠離朝中，以保全秦王性命。」他話音未落，顧祄亦起身上前跪倒。「陛下，如果陛下執意不肯流放安陽王，以正國法，那臣只能領中書省諸臣辭去中書之職。」

這是一文一武兩個最首要的大臣要辭職，此舉聞所未聞，見所未見。皇帝不由得又怕又急。「裴卿、顧相何至於此，何至於此。就不能放安陽王一條生路嗎？」

顧祄道：「陛下，安陽王謀害髮妻，又謀害秦王，誤害先太子遺孤，按律例該問十不赦大罪。削去王爵流放他，已經是放他一條生路了。」

皇帝不由得哭出來。「我的峻兒怎麼受得了流放之苦……」哭著哭著，就作勢要暈倒，裴獻與顧相對望一眼。兩人皆朝皇帝行了一禮，都準備轉身離去，回去上書辭官。

皇帝見此情狀，只得收住眼淚。

「兩位愛卿且等等，等等，流放也行，要流放多遠啊？」

顧祄道：「依國朝例律，當然是削去王爵，流放三千里，至極北碎葉之地。」

皇帝充滿希冀地問：「近一點行嗎？」

顧祄搖頭。皇帝又哭道：「馬上就是董皇后的祭日，能不能讓安陽王隨朕去祭拜他母后。朕會讓秦王也去，到時讓安陽王當面給秦王賠罪。如此，就讓信王只流放一千里，去瓊州，行嗎？」

顧祄婉轉道：「陛下，董皇后又不是秦王的生母，秦王的生母是劉賢妃，追封生母之事陛下已經委屈過秦王，再讓秦王去祭祀，恐怕不妥。再說了，如今中毒昏迷未醒的乃是玄澤殿下，安陽王要賠禮，也得向玄澤殿下賠禮。」

皇帝苦笑道：「早知道就該也追封劉氏爲后，不該賭那一時之氣！要不這樣吧，趁著這機會，一起去祭祀先帝，我也該去泰陵祭奠先帝，之前總因爲病弱未曾前去，這是我作的孽，便在先帝靈前，我也該跪著受一受罰。也讓安陽王就在先帝靈位之前，向秦王賠禮，亦向玄澤賠禮，這總可以吧。」

顧衸道：「即使如此，削去王爵，流放一千里去瓊州，已經是陛下仁慈寬和，拳拳愛子之心了，安陽王這責罰再也不能減了。」

皇帝嘆了口氣。

「行吧，兩位愛卿把話都說明白了，朕知道，朕再也不能回護他了。」

李峻聽到要流放自己，頓時哭著進宮來，抱著皇帝的腿苦苦哀求：「父皇，兒臣眞的冤枉啊！兒臣是被冤枉的，李嶷他做了這樣的局來害我，如果眞的是我下毒，怎麼沒有毒到他？明明就是他自己給李玄澤下毒，然後栽贓陷害我，他就是爲了當太子！才使出這樣一箭雙雕的毒計，既除掉李玄澤，又除去我。父皇，兒臣眞的冤枉啊，竟然還要受流放之苦！這哪裡是流放，這是要兒臣的命啊！」

皇帝硬起心腸，說道：「唉，峻兒，朕知道你不會做這樣的事，但奈何朝中眾人都說鐵證如山，朕跟顧相說了好久，顧相才同意，從流放三千里，改成流放一千里。瓊州也還好，就是要防著瘴氣。不怕不怕，等過一兩年，我尋個由頭，再把你赦回來。」

李峻哭道：「父皇，如何等得一兩年，那個李嶷，既然是想要害我，我若在流放途中被人殺害，父皇都不會知曉啊……」

皇帝嘆息道：「朕已經叫袁常侍選好了人，個個聽話又能幹，一定能護衛你周全，在瓊州也定能將你侍候得好好的。」

李峻再三哀求，皇帝也不過嘆息而已。李峻掩面大哭。「好狠心的父皇，這不是要了兒臣的性命嗎？」見實在不能令皇帝改變心意，這才出宮而去。

六月十九，正是伏中最熱的時候，天子卻執意率諸王從西長京出發，前往泰陵祭先帝。

大駕鹵簿本就行得慢，又因爲天氣暑熱，每日只行三十里，這日就駐蹕在石泉驛。安陽王李峻已經被削去王爵，貶爲庶民，即將被流放，許是因爲這個緣故，所以李峻對皇帝顯得十分孺慕，恨不得如孩童般依依膝下，自出西長京後，每晚都親自侍奉皇帝洗腳解乏，只含淚道：「此後若要見父皇一面，就怕只能在夢中了。」

皇帝亦十分唏噓，等李峻親自去提熱水，便忍不住對李崍道：「只怕你大哥一走，我都要想他想得生病了。」

李崍勸道：「父皇切莫傷感，待過些時日，不拘尋個理由，赦還大哥便是了。」

皇帝心裡也是這麼盤算的，正在此時，小黃門忽奏報，秦王前來定省。皇帝聽到秦王兩個字，便不由暴躁，差點連洗腳盆都踢翻了，厲聲只說了一個「滾」字。小黃門無奈，只得出去對李嶷躬身道：「殿下，陛下已經歇下啦，要不殿下明日早些來吧。」

此處不比宮中殿宇重重，李嶷早就聽見皇帝那個暴跳出雷的「滾」字，聽聞小黃門如此言語，也不再說什麼，轉身離去。

李嶷還沒有回到下處，忽見京中裴源遣來的信使，原來李玄澤中毒之後，雖精心調理，漸漸蘇醒，但這日忽然又吐血，因此裴源急急遣人來報信。

李嶷聞訊，心下憂急，好在剛從西長京裡出來兩天，才行得六十里，便是快馬趕回去，也不需多少工夫。他此次出來隨駕，身邊只有老鮑等人，當下便商議定了，由謝長耳與他連夜馳馬回西長京，而老鮑諸人，明日一早仍舊護著秦王的車駕，跟著皇帝的大駕走，僞作李嶷仍在車內。

當下李嶷與謝長耳星夜快馬馳回西長京，待趕到韓暢府中時，已經是夜半時分，李玄澤終於止住了吐血，服了藥已經昏睡，看氣色卻是極差。韓暢有些愧然的樣子，說道：「倒累得殿下星夜馳回。」

「無妨。」李嶷問道，「范醫正可有什麼說法？」

「說是餘毒未清，」韓暢憂心忡忡，「范醫正說，上次的解毒藥倒是有效的，就是吃完了，若能再得一瓶，就可以徹底解了毒。然後慢慢調養起來，方能痊癒。」

李嶷不由得怔了一下，那解毒藥是謝長耳從桃子那裡取來，謝長耳回來雖沒有說，但李嶷知道他定然是被桃子罵了。那時候事情危急，他什麼都顧不上了，後來，後來阿螢就走了。

這麼多時日，他竟然一次也沒想到阿螢。倒不是不想，而是每次剛剛想到，他就逼迫自己趕緊去想點別的，時日稍久，好像也真的不會再想到她。其實不該這樣騙自己，但是也沒有旁的法子。

他說道：「這解毒的藥是一位友人的，待我得機會，再問她討一瓶吧。」心裡忽然想到，不知道阿螢到了何處，她必然是北上去迎崔倚了。西長京裡已經有螢火蟲，不知道她在山野間，是不是看到了螢火蟲，是不是還平安喜樂？

那顆明珠，換過了新的條子與絲穗，被他重新繫在腰間，但是每天早晨束髮的時候，他總是習慣地想去摸一摸那枝玉簪，但是玉簪已經還給她了。如今他束髮用的是一枝金簪，比那枝玉簪要長，好幾次簪尖滑過頭皮的時候，他都彷彿有什麼要緊的東西丟了，悵然若失。

李嶷就在李玄澤床前的軟榻上睡了半夜。第二日一早，李玄澤悠悠醒來，含糊叫了他一聲「十七哥」，李嶷這才稍稍放下心來。待用過朝食，李嶷便對謝長耳道：「桃子往哪裡去了，你知道嗎？」

謝長耳先是點頭，旋即又馬上搖頭。桃子後來不生氣了，倒是曾經給他捎信說自己和崔小姐往北迎崔倚去了，後來又給他寫信說已經與節度使會合，叫他放心，但是又叮囑他，千萬不能告訴李嶷。

「他一個字都不給小姐寫，他還把小姐的手刺傷了，他是個壞人。」桃子在信裡恨恨地說。謝長耳不是很相信，十七郎從來將崔小姐看得比自己性命都要緊，怎麼會刺傷崔小姐的手呢？他很想替十七郎解釋解釋，這一定是誤會，奈何嘴笨，到最後只在信裡寫「十七郎一定不是故意的，妳不要怪他」等等。如今桃子的回信還沒來，他也不知道桃子是不是相信了。

現下李嶷也不管謝長耳心中糾結，對他說道：「你去找桃子，問她再討一瓶上次那個解毒的藥。」

謝長耳答應一聲，牽馬就走，都沒有遲疑。他確實不知道桃子行到了何處，但是她既然和節度使在一塊兒，那麼必然還是往西長京來了，北邊來的大道就只有一條，自己徑直迎上去便是了。算算上次寫信來的腳程，不過七八天就應該能迎上他們。

謝長耳打馬便走，李嶷看著李玄澤吃過藥，待范醫正又來號脈，得知雖然凶險，但這幾日暫且無大礙，只望謝長耳能快些取回藥來罷。韓暢知道他必然是悄然離開前去祭陵的大駕折返城中，便勸道：「殿下還是回去吧，若是被人知曉，只怕不好。」

李嶷心事重重，點了點頭。幸好小黑在馬廄裡吃了豆料，又歇息了半夜，極是精神，六十多里路，對小黑來說，不算得什麼遠途。當下他便上馬，徑直往城外，追逐大駕去了。

話說老鮑一早起來，只覺得渾身痠脹，蓋因行宮裡他們睡的皆是硬土磚壘的床，又因爲天熱，只墊了席子，硌得人腰疼。所以用過朝食之後，老鮑打了個呵欠。只見黃有義遙遙地走過來，後頭跟著張有仁和錢有道，老鮑便問：「趙二哥呢？」

「二哥昨天睡得不大好，」錢有道搶著說，「隔壁不知道哪個漢子，呼嚕打得山響，吵得我也一夜沒睡著。」

趙有德因早年受過重傷，斷了一臂，因此比眾人還是要乏弱一些，若是歇息不好，總是無精打采。老鮑聞言便笑道：「我這裡倒是沒人打呼嚕，但是總有好些個蚊子，嗡嗡的好不擾人。」

「早知道，我昨日就該把艾草割幾束來，熏熏蚊子也好。」張有仁有點悻悻，行宮外有一大片艾草，張有仁看到的時候就要去割，卻被禁軍阻止，差點吵嚷起來。

之前的禁軍幾乎都是鎮西軍的底子，但後來李崍領了龍武衛大將軍，禁軍之中要緊的職位，就換上不少李崍相熟的江南道出身的武將。鎮西軍這種沙場多年、連戰連勝的驕兵悍將，哪裡看得上幾乎從來沒打過仗的淮南府兵，自然不屑一顧。

趙有德當時便道：「我鎮西軍上陣殺敵的時候，你們還在淮南府玩泥巴呢。」那淮南出身的禁軍隊正狠狠瞪了他一眼，只是不許他們割艾草驅蚊。禁軍乃是天子親將之師，自然可以不將天下任何府兵放在眼裡。

大名鼎鼎的鎮西軍又如何，哪怕是秦王殿下，在天子駕前，也不得佩帶兵刃。這也是黃有義等人的不滿之處，他們雖然是後來才加入鎮西軍的，但深以鎮西軍爲傲，這次頭一回跟著皇帝出來，才知道在御駕之前，除了禁軍之外，所有人都不能帶兵刃，這是小裴將軍再三叮囑過的，叫他們千萬不要私藏兵刃，不然，只怕被人說有不軌之心，連秦王殿下也被連累。

爭執那會兒，趙有德當時就想，如果有刀子在手，早就跟禁軍那隊正打一架，什麼割了艾草有礙觀瞻怕天子降罪。皇帝老兒明明下車就進了行宮，明天一早出門就上車，連行宮門口什麼樣都只怕沒留意，何況只是一片野草而已。

所謂拿著雞毛當令箭，就是這樣。

黃有義等人縱然不服，但是想著小裴將軍的叮囑，還是忍下了一口氣，沒有跟那禁軍隊正起糾紛。等到晚間分配下處的時候，那禁軍隊正又故意將最差的幾間屋子分給他們，那一排房子都挨著茅廁，氣味熏人不說，蚊子也特別多，因此這一晚上，跟著李嶷出來的鎮西軍眾人，都沒怎麼睡好。

不過因爲李嶷趕回西長京去了，秦王的車駕中其實空無一人，所以鎮西軍諸人並沒有因昨夜宿處的不公而抱怨，怕生得什麼事端來。等皇帝的大駕鹵簿緩緩從行宮出來，鋪陳開去，徐徐而行，鎮西軍諸人還是精神抖擻，護衛著秦王的車駕，跟在佇列之中。

夏日的早晨，正是好行路的時候，路邊的野花野草上露水剛剛被曬乾。大駕緩緩而行，老鮑騎在馬上，只覺得佇列行得太慢，只教人昏昏欲睡。

正是百無聊賴的時候，忽然前行的隊伍行得更慢了，原來這一段路拐了一個彎，要從山谷裡穿出去。

按理說從西長京至泰陵應該有一條專用的馳道，以便天子謁陵，但是因爲連年戰亂，只來得及在年初奉安先帝的時候，稍作修整，於舊道上墊了些碎石子，又鋪上些黃土，便罷了。這次皇帝動身匆忙，沿途雖然稍作準備，新鋪上了黃土，但還是鋪得太薄了，被人走車行一壓，碎石子就從底下冒出來，很容易傷到馬蹄，也因此，進入山谷之後，行得更慢了些。

老鮑本來微瞇著眼睛，都快盹著了，但是進入山谷之後，他忽然就坐直了身子，睜大了眼睛。作爲一名老卒，多年的沙場廝殺令他覺得這山谷有些不對，但到底哪裡不對，他卻說不上來。大駕鹵簿已經徐徐皆進了山谷，只聽馬蹄踏在碎石上，蹄鐵踩得喀嚓有聲。

黃有義似也覺得有幾分不對，他回頭看了一眼老鮑，兩人交換了一個眼色。張有仁道：「大哥，我去旁邊看看。」黃有義點了點頭，張有仁便策馬脫出隊伍，還沒奔出兩步，已經被後頭的禁軍趕上來攔住，仍是昨日刁難他們的那個隊正，氣急敗壞地問他：「做什麼！亂跑什麼！不是告訴過你們，行進中不請令不得亂走，你們眞是一點規矩也沒有。」

張有仁賠笑道：「將軍，我肚子疼，想是早上吃壞了，我去旁邊拉個屎。」

那隊正喝道：「茅廁不就在你們下處的旁邊，啓程之前你怎麼不去拉屎？」

錢有道早已經策馬闖過來，指著那隊正道：「你管天管地還管得著爺爺拉屎？」那隊正不怒反笑，說道：「今天我就還管得著了！」說完就揚起鞭子，要朝錢有道臉上抽去。張有仁一把攔住，恰在此時，忽聽見轟隆一聲巨響，扭頭一看，山上竟然滾下無數巨木。

「有刺客！」不知是誰高聲大叫。大駕鹵簿中用的都是儀馬，此刻受驚，不斷嘶鳴。巨木不斷滾落，竟然將秦王的車駕砸了個稀爛，顯然是早就埋伏於此。

老鮑經變不慌，本能地先去腰間摸刀子，卻摸了個空，待想起沒有帶兵刃，錢有道早就忍不住，奪了禁軍那隊正腰間的刀，就擲給了老鮑。禁軍那隊正，事起突然，頓時傻了，還沒反應過來是遇襲了，刀被人奪走了都不知道，只是瞠目結舌地看著那些不斷滾落的巨木。

大駕鹵簿行進的這條道路，可是事先再三堪看仔細的啊，而且這裡距離西長京並不遠，怎麼敢有人在這裡行刺御駕？這隊正腦子裡嗡嗡響，渾然不察又有一根巨木滾落，待他發現，那巨木已經快要砸到頭頂，他一時嚇呆了，竟然全身發硬，動彈不得。幸得張有仁衝過來猛然將他推了一把，他從馬背滾落在路旁草溝裡，雖然摔得狼狽，連頭盔都掉了，卻也僥倖撿得條性命。

正慶幸時，忽然只聽「嗖」一聲，一枝羽箭擦著他的頭皮飛過去，差點射中他的腦門，旋即更多的箭羽密集如蝗，密密麻麻直射下來。山谷中不少人躲避不及，被箭羽射中，更有馬匹被射中了七八枝箭，哀鳴著倒下。

「個奶奶的。」黃有義縮頭縮腦躲在了秦王碎車的一大塊木板後，罵道：「光天化日，這是要殺皇帝，也別饒上我們。」

老鮑也躲在另一塊木板之後，此時卻冷笑。

「這不僅僅是要殺皇帝，這是要殺秦王。」

他剛才看得清楚，適才那些巨木，全都是衝著秦王車駕砸下來的，並且馬上就將秦王的車駕砸了個稀爛。佇列中車子雖多，但秦王的車駕，與諸王的都不一樣，除了皇帝的輅車，就數秦王的車駕最爲華貴醒目，可見這個巨大的埋伏，是首先衝著秦王來的。

空中箭羽如蝗，鋪天蓋地射下來，禁軍亂作一團，連爲首的將軍們也慌了起來。老鮑罵道：「這群淮南府兵，眞沒一個出息。」罵歸罵，卻冒著箭雨將一名將軍拽下馬，吼道：「護駕！護駕！」

那將軍終於反應過來，也大叫護駕。

皇帝的輅車極大，又甚是牢固，一時還沒被羽箭射入，也僥倖並沒有被巨木砸中。皇帝早就嚇得癱倒在輅車中，幸好緊隨其後的齊王跳下車衝過來，跟皇帝身邊的袁常侍一起，架著皇帝就下了輅車，早有人拉過一匹馬，但皇帝嚇得手足癱軟，哪裡還能上馬，被眾人簇擁著好容易架上馬，又頭一歪差點栽下來。齊王無奈，只得自己上馬，扶住皇帝。

禁軍們被殺了個措手不及，此時見齊王與皇帝出來，連忙護著皇帝就往外衝，山上的箭枝並沒有停下，卻有無數人馬居高臨下，衝殺下來。

谷中一時混亂，隨駕而行的禁軍大部分沒有上過戰場，見了這般眞刀眞槍的拚殺，一時都跟沒頭蒼蠅似的，平時便有十成功夫，只怕也只能施展出一二成，何況平時操練也不過做做樣子罷了，頓時被砍殺了一大片。

那些行刺之人人數眾多，身手矯健，從山上衝下之時就極有章法。老鮑看在眼裡，心中暗驚，心想這不是尋常刺客，這只怕是一支勁軍。是什麼人竟敢在這裡埋伏，襲擊秦王與御駕呢？

正在此時，忽有人高呼：「是秦王作亂謀反！護駕，快護駕……是秦王謀反……」

老鮑頭皮一炸，黃有義已經氣得跳起來。「這幫天殺的狗賊，竟然敢誣陷我們……」但是很快他罵不出來了，因為山上連綿不絕衝下來人，專挑秦王車駕附近穿著秦王府典軍服色的人砍殺。

李嶷這次出來，也不過帶了老鮑等幾十名典衛，他是隨著大駕走的，皇帝自有禁軍拱衛，而且出城不遠，萬萬沒想到有人會在此處設伏，竟然還喊出秦王謀反作亂的話語，這明顯是栽贓陷害。

老鮑從來沒有打過這麼艱苦的仗，從前遇襲是常事，但赤手空拳地遇襲，卻是頭一回，而且敵軍數倍，不，數十倍於己。這些人拋下皇帝不去追逐，專為剿殺這秦王典衛而來。這些人衝到車駕前，見車雖被砸得稀爛，車中卻並無血跡，亦無秦王的蹤影，便知道李嶷已經逃脫，再不遲疑，圍著老鮑等人，想要把他們全部砍殺。

老鮑還算沉著，這幾十名典衛之中，數他最為年長，平時也最有威望，因此他大聲呼喊，讓所有人組成一個小小的團陣。有人奪了把兵刃，也有人撿起木板作盾牌，還有人倚靠著巨木，躲避著敵人射來的箭枝。

敵人越來越多，他們這個團陣越縮越小，黃有義知道今日只怕要不好，卻笑著對趙有德說道：「趙二哥，咱們兄弟一場，你能不能答應我件事？」

趙有德啐了一口，說道：「老子最看不起殺敵前還要唧唧歪歪的黏糊人，義哥兒，你莫教我看不起。」

黃有義後半截話不由得嚇下去，趙有德用獨臂舉起一把奪來的刀，喊道：「是我們鎮西軍的漢子在此，殺！」

「殺！」眾人從心裡怒吼一聲，從四面朝外砍殺出去，第一圈圍上來的敵軍如削瓜切菜般，被砍得東倒西歪，但更多的敵人圍上來，一層層，像巨大的黑色蜘蛛在織網。

錢有道一刀刺死一名敵人，被血噴了一臉，他一邊罵一邊砍，連殺數人。忽然腰間一涼，原來竟被一柄長槍刺中，那人見扎中他，還沒來得及狂喜，便被張有仁一刀砍死，張有仁大喊：「老四，要不要緊！」

錢有道腰裡被扎了個窟窿，血汩汩地流著，嘴裡卻嚷：「不礙事！」張有仁早就被幾名敵人圍了起來，一時脫不開身，而錢有道這邊，也有好幾個人擁過來，與他纏鬥。待戰得數刻，張有仁也不知道殺退了多少敵人，手中的刀早就捲了刃，一名敵人衝過來，他揮刀砍去，用力過猛，刀刃竟然卡在那人骨縫裡拔不出來，而另一名敵人見狀，揮刀就向他刺去。張有仁手上用力，卡住的刀竟然紋絲不動，而利刃已經破空而來，眼見就要命喪刀下，忽聽見「噹啷」一聲，原來是那名被他救過的禁軍隊正，搬起一塊大石，將那敵人後腦杓給砸了。敵人斜斜倒地，刀也落在了地上。那隊正撿起地上的刀，揚手擲給張有仁，道：「我們淮南府兵也有講義氣的……」一句未了，突然一柄刀從他背後刺入，就將那隊正刺死，正是另一名敵軍。張有仁大叫一聲，衝上去將那名敵人砍死，待回身抱起那隊正，發覺他早已經氣絕而亡。張有仁正傷感時，只覺得肩頭劇痛，扭頭一看，一名偷襲的敵人正在揮刀想要再砍，張有仁抓起刀子，刺死那名敵人，但肩頭血流如注，這一刀卻是被砍得極深，頓時又有幾名敵人衝過來，想要圍攻他。

老鮑扭頭見狀，撲過來砍殺了數名敵人，黃有義也撲了過來，直叫：「老三！老三！」趙有德卻被人纏住了，他只有一臂，拚殺艱難，剛才數次遇險，都是被同袍所救。錢有道捂著腰裡的傷口，揮刀砍了幾個敵人，護住了趙有德，拖著他往路邊溝裡暫避。趙有德問：「老三怎麼樣？」

錢有道騰出一隻手，抹了一把臉上的血，說：「沒事，就劃破點皮。」又說，「趙二哥，你放心，今日我們一定都沒事！」

這廂皇帝已經在齊王和禁軍的護衛下逃出了兩里多地，眼看就要奔出山谷，前方卻有敵人擁過來，將他們堵在谷中，爲首的正是李峻。不知何時，他已經全身著甲，騎在馬上。皇帝看見李峻，不由得喜出望外，說道：「峻兒，你突然從哪裡尋得這麼多人馬前來護駕？」

誰知李峻冷笑一聲，那些人馬竟齊齊朝皇帝衝過來。

李峽心中一喜，振臂高呼：「李峻作亂行刺，快護駕！護駕……」

禁軍頓時與李峻所率人馬混戰起來。皇帝這時候才如夢初醒，淚眼汪汪，拉著李峽的衣袖。「你大哥這是在做什麼啊？他這是犯了什麼糊塗？」

李峽急忙道：「父皇，大哥這是被奸人蒙蔽了，一時糊塗竟然作亂謀反，兒臣護著您衝出去。」

「你大哥竟然要殺我……」皇帝哭得一塌糊塗，實在是想不明白，也想不通，自己好好的兒子，怎麼突然就這樣了。

李峻卻只是冷笑。「你把我廢爲庶人，還要將我貶去瓊州，既然你不仁，那就不要怪我不義！」

皇帝實在是想要昏過去，奈何這次偏偏直翻白眼，怎麼也昏不過去，只聞殺聲陣陣，禁軍適才就折損大半，此刻漸漸不敵。

李峻卻是在皇帝說要將他貶去瓊州之後，就精心準備，串連勾結，說服了自己的表弟、董王妃的親侄子，近州都督董沼，就在這裡設伏。董沼素來是個膽大的，自從兄長董進因千秋節御馬之事被秦王鎖拿進京，最後丟官去職，問罪病死獄中之後，心想若是李峻被廢，自己還有什麼前程可言？因此這次拚盡全力，要助李峻殺掉皇帝與秦王，好助李峻登基爲帝。

李崍見禁軍漸漸處於下風，卻並不甚慌亂，甚至，有一種前所未見的大將風範，指著李峻罵道：「李庶人，你這個悖逆人倫、喪心病狂之徒，我今日跟你拚了！」又道，「護著父皇先走！我在這裡擋住叛賊！」

說著便揚鞭策馬，朝李峻直衝過去，嚇得皇帝大叫：「崍兒崍兒！」禁軍們早就拚命拉著馬，護著皇帝往外突圍。

李嶷路過行宮的時候，問知大駕已經走了有大半個時辰，於是快馬揚鞭，直追上去，方近山谷，已經隱隱聽見喊殺聲，他頓感不妙，策馬衝入谷中，只見屍橫遍野，滿地狼藉。他隨手拔起插在地上的一柄劍，砍殺了數名敵人，扭頭只見老鮑渾身是血，呼哧呼哧喘著粗氣，靠在一根巨木旁。

李嶷衝過去，想將他拉上馬，老鮑卻操起手邊的刀，一把擲出，殺死了一名想要偷襲李嶷的敵人，這才搖頭。「你快……快回去帶人來……」

李嶷闖入谷中之時便知道是中了埋伏，見地上死了無數禁軍與秦王典衛，不由得問：「黃大哥他們呢？」

老鮑抬手指了指，李嶷順著他指的方向看去，只見黃有義渾身都是血，卻死死護著趙有德；趙有德身上有七八道傷，幸還活著。這次秦王府裡出來的典衛，還有十來個人活著罷了，黃有義等人見了李嶷，卻是精神一振，紛紛都拄著刀爬起來，又與敵軍廝殺。李嶷心急如焚，一眼看見正殺得披頭散髮的趙六，就將自己的秦王權杖塞在他手裡，說道：「回城去找裴源，叫他速帶援軍來！」

趙六接了權杖，卻直著喉嚨問：「還活著的，哪個最年輕！」沒有人應答，趙六眼睛飛快巡睃了一圈，看到一個叫王九郎的，記得他是戊土年生人，當是最年輕的一個，當下便將權杖塞在他懷裡，喝道：「回城去見小裴將軍，帶援兵來！」

那王九郎正殺得紅了眼，懷裡被塞進權杖，還稀裡糊塗，趙六又吼了一聲，說：

「這是軍令！」

王九郎聞言，本能地吼了一聲「得令」，奪了一匹馬，策馬就朝西長京奔去。

李嶷見自己的車駕被砸得稀碎，憂心皇帝的安危，正待要追上去查看，忽然禁軍護著李崍，且戰且退到此處。李嶷忙問：「二哥，父皇呢？」

李崍也滿臉滿身都是血，也不知道是他自己受傷了，還是被濺到了敵人身上的，他的神情似乎十分亢奮，嘶聲叫道：「我叫人護著父皇先走了！李峻作亂謀反，還刺傷了我！」

李嶷不由得心一沉，迅速想到李峻的表弟董迢帶兵駐守近州，此處距離近州不遠，只怕李峻是策動了董迢謀反。而不知爲何，禁軍竟然這樣孱弱，或是被殺了個措手不及。

李崍身子晃了晃，似乎受了傷，要從馬上栽倒下來，李嶷忙衝過去扶住，叫了一聲：「二哥！」忽覺腰腹間一涼，饒是他應變極快，仍舊被李崍一劍刺中，只是他覺察之後極力側身閃避，這一劍便只劃破皮肉，傷得不深罷了。李崍一刺得手，早就已經策馬閃過一旁，無數箭羽騰空而至，李嶷策馬躲避，心中只閃過一個念頭：李崍原來才是謀反眞凶。

果然，李崍在一旁獰笑。「今日你就受死吧！李峻謀反作亂，已經伏誅！你和李峻勾結作亂，你也得死！」原來被李峻視作心腹的楊鶇，乃是李崍派去李峻府中的奸細，所以他早就知道李峻要謀反，特意以逸待勞，玩了這一手螳螂捕蟬黃雀在後。

李嶷揮劍斬落四處射來的箭枝，只聽「叮叮噹噹」之聲不斷。他低頭一看，傷口之中隱隱滾動著銀色的珠子，李崍竟然在劍上抹了水銀，想必今日是非要自己性命不可。他橫劍削去傷處皮肉，將那些水銀連同皮肉剔得乾淨，雖然這下子傷口極深極闊，但好歹削去了水銀之毒。

老鮑等人見狀，早就衝過來，想護住李嶷，奈何箭如雨下，他們幾人奮力拿著木板，試圖擋住李嶷。李嶷也顧不上傷口，隨手扯了根布條繫住止血，忽見被自己斬落於地的箭枝模樣，心中大驚，心道如何會是揭碩人的箭？只聽黃有義悶哼一聲，原來他被一枝箭射中了，李嶷忙提韁躍馬，朝射箭處疾衝了過去。

他雖然血染素袍，但這一衝之勢何其勇猛，小黑神駿異常，幾乎是瞬息間便衝出數丈，直躍向山上射箭處。那些箭枝雖快，竟也無法及時掉轉頭射向小黑，還有小黑背上的李嶷。

李崍見他這一衝之勢，威風凜凜，幾如同浴血的戰神一般，只嚇得差點要掉頭而逃，待發現李嶷乃是衝向了射箭處，這才稍稍安心。李嶷馬躍大石，忽然長劍橫掃，石後射箭的敵人被馬踏中，都來不及掙扎，被李嶷一劍一個，盡皆刺死。

他如此神勇，那些伏兵知道如此之近，再不能用箭，於是紛紛衝出來，拔刀就向李嶷圍攻。李嶷彎腰挑起一張弓，又抄起一囊箭，打馬回身就走。敵人一擁而下，跟在其後，李嶷於馬背上回身張弓就射，卻是一箭一個，將他們射殺當場。敵人密密麻麻，鋪天蓋地般襲來，他將這一囊箭射完，又打馬回身，奪了箭囊再射，如是再三。但敵人極是悍勇，被他射殺數十人，竟然毫不畏戰，絲毫不退，反倒越纏越緊。

李嶷見突圍無望，又衝了數次，斬殺了不少敵人，忽然破空之聲呼嘯而至，原來山谷另一側山上，竟架上了重弩。

弩箭何其厲害，山谷中形勢立即逆轉，李嶷被弩箭齊射壓得無法再衝陣，只能在谷中與敵人纏鬥。趙有德本來只有一臂，被數人纏住，終於有人一刀刺出，眼前就要刺中趙有德的胸口，錢有道卻大叫一聲，將趙有德撞開，三四柄刀子一齊砍下，錢有道血流如注，終於倒地不起。

「老四！」趙有德叫了一聲，想要撲過去相救，一柄刀突然從他胸口穿出，趙有德頭一歪，頓時氣絕撲倒。李嶷被無數人纏住，根本相救不及，叫了聲：「趙二哥！」目眥欲裂。小黑長嘶一聲，急躍而起，突出包圍，李嶷左砍右殺，瞬間就砍倒了無數人。

李崍見他氣勢奪人，嚇得連連促馬又退出了好遠，心想這是個什麼殺神，都說水銀抹在劍上，傷人必死。眼見他腰腹間血流如注，怎麼他反倒越殺越勇了。

李嶷其實早就已經望出去眼前一片血紅，像是眼睛裡漲滿了血，他一次又一次揮劍，每次都能刺中敵人，但是敵人實在太多了。他拚命想要護住黃有義等人，但山谷上弩箭又劈頭蓋臉射了下來，他來不及救趙二哥，也來不及救錢有道，他來不及救張有仁，也來不及救黃有義，只見他們一個接一個倒下，他用盡全力廝殺著，兩耳中盡是弩箭破空的呼嘯聲。

他奪來的這柄劍不是什麼寶劍，此時早就崩出了無數缺口，無數的血淌出來，又順著劍身滴落，他自己也在流血，但他並不覺得。

李崍看著李嶷仍在奮力廝殺，但他知道已經差不多了，李嶷的劍已經不穩了。之前他一劍就能殺一人，現在他得兩劍、三劍才能殺一人。李嶷身邊的人都已經倒下了，他的馬也被箭射中了膝彎，但是那匹馬實在是太神駿了，一時竟沒有倒下，反倒帶著箭枝，仍舊穩穩載著他。

李嶷不知道老鮑是不是還活著，他知道今日只怕自己也要死在此處了。李崍做了萬全的準備，他埋伏了這麼多人，還有這麼多弩箭。他幾乎是麻木地廝殺著，直到山上弩箭再次密集地射下，他揮劍去擋，劍鋒竟突然折斷，幸得小黑奮力躍起，載著他避過這斷劍，但小黑只躍起了丈許，忽然就蹄足無力，摔了出去。

更多的弩箭飛來，小黑就地打了個滾，那些箭被牠擋住了好些，李嶷重重地摔在地上。被一枝弩箭貫穿了肩頭，血湧出來，洇在地上。他掙扎地抬起頭，只見小黑用濕漉漉的大眼睛看著他，眼中似有無限的眷戀。這是裴獻當初給他挑的馬，那時候牠才只一歲，他也是意氣風發的少年郎。他曾經騎著牠，馳過無數大漠孤煙，也曾經騎著牠，經歷過無數次沙場廝殺，在他心裡，牠也是他的同袍。小黑嘴裡噴出血色的泡沫，牠低低地哀鳴了一聲，終於闔上了那對濕漉漉的大眼睛。

李嶷心中悲慟萬分，在他的不遠處，黃有義、趙有德、張有仁、錢有道，還有趙六……他們都沒有了聲息。那些，都是他的同袍，都是他的兄弟……他抓住一把劍，掙扎著又爬起來，一層層的敵人圍上來，他的動作越來越慢，也越來越無力。一刀砍中了他的右胸，緊接著，又有一刀砍中了他的大腿，他踉蹌著站不穩了，手臂也被刺中。就在此時，老鮑忽然不知道從哪裡衝出來，手裡拿著一柄刀，揮舞著，呼呼有聲，瞬間就砍殺了數人。老鮑全身上下都是血，圓睜著眼睛，直殺得所有人不由得退了半步。弩箭又至，李嶷舉劍一一打落箭枝，他手臂上傷口被震動，鮮血不斷湧出。他們二人背靠背殺敵，竟然又支撐了片刻，幾名敵人見勢，扔出鐵鍊，想纏住李嶷和老鮑，李嶷甩開鐵鍊，老鮑擋開一條鐵鍊，卻被另一條鐵鍊纏住腿，瞬間就被拖倒。

李嶷叫了一聲：「老鮑！」

他抓住老鮑的胳膊，揮劍去砍鐵鍊，劍在鐵鍊上迸出火花，砍之不斷。他反手挑劍，捲起鐵鍊，想要絞斷。數名敵人偷襲李嶷背後，李嶷被迫回劍擋擊敵人。老鮑不由自主被拖走幾步。

李崍在遠處大喊：「放鋼弩！用鋼弩射他！」

弩弓剛剛被從山上移下來，弩箭齊發，這麼近，自可穿甲。老鮑反手拽住鐵鍊，一聲大喝，將數名拉著鐵鍊的敵人拽倒，老鮑撲向李嶷。李嶷勉力擋開數枝弩箭，後面弩箭又已經射到，李嶷避無可避，被一枝弩箭射入左腹，不由得噴出一口血。

李崍見狀大喜。「快！快！射死他！」

李嶷掙扎著擋避，避過數枝弩箭，又被一枝弩箭射入背心。李嶷嘴角鮮血湧出，又一波弩箭已經射到，老鮑已經撲過來，擋在李嶷身前，一枝弩箭射穿了老鮑的喉嚨。李嶷下意識抱住老鮑，老鮑臉上、脖子上、身上都是噴濺出的鮮血，無法說話，只能發出「呵呵」的聲響。李嶷只覺得如同萬箭穿心一般，心裡有無數的話想說，卻一句也說不出來，伸手想去捂老鮑身上的傷口，卻血流如注，一處都捂不住。

老鮑緊緊抓著他的手臂，似乎也有什麼話想跟他說，只是一句也說不出來，血慢慢地流得李嶷滿懷皆是。老鮑的眼睛瞪得大大的，手指一鬆，死在了李嶷懷中。

李崍還在叫放箭，但箭枝早就已經射空了，李嶷滿身是血，抱著老鮑跌坐於地，心裡只覺得有無限的悲慟，有無限的憤怒，也有無限的哀傷。

他想要嘶吼，想要質問上天，想要把眼前的一切都撕得粉碎，但是其實都沒有用，他的血和老鮑的血漸漸流在一起。他抓住了一把刀，是老鮑臨死前才拋下的刀。他是鎮西軍出身，他們鎮西軍哪怕戰至最後一卒，都絕不會膽怯而逃。

剛才趙六之所以要選最年輕的王九郎回去求援，也是鎮西軍中的規矩：戰至絕境時，必設法保全最年輕的那個人。

趙六已經死了，他是從牢蘭關裡跟著自己出來的人。老鮑也已經死了，他的血還染在自己的手指上，尤有餘溫。李嶷搖搖晃晃地拄著刀站起來，他全身上下不知道有多少傷口，都在流血，整個人就像一個浴血的血人。

敵人還在謹慎地試探著，想要撲上來。

他是不會退卻的，所有的人都已經死了，但他會戰至流盡自己的最後一滴血。他慢慢地朝前一步一步走去，李崍本來十分膽怯，掉轉馬頭就想要逃走，但李嶷只走了兩步，突然撲倒在地。

李崍大喜，連忙又掉轉馬頭回來，馳近了兩步，有人試著用長槍扎在李嶷背心裡，他一動不動，似乎已經昏過去了，或是已經死了。

「殿下，」有人欣喜地說，「秦王已經死了！」

李崍大喜過望，又馳近了兩步，李嶷突然翻身撲起，就朝他擲出手中的刀，李崍大驚失色，倉皇閃避，這刀只是刺中馬股，馬兒受痛躍跳，將李崍拋下馬背。李嶷這一擲，其實已經用盡了全身的力氣，但仍舊踉蹌著撲出。李崍被摔下馬來，連滾帶爬地想要逃走，李嶷搖搖晃晃，赤手空拳，眾人拿著兵刃連忙上前圍住。忽在此時，一陣急促的馬蹄聲傳來，遠遠出現一支人馬，竟然是定勝軍的旗號。

李崍萬萬沒想到定勝軍會突然出現，慌忙上馬，指著李嶷說：「快把他殺了！」眾人衝上去便要斬殺李嶷，箭枝破空聲已經呼嘯而至。定勝軍的騎射號稱天下無雙，轉瞬已經衝到眼前。李崍慌不擇路，連忙打馬便逃，他騎術本來不錯，但此刻心慌萬分，谷中戰場又一片狼藉，馬蹄踏在不知何物上，竟然一滑，再次將他摔下馬。

他雖然心慌，但摔得不痛，再次爬起來，聽見身後箭羽嗖嗖，心想今日還是保全性命要緊。正想時，忽然覺得腹間瘦脹，低頭一看，不知爲何腹中竟插著一截刀尖。原來適才他一摔，正巧摔在這半截折斷的刀尖上，只是刀尖鋒利，一時不覺。

李嶷眼中全都是血，血從他的鼻子裡湧出來，也從他的嘴巴裡湧出來，也正從他的耳朵裡湧出來。其實他已經看不太清楚了，也聽不太清楚了，他只能模糊知道，有一隊人馬又衝進了山谷，當先的人直奔自己而來，還對他高聲喊著什麼。

他覺得自己是眞的快死了，因爲他竟然看到了阿螢。是他的阿螢啊，她騎著小白，正朝他奔馳而來，她的臉上滿是焦急的淚水。不，這不是阿螢，阿螢從來都不哭的，他在心裡惋惜，只怕自己見不到阿螢了，他快死了，卻來不及告訴她，雖然他把簪子還給她了，可是他心裡還是喜歡她的啊。

但是現在，他又覺得這樣挺好的，幸好他把簪子還給她了，這樣等到阿螢知道他死了，就不會那麼難過了。

那個模糊的影子撲上來，一把就攙住了他。眞像阿螢啊，像她每次擁抱住他的溫暖，也像她身上會有的淡淡香氣，他拚盡全力想要對她笑一笑，自己好像全身都是血，如果這是他的阿螢，他不能嚇壞了她。

「十七郎！十七郎！」

崔琳抱著他，看他臉上竟露出一抹慘澹的笑意。

他身子晃了晃，終於撲倒在她懷中。

李嶷做了一個很長的夢，夢見遇見老鮑的第一天。他剛到牢蘭關中，十三歲的少年，看哪裡都新奇，想要摸一摸架子上的長槍，老鮑一腳就踹在他屁股上，罵罵咧咧：

「還沒一槍高，摸什麼槍？」

他心中自然不服，說道：「我學過槍法。」

他確實學過槍法，六七歲的時候他總是偷偷從瓦溝爬出去，在街坊裡廝混，有一天忽聽說那個錦衣小郎君是裴獻的兒子。裴家槍法很有名，劍法也有名，他就上去逮著那人，非要跟那人比槍，結果當然是輸了。他從小就沒被任何人指點教授過，全靠自己瞎練。裴源雖然贏了，第二天卻特意來尋他，跟他說：「我爹說，你可以跟著他學槍，我昨天回去跟他說，你沒學過，但是有幾招挺有意思，我阿爹看我學著比劃了你用的那幾個招式，叫我來尋你，問你願不願意跟他學槍。」

他自然是願意的，從此跟裴源成了最好的兄弟，裴獻更是待他像親生孩子一樣，一點也沒有藏私，不僅教他槍法，還教他劍法、兵書。等後來再長大些，裴源就進了龍武衛，他卻進不去——他是皇孫，哪有皇孫去龍武衛的，那會大失天家顏面。他心裡滿是遺憾。

後來，他就故意犯錯，被貶去了鎮西軍。裴獻雖是主帥，也沒有格外照拂，就把他發往了最邊遠，也是最艱苦的牢蘭關。

牢蘭關的守將也不知道他是誰，於是把他跟一群新卒一起，統統安排去跟老卒混住。老鮑就是同屋住的老卒，也是他認得的第一個老卒。

老鮑聽說他會槍法，上上下下打量他幾眼，說道：「喲，看不出來啊！要不咱們打一場，比試比試！你要贏了，我教你一件在牢蘭關最要緊的事，我要是贏了，你給我打一年的水。」

李嶷毫不猶豫答應了，老鮑也沒想到，這還沒有一杆槍高的小小少年，眞的苦練過槍法。他悟性極高，裴獻又一點都沒藏私，哪怕算上裴源，裴家這一代的子弟裡面，其實都沒人能比他李嶷槍法更佳。

老鮑輸得很狼狽。李嶷挺高興的，拎著槍就問他：「你說要教我一件在牢蘭關最要緊的事，是什麼事？」

老鮑咧嘴一笑，說道：「在牢蘭關最要緊的一件事，就是要學會唱牢蘭河水十八灣！你聽好了，我可只教一遍！」

李嶷愣住了，心想這牢蘭河水十八灣是什麼東西？老鮑已經扯開他破鑼一般的嗓子，開始唱起來。李嶷只聽他唱得興高采烈，曲調也甚是輕鬆。「牢蘭河水十八灣，第一灣就是那銀松灘，銀松灘裡魚兒肥，比不上姑娘的眸兒美。牢蘭河水十八灣，第二灣就是那積玉灘，積玉灘裡黃羊壯，比不上姑娘她推開了窗。第三灣就是那金沙灘，金沙灘裡淘金沙，換給姑娘她打金釵，姑娘她將金釵戴。第四灣就是那明月灘，明月灘裡映明月，明月好似姑娘的臉，我路過姑娘家門前。」

這些歌詞輕鬆快活，每一句又都跟姑娘有關，老鮑唱得興高采烈，每次唱到姑娘兩個字，都要驟然拔高了聲音，只聽得李嶷連連皺眉。但唱完這幾句後，曲調一轉，老鮑的聲音已經變得低沉蒼涼：「牢蘭河水十八灣，第五灣就是那洗骨灘，洗骨灘裡水徹寒，將士將士即征戰。牢蘭河水十八灣，第六灣就是那促蹄灘，促蹄灘裡馬蹄疾，我攜弓箭何時還。第七灣就是那頻注灘，頻注灘裡頻立足，渦流湍急唯攜手，同袍相依涉水難。第八灣就是那風嗚灘，吹沙走石難張目，我與同袍盡掩刀，寒光如雪照甲衫。」這些都是征戰之時的情形。李嶷雖還未經沙場，聽他唱得深沉有力，不由得也悠然神往，心想這等大漠孤煙之地，與同袍一起並肩作戰，寒光照著鎧甲，振甲而起，奮力殺敵，該是多麼令人熱血沸騰的場景啊。

老鮑唱完了這麼一長段，聲調一轉，又變得慷慨激昂：「著我戰袍，戰時赳赳，沙場千尋，立動封侯。持我刀箭，如林茂茂，戎機萬里，踏破敵酋。」這幾句著實英氣勃發，每一句都在唱軍威之盛，士氣之高，唱出了每個士卒的鬥志與豪氣，李嶷也忍不住想要跟著哼唱起來。

老鮑的聲音卻緩下來，似是大戰歸來，筋疲力盡，唱道：「歸我故園，白露蒼蒼，涉水渡之，伊人依舊。持葵作羹，持黍炊飯，欣然終聚，此願長久。」

他唱到「欣然終聚，此願長久」的時候，語調中似有無限感傷，又似有無限唏噓，怔怔地出神。

李嶷忍不住問：「爲什麼這首歌前面都那麼有慷慨之氣，唱到最後，卻是在唱回家做飯？」

老鮑從來沒有這麼嚴肅過，他說道：「每一個戰卒，最後都會解甲歸田的。解甲歸田，回到故鄉，見到小時候的夥伴，見到年輕時喜歡過的姑娘，然後回家做飯，這可是最幸福的事了。」

李嶷聽得半懂不懂，他說道：「大丈夫當戰死沙場，馬革裹屍，我才不要最後解甲歸田回家做飯呢！」

「小屁孩兒！」老鮑又是一腳想踹他，卻被李嶷躲過。老鮑罵道，「說什麼戰死沙場，我跟你說，眞上了戰場，得等我這種老卒戰死光了，才輪得著你這種小郎拚命，呸呸！大吉大利！咱們都活到五十五，那時候就可以解甲歸田了。」

李嶷心中如萬箭穿心一般劇痛。他本能地仰起身子，有人抱住了他，他一口鮮血噴出來，直噴得那人滿身都是，但那人毫不避諱，用手輕輕撫著他的背，含淚又叫了他一聲：「十七郎。」

他的眼睛是模糊的，屋子裡點著燈，他大約是躺在床上，阿螢正抱著他。不知爲何，她眼皮腫得老高，在燈下晶瑩粉亮，她的臉似乎也腫了，一見他似乎睁開了眼睛，她眼裡兩行熱淚又湧了出來，滴在他手上。

他心想自己這定然是死了吧，阿螢爲什麼哭成這樣？

他喃喃地問：「老鮑呢？」沒有人答他。他心裡知道，老鮑死了，黃大哥死了，趙二哥也死了，張有仁死了，錢有道死了……趙六死了……那些跟著他出生入死的同袍，都死在了他的面前。他閉了閉眼睛，血又從唇中湧出來，阿螢拿著布巾，想要替他擦拭，但怎麼也擦不完。

他眼神空洞看著虛空，像是望著天上的人。他們都到天上去了吧，就像他的阿娘，如今也在天上。連小黑都死了，小黑……小黑都死了啊。他想說，阿螢，他們都死了……怪不得父親總說我一出生，就剋死了我娘，是我剋死了他們……是我剋死了所有的人。

他其實什麼都沒有說出聲來，只是喉嚨裡翕動了幾下。他沒有力氣，也發不出聲音來。她一遍遍細心拭去他嘴角溢出的血，聲音裡也帶著倉皇的哭腔：「十七郎，要不你哭一場吧，哭一場或許好些。」

不，他哭不出來，男兒有淚不輕彈，只是未到傷心時。他也想哭一哭啊，想哭著去祭奠自己的同袍，可是連一滴眼淚都沒有，只有她的眼淚像斷了線的珠子一樣，不停地滾落，落在他的手背上，落在他的胸口，每一滴都是溫熱的。

他想跟她說：他們都是從死人堆裡爬出來的兄弟，跟我出生入死這麼多年，老鮑他跟我一起打過好多次仗，大的小的，險象環生，他都沒事。他說我們老兵油子，上天不收。上天不收啊，他怎麼能死呢？

他想跟她說：我十三歲到軍中，老鮑教會我，怎麼在沙漠裡尋水，怎麼在絕境中生火，怎麼烤蟲子吃，怎麼做一個斥候。很快，我就超過他，他常常說我是萬年難遇的人才，後來更常常說，可惜了了，你一個皇室貴冑，學得這一身本事，將來都無用武之地。我說怎麼沒有用武之地，我這一生一世都要跟你們在鎮西軍中。大家說好了，五十五歲一起解甲歸田，他怎麼能死呢？

他怎麼能死呢？

他們怎麼能死呢？

他心裡痛得翻江倒海，再次仰起身子，伏在床側，大口大口地吐著血。

崔琳的眼裡飽含著淚水，她的身上都是他吐出來的血，他受的傷實在是太多了，也太重了。范醫正把自己的父親老范醫令都抬來了，桃子把所有的本事都使出來了，饒是如此，他也昏迷了三天三夜。

這三天三夜，她不知道自己是怎麼熬過來的，她不肯吃也不肯睡，每天就寸步不離地守在李嶷榻前，心裡只有一個念頭，活下來啊。只要他活下來，她什麼都願意，她願意像這世間最癡心最虔誠的一個小娘子一樣，去求漫天的神佛，她願意去拜這世上所有的廟宇，她可以在神明前把自己的頭磕出血來，只求他活過來。

她甚至想過，萬一他真的活不過來了怎麼辦？她大概也活不下去了，那她只能跟爹爹說，她是個不孝女了，她這一生，從來沒有令爹爹傷心過，可是這一次，她只怕也顧不上了。

她在榻前守了三天，所有人都勸她，哪怕稍微去闔一闔眼，不然秦王還沒醒過來，只怕她先支撐不住了。她卻搖頭，說她不會有事，他都還在掙扎著想要活下來，她怎麼可以先倒下呢。

湯藥都是她一口一口餵的。他身上的傷口太多，起初好幾次都會把敷的傷藥衝開，范醫正不得不用酒浸透了絲線，冒險把一些太深太長的傷口給縫起來。所有人都勸她回避，她卻眉毛都不抬，說道：「我手穩，我替范醫正拿著燈。」

有好幾次他氣息微弱到幾乎無法察覺，范醫正都覺得十分危殆，只是束手無措。她捧著他的手，一遍遍喚他十七郎，他一定是捨不得拋下她的吧，他一定是會活過來的吧，他那麼喜歡她，怎麼忍心將她一個人拋在這世上。

幸好他活下來了，在昏迷了三天三夜之後，他微微睜開了眼睛，也能吃得進一點點湯水。那時候她在想什麼呢？她其實什麼都沒想，只在感激上蒼的垂憐。

桃子的眼皮也是腫著的，她也熬得好幾日沒睡。謝長耳號啕痛哭了好幾場。崔倚自白水關南返，走到半路忽接到密報，說因爲這次揭碩打了大敗仗，其中一支被稱爲「赫衣」的小部落，因此入關投降。赫衣的首領爲了顯示誠意，帶來了一個驚人的消息：自從攻破白水關後，揭碩王烏洛遣了自己身邊最得用的神箭隊，隨柳承鋒一起悄悄潛入中原。所以這次定勝軍雖然大勝，但是既沒有與神箭隊接戰，也沒見著柳承鋒的身影。崔倚立時命各處嚴加追查，終於查到數日前，這支神箭隊過了河南，便不知所蹤。

崔倚此時已經行到洛陽附近，正巧遇見崔琳帶著桃子迎上來，父女相見，不勝歡喜，崔倚便提到柳承鋒與這支神箭隊。

崔琳略一思忖。「既入中原腹地，又行蹤近兩京，他們一定所圖甚大。神箭隊不過百人，若是叛亂，卻是不夠的，只怕是想要埋伏行刺。」

崔倚也點頭道：「烏洛的神箭隊一旦埋伏好了，只怕連行刺皇帝也夠了。」他本是隨口一句話，忽想到皇帝正巧這幾日要出城去謁先帝的泰陵，不由得神色微變。

崔琳卻脫口道：「不，他們不是想刺殺皇帝。李嶷戰功赫赫，聲名遠揚，將來必有驅逐揭碩之心。而且，最要緊的是柳承鋒一定會鼓動烏洛，殺掉李嶷。」她想到此次皇帝要出京祭陵，聽說只有諸王隨行，不由得臉色煞白，說道：「不好，只怕柳承鋒勾結了李峻或是李崍，他們兩個，都想殺掉李嶷。」

崔倚深以爲然，因爲事態緊急，當下便令棄重裝，換雙馬，帶隊疾馳，趕往西長京。

但他們趕到距離西長京不遠，正巧又遇見謝長耳。他本來是來討藥的，聽聞此信，也嚇了一跳，連忙說出皇帝去祭陵的行程，同他們一起，連夜趕路，繞過西長京，直追往石泉驛外。

待趕到山谷外的時候，還是遲了一步。桃子嚇得心都快裂了，只看見崔琳一馬當先，直衝往谷中。遠遠崔琳就看見了血人一般的李嶷，只有他孤零零一個，赤手空拳，站在敵人的包圍之中，搖搖欲墜，彷彿下一秒就會撲倒氣絕。她滾下馬來接住他，小白已經看到了地上躺著的小黑，悲鳴一聲，拿鼻子去拱小黑，拱了好久好久。牠徘徊在小黑身邊，臥倒又起來，起來又臥倒，不停地用舌頭舔小黑身上的血，卻毫無辦法。

桃子只覺得這三日，比三年還要漫長，還要難熬，還要難受。謝長耳早就像癡傻了一般，坐在那裡，呆呆怔怔，給他飯吃他都不會拿筷子。聽說秦王傷勢太重，只怕要不好的時候，他號啕大哭了一場；把鎮西軍眾同袍的屍身收殮回來的時候，他號啕大哭了一場。他哭得像個小孩子一樣，抱著膝蓋，縮在屋角，直哭得她也跟著掉眼淚。

崔琳也十分不好，當時在谷中她抱住李嶷的時候，手心全都被他身上弩箭的倒刺所傷，可是她一點也沒有覺察，她太傷心了。桃子拉著她的手，給她手心上藥的時候，她都恍若未覺。

就連小白，這幾天牠都一直懨懨地臥在馬廄裡，似生了重病，不論桃子怎麼哄，怎麼勸，牠都不肯去吃馬槽裡堆得滿滿的豆料。桃子最後沒有法子了，只能抱著牠的頭哀求：「小白，小白，你要懂事，我實在是顧不過來，秦王都快死了，小姐也只剩了半條命，我屋子裡還有一個傻子，你不要這樣子了。」

一邊說，一邊她也哭出聲來。

幸好秦王活下來了。雖然奄奄一息，但他還是掙扎著活了下來，也許就是因為崔琳捧著他的手，一遍一遍幾近虔誠地喚著他的名字。

幸好秦王活下來了，可是還沒等她鬆口氣，范醫正就私下裡對她說道：「秦王傷得太重了，這次雖然僥倖活下來，哪怕餘生再精心調養，怕是也要少活二十年。」

她心想，這可得死死瞞住小姐才好，不然她更要傷心壞了，誰知一抬頭，就看見崔琳端著藥碗站在門口，臉色煞白地看著她和范醫正。

但後來崔琳一句話也沒有再追問過她，更沒有追問范醫正，她只是悉心照料著重傷中的李嶷。她就在他的床榻前擺了一張竹榻，每晚都睡在那裡，好像守著仍舊奄奄一息的李嶷，是她唯一可以做的事情，也是她唯一願意做的事情。

李嶷昏昏沉沉了不知多少天，有時候他意識很清醒，知道自己受了傷，躺在床上，阿螢正在細心地給他傷處換藥，幫他翻身，用麥稈餵他喝水。有時候他十分迷糊，像在做惡夢，夢裡他在不停地廝殺，不停地廝殺，直殺得筋疲力盡。四周都是茫茫的白霧，但霧中不停地傳來令人絕望的慘叫聲，他知道自己救不了老鮑，救不了趙六，救不了黃大哥他們，救不了任何一個人，但在夢裡，他還是心急如焚，拚命揮著手中的劍，殺啊……殺啊……

他夢到回到了牢蘭關，回到了那些縱馬大漠的日子。天氣暑熱，黃昏時分，一群漢子跳進了牢蘭河裡洗澡，每個人都在興高采烈地扯著喉嚨唱著：「牢蘭河水十八灣，第一灣就是那銀松灘，銀松灘裡魚兒肥，比不上姑娘的眸兒美……」他們翻來覆去地唱，卻沒有一個人會唱到最後那一段：「持葵作羹，持黍炊飯，欣然終聚，此願長久。」他在心裡發急，心想唱啊，快唱這一句啊，唱到了這一句，大家都可以五十五歲解甲歸田，回家去做飯。

可是沒有人唱到這一句，無論他怎麼急，他自己也唱不到這一句。

他夢見下雪，天氣冷極了，那隻雪豹到牢蘭河邊來喝水。雪豹機警地一邊喝水一邊抬頭，他看到了牠灰黃色的眸子，牠也看到了他，他與牠靜靜地對望著，天地間綿綿飛舞著雪花。終於，牠頭也不回地掉頭朝山上奔去，大雪茫茫，地上並沒有牠的爪痕，就像從來不曾來過這世間一般。

他在夜半醒來，屋子裡點著燈，四處靜悄悄的，窗外偶爾傳來蟲聲唧唧。他看見阿螢就睡在床前的竹榻上，身上搭著一條薄被，她在夢裡似乎也有淚痕，臉已經小了整整一圈，下巴尖尖的，好像還沒有他的巴掌大了。她睡得很沉，這些天真的是太辛苦了。他知道，自己能活下來，多虧了她，她幾乎是拚了命地想要救他，哪怕用她自己的血餵他，她也願意。

他慢慢地從床上掙扎著爬起來。竹榻其實離他的床不過兩三尺，他非常得小心，不欲發出任何聲音，但稍微一動，就牽動身上的傷口，痛如錐心。這兩三尺，他幾乎花了將近半個時辰才挪過去，他疼得滿頭大汗，終於挪到了竹榻前，小心地，慢慢地，捧起她的手。

她的眉微微蹙著，夢裡也是在憂心焦急，但幸好並沒有醒。她的手上包著細布，手心裡有無數傷口，那是那天她急切扶住他，抱住他，被箭鏃上的倒鉤刺傷的。他萬分珍惜，萬分心痛地捧著她的手，眼淚終於一滴一滴地落下來。

崔琳直到早晨的時候才醒，醒來就是一驚，因爲她睡得太沉了，也太久了，一直到清晨的太陽曬到她臉上，她才醒過來。

她最開始的那三天三夜壓根就沒闔眼，後來李嶷總算緩過來一口氣，她才每晚就在竹榻上迷糊一會兒，但是半夜總是會驚醒數次。每次醒來，總要去看一看他，甚至，試一試他的鼻息。她實在是太害怕了，怕他會隨時離自己而去。

這幾天李嶷的傷勢又略好了一點，范醫正說，鬼門關終於邁過去了，以後就是慢慢調養了，她心裡一鬆。到了下半夜的時候，竟然睡著了，而且，一次也沒醒。

她一醒就往床上看去，卻只看到床上空空如也，她心裡一急，幾乎是踉蹌著撲過去。床上真的沒有人，褥子也是涼的，她茫然地站起來，十七郎呢？她的十七郎呢？

李嶷正在靈堂裡，這靈堂，是謝長耳帶著人布置起來的。他就知道謝長耳一定會在秦王府裡，替老鮑他們，替他們的同袍，設一個靈堂。他覺得還好，雖然自己受了傷，但是腦子還沒變得不靈光，只一想，就猜到了這靈堂會設在何處。

就在從前老鮑他們住的院子裡。

他都不知道自己怎麼走到這靈堂裡來的，反正從半夜到清晨，一路上他歇了無數次，幾乎走一步都要歇一歇，每次坐下來，幾乎都好像站不起來一樣，眼前發黑，金星亂迸。

但他還是走到這裡來了。謝長耳把這裡布置得很好，很乾淨，也很安靜，素白的靈幡，牌位前燃著香燭，他就在牌位前坐下，老鮑他們不會見怪的，大家都是兄弟，他實在是沒力氣行禮了。

靈前供著一罈酒，他攢了好半天的力氣，才爬起來拿著碗，搖搖晃晃，倒了一盞。

第一盞，是要敬死去的所有同袍，他將酒傾在了地上。

第二盞，他是要敬小黑的，也傾在了地上，雖然牠從來不喝酒，只是愛吃豆料。在天上，老鮑也會把牠照料得很好吧。只是，可惜了小白。

想到小白，他心裡就像刀割一般，心想，小白從此就孤零零一個，可怎麼辦啊。

第三盞酒，他慢慢地自己飲了。

從此之後，他少了好多兄弟，也少了好多友人，他的心空了一大塊，再也填不滿了。他忽然嗆了一下，噴出一口血來，直噴得那酒盞裡一片殷紅。

他指上無力，酒盞再也端不住了，人也倒了下去，他倒在地上，無力爬起，卻看見門外簷角邊，忽然慢慢旋轉著降下一個竹蜻蜓。

緊接著，又是一個竹蜻蜓，一個接一個的竹蜻蜓慢慢旋轉著降下，無數個竹蜻蜓從天緩緩而降，像是一場青雨。

他一時看得癡了。

阿螢走過來扶起他，跪坐於地，將他攬住，細心地給他擦拭著嘴角的血跡。她說：「你知道，我不信什麼神佛，也從來不許願。可是你昏迷不醒的時候，范醫正說你傷得太重，可能永遠也醒不過來，那時候，我寧願去跪拜這世間所有的神佛，無比虔誠地許願。你說奶娘說過，如果有什麼心願，便放一個竹蜻蜓，等到竹蜻蜓落地的時候，心願自能實現。這裡每一隻竹蜻蜓，都是你還沒有醒的時候，我坐在你床前削的。」她的眼中含淚，「你說過，爲了我，再傻的事情，你還是願意做的。十七郎，爲了你，再傻的事情，我也是願意做的。」

他怔怔地看著她，她伸出雙臂，摟住李嶷。「十七郎，哭一場吧，痛痛快快哭一場，然後，爲他們，爲所有人，好好活下去。」

他將下巴靠在她的肩上，淚水潸然而下，她將下巴也靠在他肩頭，淚水滾滾落下。

第十五章　驚秋

皇帝病了足有大半個月，他是受了極大的驚嚇，本來就一直身虛體弱，又遇見刺駕，其實，他之所以病成這樣，還是因爲難過。

李峻是他最倚重的長子，竟然喪心病狂到想要弒殺他自立爲帝，這已經令他傷心欲絕了。誰知道還有李崍，竟然不知因何勾結了揭碩，妄想在李峻動手之後，將李峻殺了，把秦王也殺了……不，他的崍兒不是這樣的，他的崍兒還是想救他的，只是用錯了法子。

但是勾結揭碩，旁的不說，崔倚當朝就把證據全拋了出來。那可是烏洛的神箭隊，雖然後來被崔倚率定勝軍殺的殺、俘的俘，但皇帝越發不喜歡崔倚了。

因爲崔倚救了他。本來他的馬驚到了，慌不擇路到處亂跑，最後逃到了草溝裡，天上弩箭飛來飛去，那些凶神惡煞的揭碩人拿刀亂砍，他以爲就要命喪當場，結果崔倚威風凜凜從天而降，一下子就把他救了。

他當時嚇得涕淚橫流，褲子都尿濕了，等回到宮裡，他就病倒了。他不想見任何人，更不想見崔倚。

他這倒楣模樣都教崔倚看去了，以後他還怎麼做皇帝？而且他的峻兒崍兒都死了，他萬念俱灰，渾渾噩噩，也不怎麼想活了。

但皇帝素來膽小，還是怕死的，所以一天宣召三遍御醫來診脈，即使御醫說他脈象好得很，他還是覺得自己病得快要死了。後來還是吳國師救了他，吳國師燒了一道符，念念有詞，又請他將符水喝下去，他這才覺得，彷彿心裡鬆快了一些。

只不過一想到兩個兒子都死了，他又忍不住病倒了。他本來就煩那些亂七八糟的朝政，當皇帝他是願意的，但是他也不知道當皇帝竟然有那麼多麻煩事，動不動鬧了水災了要他管，戶部沒錢了要他管，兵部說發往邊關的寒衣不足要他管，吏部任命重要的官員，也要他管，工部修個河道，也要拿到他面前來，請他御覽。

天下怎麼這麼多的事啊，他煩透了，什麼都不想管。

幸好顧相能幹，他病了這麼多日，秦王據說也傷得挺重的，朝中都是顧祄帶著中書省，領著六部官員，處置著日常各項大事。

皇帝覺得生病挺好的，而且天氣漸漸沒那麼暑熱了，他越發懶得管任何事，只想再冷一點，好名正言順挪去有湯泉的驪山行宮住著，離那些煩人的朝政遠遠的。

但是有一項頭等大事，還等著皇帝裁決，那就是要立太子。李峻與李崍謀逆而身死，雖然皇帝說，是揭碩奸細刺駕，還堅持以王爵之禮下葬了李峻與李崍，但這件事已經被群臣稱為兩王之亂，又有謠言說秦王只怕傷重不治，更有最為險惡的謠言，說道其實此事是秦王奪儲殺死兩王，秦王也因此身受重傷。朝中人心惶惶，再度動盪起來，外有強藩如崔倚，內有太子的長子、當初勤王之師也曾經承認過的太孫，所以顧祄為首的文臣都認為，此時應該當機立斷，立儲東宮，以安人心。好在秦王傷勢雖重，到底還是一天一天，慢慢好起來了，據說能說話了，也能下床走路了。

皇帝無精打采，顧祄來探病，也是要探一探皇帝的口氣。皇帝覺得，還有什麼意思呢？自己心愛的兩個兒子都死了，只剩下李嶷，要立他為太子，那就立吧，反正也沒得選了。

顧祄不由得微微鬆了口氣，躬身道：「陛下既然聖躬不豫，那就冊立秦王為太子，並令太子監國吧。」

皇帝忍不住哼哼唧唧，表示自己身上仍舊不舒服，說道：「可是秦王不是受了重傷，還在養傷嗎？」

顧祄道：「秦王殿下年輕，再重的傷，養些時日就好了。陛下的聖躬要緊，若不好好調養，那就是關礙社稷的大事。」

這句話皇帝很愛聽，他也覺得自己身體最重要了，比這天下所有的事加起來都要重要。

顧祄說道：「那臣就替陛下傳旨給禮部，準備冊立太子的大典。」因為冊立太子是大事，現在預備起來，也得好幾月工夫才行，要先令欽天監擇吉日，再替太子趕製袞服，並冠冕，還有金寶金冊，禮部有無數繁瑣的禮儀需要預備。

皇帝可有可無地點了點頭。顧祄又道：「還有一樁事，必得陛下定奪，定勝軍當此大捷，崔倚又立下救駕之功，該如何頒賞？」

皇帝一聽到這個「崔」字，就不禁將眉毛皺起來。雖然崔倚把揭碩潛入中原的那支神箭隊都滅了，可是有個最要緊的人物，就是崔倚的養子柳承鋒從始至終都沒露面，也並沒有被抓住。皇帝覺得李崍說不定就是被那個柳承鋒給蠱惑了，不都說揭碩人特別會下毒，搞不好，柳承鋒就是給崍兒下了蠱毒呢，所以崍兒才會命喪黃泉，死於亂軍。皇帝想到這裡，就十分痛恨，自己好好的一個兒子，偏教崔倚的養子給害了，還把行刺謀反的罪名都推到了崍兒身上。他實在打從心裡不喜歡崔倚，偏崔倚打了勝仗不說，還救了自己，只能嘆了口氣，十分無奈地說道：「崔倚的女兒都要做太子妃了，再說朕也沒錢再賞賜他財物，何況崔倚是實權的節度使，馬上他就是太子的岳父，也沒法再升他的官，這要怎麼賞啊？」

顧祄正色道：「臣正想諫言，秦王若爲太子，崔氏女萬萬不可爲太子妃。」

皇帝又嘆了一聲，愁眉苦臉地道：「崔倚不是非要從皇子中選一個嫁女嗎？那如今不就只剩了李嶷嗎？」

「陛下，此一時，彼一時也。」顧祄道，「彼時，孫逆剛平，社稷根基未穩，陛下也尚未立儲。崔藩勢大，又占據東都，只怕隨時可以效孫靖之舉。因此，崔倚膽敢上書，要擇選皇子爲婿。但陛下，從未曾答應，只是含糊其辭而已。」

皇帝不由得一拍手，恍然大悟。「對啊！顧相說得對！朕可從來沒答應，是他自己一廂情願，以爲上個奏疏，朕必得依他。」

顧祄道：「陛下明見萬里，所以當日才含糊其辭，並未答允他。如今情勢，既立秦王爲太子，則崔氏女萬萬不可爲太子妃。武將跋扈，崔倚性情驕縱，眼高於頂，且定勝軍上下，皆對他忠心耿耿。若爲外戚，朝中萬難鉗制，稍有不慎，只怕又會養出一個孫靖來。如今秦王既爲太子，若崔倚膽敢有不臣之心，令太子親自領兵殄滅之！」

這番話，說得皇帝頻頻點頭。皇帝想了一會兒，又說：「這年來總是出事，一來，朕也想辦件喜事好好沖一沖，二來，只怕崔倚不死心，還是硬想把他女兒嫁給太子，這樣，朕趕緊挑一個家世好的，模樣好的，脾氣好的世家閨秀，冊立爲太子妃，好叫崔倚死了那條心。」

顧衸含笑道：「陛下聖明，這冊立太子妃之事，確實得陛下替太子好好挑一挑。」

天氣漸漸沒那麼熱了，李嶷傷後虛弱，縱然在午後，也裹著一件氅衣，坐在簷下躺椅上。他形容憔悴，神色倦怠，只怔怔看著庭中石桌上的一個水晶盆，那是阿螢拿來的，裡面養了兩條肥胖肥胖的小金魚，每天她總是在簷下曬一桶水，然後將魚缸捧了出來換水，撈去水中的雜質，有時候還要換水草。他喜歡看她做這樣的事，照料著這兩條魚，就像在照料著他。

現在這兩條魚養得挺好的，清水綠藻，紅魚撥尾，悠然地游來游去。他看了一會兒魚，不知道什麼時候，阿螢已經來了，手裡還捏著一根皮尺。她含笑道：「天氣涼了，我來給你量一量，做件新衣服。」

他說：「府裡還有那麼多衣服呢。」養傷的這一段時日，裴獻和裴源每日來看他，又知道他府中其實乏人理事，流水地往他這裡送東西。皇帝雖然沒來看他，但也從宮裡賜出不少東西來，其中也有衣服。樣式華美，尺寸合適，想是盧皇后預備的，這位皇后一直這麼面面俱到。

阿螢道：「我想親手給你做一件衣服，就量一量好了。」

他順從地站起來，她拿著皮尺，認真給他量體，一邊量，她一邊忍不住心疼：「你比從前瘦了好多。」

他極力打起精神來，隨口道：「從前妳又沒替我量過。」

她說：「可是我從前抱過你啊，現在自然知道你是瘦了。」她轉到他身後，繼續用皮尺量著，量著量著，她忽然伸開雙臂，就那樣從背後抱住他，抱得那樣緊，那樣用力，好像怕他隨時就會消失似的。

他安撫似地，伸手按住自己胸前她的手，摩挲著。這一陣子其實她也瘦了許多，瘦到手腕上的骨頭都突了出來，他愛惜地用手指，輕輕摸了摸那突出來的骨頭。

過了片刻之後，她忽道：「我變個戲法給你看，好不好？」

他說：「好啊。」

於是她拉著他在躺椅上坐下，然後站在他面前，從自己袖中取出一條手帕，左右翻給他看。「你看，這是一條帕子。」

他點點頭。她左手虛握成拳，用右手將帕子一點一點，從拇指與食指之間的孔隙，慢慢塞進虛握的拳心，然後將那粉粉的拳頭伸到他面前，說：「來，你在我拳頭上吹口氣。」

他聽話地在她的拳頭上吹了口氣，她嫣然一笑，右手在左拳上一敲，然後將左手突然攤開，帕子不見了，手心裡只有一朵花。她將那朵花拿起，笑盈盈遞給李嶷。他接過花，左右端詳，發現竟然是一朵剛摘下的花。

她問他：「好不好玩？」他點點頭。她又重新拿回花朵，將花捏在左手掌心裡，虛握成拳，然後再將拳頭遞到他面前，說道：「你再吹口氣。」

他依言又在她拳頭上吹了口氣，她仍舊如前次一般，右手在左拳上一敲，將左手攤開，手心裡空空如也，既沒有花，也沒有帕子。

她這才笑著說：「你摸摸你左邊的袖子。」

他伸手摸了摸自己左邊袖子，慢慢往外甩了甩，示意什麼都沒有。然後摸了摸右邊袖子，往外也甩了甩，示意什麼都沒有。

她不由得一怔。

他說：「妳摸摸妳的袖子，右邊。」

她伸手入袖，指尖忽觸到一物，她不由得握住抽出來。初秋淡淡的陽光下，明珠絲條在她指尖纏繞半圈，絲條上的明珠泛著珠光，在半空中滴溜溜轉動。

她心中感念萬千，又想笑，又有點想哭，最近她真的太愛哭了。

他這才伸手，慢慢從他自己後衣領中摸出那枝玉簪，拿出來給她看。玉簪捏在他指間，被陽光襯得映出瑩潤的光澤。

他的聲音很輕，像是怕驚醒什麼似的，話語中充滿了愛憐：「妳傻啊，我是鎮西軍中最好的斥候，妳還想藉著量身的機會，把簪子偷偷塞進我的袖子裡，還哄我說變戲法，那麼大個物件，我能不覺察嗎？妳還在那摸來摸去，我早就順手把珠子塞到妳袖子裡了。」

她似是又要哭了，但最後含淚又含著笑，撲入他懷中，他伸出雙臂，緊緊摟住她。

等到李嶷漸漸康復到能騎馬的時候，李嶷與崔琳一起，去了一趟清雲觀。

李嶷拜見了蕭眞人，坦誠相告：「眞人，是我沒照顧好玄澤，令他身陷險境。」

蕭氏早已經知曉李玄澤中毒的來龍去脈，幸得李嶷救治及時，後又再次求藥，如今李玄澤早已經解毒，康復如常。她說道：「殿下言重了。昔日殿下問我，願不願意令玄澤返京的時候，就曾坦言相告，京中的種種凶險，我亦知道，殿下當日說會全力以赴，照拂玄澤，殿下其實做到了，無愧於心，又何來辜負。」

李嶷道：「只是如今，李十七要食言了。」

蕭眞人道：「時也，命也。時局變幻，瞬息不同，此時你若不為太子，只怕天下動盪，兵戈再起，玄澤還是太年幼了，不宜為儲，殿下不用執念。」

李嶷見她如此通透，心中本有滿腹的話，可是千言萬語，其實都不必說了，當下只是起身，恭恭敬敬，朝著蕭眞人深深一禮。

蕭眞人卻問道：「崔家娘子也來了嗎？可否請她一見，我有幾句話，想與崔娘子說。」

李嶷忙道：「她來了，我去請她進來。」

崔琳知道李嶷有要緊話與蕭眞人說，所以在前殿參拜三清。李嶷尋來的時候，她正在虔誠地叩首，嫋嫋香煙中，她的身形削瘦而單薄，他心裡一酸。她是個不拜神佛的人啊，但他知道她此番是為什麼而拜。

崔琳走進蕭眞人的斗室時，她正在焚香，見她進來，只是微微一笑，說道：「崔娘子請坐。」

崔琳依言，在案前坐下，蕭眞人蓋好焚香的小鼎，然後替她煎茶，說道：「我的小字，叫作阿勉。」

崔琳不由得微微一怔。

「我父親生得七個女兒，到了我生出來一看，還是女兒，所以給我取名勉字，意思是，大概是生不出兒子了，力所不能及，而強作，謂之勉。」

「後來，父親到底生出了兒子，還生了好幾個，但是我不甘心，家裡請夫子教小郎們讀書，我也總去聽，一來二去認識了不少字。母親見我學得不錯，對我說，自以為不如郎子，那才會不如郎子，阿勉，妳要力所能及，做到比郎子更好才是。後來我到六七歲的時候，也每日去塾中讀書，就是那時候，認識了孫靖。」

她提到孫靖名字的時候，其實很平靜，平靜得像是提到一個孩童時的舊識，或是尋常故友。

「他家世不怎麼好。我家裡乃是世族，我父母都看不上他家的門楣，也因爲，太子正在擇太子妃，後來，就眞的選中了我。我約了孫靖私奔，他也答應了，可是我在城外等了整整一天，他都沒有來。後來，我也就死心了，回到家中，安安分分地，嫁給了太子。入東宮十年，我也沒能生出兒子，旁人都譏笑我，我想這或許是命吧。我不願意做太子妃，偏做了太子妃。我叫阿勉，很多事，都是力所不能及也。」

她忽然問崔琳：「妳知道做太子妃，最要緊的是什麼嗎？」

崔琳不由得一怔，旋即搖了搖頭。

「是捨棄。」

蕭氏的臉上，浮起一縷淡淡的，近乎無奈的笑容。「捨棄父母，入東宮；捨棄夫君，他是君，妳是臣；捨棄自己，妳是東宮的太子妃，卻不是妳自己，妳做不了任何眞正想要做的事情。妳不能任情任性，妳不可恣意妄爲，妳唯有把一切都捨棄了，把自己變成一尊泥胎金像，妳才是一個人人稱讚的太子妃。」

崔琳怔怔地看著她，目光中流露出複雜的神色，有同情，有了解，有憐憫，最後，還有尊重。

「做了太子妃之後，我唯一活著的一瞬間，就是孫靖入宮，把所有人都殺了，他穿著鐵甲，走進宮殿裡來，身上全都是血，我卻毫不猶豫地奔向了他，投入他的懷中。只有那一刻，我才是爲自己而活著的，也只有那一刻，我才是我。可是過了那一刻之後，我仍舊是太子妃，縱然太子已經死了，先帝也早就殉難，可是，我仍舊是太子妃啊。」

香爐裡香煙嫋嫋，她靜靜地出神了片刻，不知道想到什麼，臉上浮起了一抹笑意，那笑意裡有悵然，也有甜蜜。她說道：「崔娘子，我好羨慕妳，妳知道嗎？」

崔琳點點頭，她其實聽出來了，她說道：「蕭眞人，我叫阿螢。」

「阿螢，這名字眞好聽……阿螢，如今妳也要做太子妃了，可是妳跟我，是不一樣的。」她的眼睛裡似含著淚光，也含著欣然，「我的夫君是太子，而妳的夫君是李嶷，他只是不得不去做太子了而已。不管他是秦王也好，是太子也好，將來哪怕他做了皇帝，他仍舊會是妳的夫君。我眞的，好羨慕妳啊，阿螢，妳可以嫁給妳想嫁的人，而他，是眞的心悅妳的良人。」

她伸出手來，握住了蕭眞人的手，只有同情，只有了然。

蕭眞人被她溫暖的手握住，過了片刻，似乎又平靜了下來，說道：「阿螢，我眞的挺高興的，這世上另一個太子妃，終於不用像我這樣了。將來，若是每一個嫁進東宮的小娘子，都同妳一樣，是眞心歡喜的，那該有多好啊。」

崔琳輕聲道：「我和十七郎商量過了，如果將來十七郎登基，玄澤必爲太子。等到玄澤長大，我們會讓他選一個他自己喜歡，也心悅他的小娘子，爲太子妃。」

蕭眞人點了點頭，說道：「玄澤有妳和秦王殿下照顧，我就放心了。」

崔琳過了片刻，終於還是問了一句：「眞人，妳就不想見見韓將軍嗎？」

蕭眞人搖搖頭，說道：「我就不見啦。」

崔琳默然，蕭眞人含笑將一盞茶遞到她面前，說道：「飲了這盞茶，妳就走吧。」

崔琳舉杯，喝得很慢很慢，彷彿那盞茶，她永遠都不想喝完似的，但是那麼小小的一盞，不論她喝得多麼慢，過得片刻，還是飲完了。她放下茶盞，緩緩起身朝蕭眞人深深地一禮，然後轉身退出了斗室。

李嶷在泉水旁等她。山裡的小潭，水裡有螃蟹，一隻一隻的，伏在清澈見底的水底，在石頭上爬來爬去，只有棋子般大小。他已經看了半天了，見她來，問她道：「要不要捉兩隻回去養？那個魚缸很大的，只養兩條金魚，不如添上兩隻螃蟹也有趣。」

她本來心情沉重，聽他這麼說，不禁也一笑，說道：「螃蟹會和金魚打架的吧。」

「不會吧。」他說著就要捋起袖子下水，「我捉兩隻回去，養養看。」

「這裡水涼，」她連忙阻止他，「你傷還沒全好，我下去捉吧。」

「那不行，」他說道，「怎麼能叫妳一個姑娘家在秋天裡下到這麼涼的水裡去，要不找個網來撈？」

正說話間，忽然錦娘神色驚惶地跑了過來，慌慌張張地叫了一聲：「殿下！」

蕭眞人自戕了。她死得很乾脆，用一柄劍割斷了自己頸中的動脈，血噴了一地。她倒在血泊中，嘴角卻噙著一絲笑意，彷彿死是令她非常愉悅的事情。李嶷倒吸了一口氣，本能地想伸出衣袖，去遮阿螢的眼睛。

阿螢卻心下了然，她說道：「無妨。」

蕭眞人將玄澤託付給了她與李嶷，她甚至不願意見暗暗戀慕自己多年的韓暢一面，她就決絕地，毅然赴死了。

她死的那一刻定然是高興的，因爲她終於可以不是太子妃了，終於可以做回自己，做回那個力所不能及，卻偏要爲之的阿勉了。

崔琳和李嶷一起下山，回到京中，去見了李玄澤。那孩子被養得很好，自從痊癒之後，白胖了許多，見到李嶷已經十分相熟，伸著胳膊讓他抱。唯有韓暢，見到他們之後，臉色變得煞白。

崔琳在路上便已經想好了，此刻見到他，就朝他點了點頭，說道：「她說，謝謝你，還說，以後就指望你辛苦了。」

其實蕭眞人並沒有說這句話，但是她左思右想，決定還是擅自同韓暢說這麼一句話。因爲在死之前，蕭眞人其實還是太子妃，太子妃是不會同韓將軍說這句話的，但她死之後，就是阿勉了，阿勉是會同韓暢，說這句話的。

韓暢眼圈泛紅，過了良久，才朝她叉手鄭重地一禮，她知道這一禮並不是拜自己，所以也沒有避讓，只是微微點了點頭。

玄澤看韓暢神色不對，連忙走過來，依依膝下，問道：「韓將軍，你怎麼了？」

韓暢蹲下來，一把抱住玄澤，將臉埋在孩子柔軟的小肩上，也將滾燙的熱淚隱藏在孩子柔軟的衣服裡，過了片刻，他方才說道：「殿下又長高了，臣這是高興。」

八月廿三，是欽天監精心挑選出來的上上大吉的日子。李嶷身著著太子袞服，玄衣、裳、九章[6]。五章在衣，龍、山、華蟲、火、宗彝；四章在裳，藻、粉米、黼、黻。織成爲之。白紗中單，黼領，青褾、襈、裾。革帶，金鉤日韋，大帶，素帶不朱裏，亦紕以朱綠，紐約用組。黻隨裳色，火、山二章也。袞冕，白珠九旒，以組爲纓，色如其綬，青纊充耳，犀簪導，緩步走入含元殿前。

「維大裕添泰二年，歲次乙未，皇帝若曰：於戲！惟爾秦王嶷，孝而克忠，義而能勇，業著於內。救於天下之危，承嗣宗廟社稷。疇咨列辟，欽若前修，是用命爾爲皇太子。往，欽哉！爾其敬賢以德，寬仁宇內。無怠無荒，固保我宗基，可不慎歟！」

堂皇的鐃鈸鼓樂迴盪在偌大的宮殿中，李嶷一步一步走上含元殿前的長階，長階中央的丹陛雕琢著精美的紋樣。他心裡想了很多很多，但又似乎什麼都沒有想。

在他蘇醒不久後，阿螢曾經含著眼淚對他說道：「十七郎，我們一起回牢蘭關去吧，是我錯了，你不想做太子，我不該逼你，我們一起回到牢蘭關去，生七八個娃娃，過你想過的日子。」

他卻輕輕地搖了搖頭，說道：「阿螢，我回不去牢蘭關了。」他說道，「我心裡很難過。老鮑他們都死了，我親眼看著兄長們想要殺死父親，我知道他們其實是死在對權力的渴求和無法控制的野心之下。之前，我一直想回牢蘭關，現在我想明白了，我並不是想回牢蘭關，而是想回到過去那種簡單的，沒有心機的日子。我太清楚地知道，一旦成爲儲君，恐怕就得做許多身不由己之事，因爲，做一位戍邊衛疆的將軍，和東宮儲君，需要承擔的責任完全不同。我內心嚮往的日子，其實自從起兵勤王的那一刻，已經註定回不去了。只是從前我不知道，或許我心裡也知道，只是不願意承認罷了。」

她仍舊含淚看著他。「十七郎，我阿娘死了之後，我也有好長時間，什麼都不想，什麼都不要，只想回到我阿娘還在的日子。」

他握著她的手，說道：「阿螢，咱們曾經數次長談，直到近日，我忽然想明白了，妳和我所思所求，其實是殊途同歸。我們想要的，都是天下太平，百姓不再流離失所，所有人都能過上好日子。玄澤還年幼，他是無法擔當這重任的。他如果做儲君，到他親政，還有漫長的十餘年。這十餘年裡，父皇是沒有能力擔當天下的。」

他說道：「既然無人擔當，那麼就我來擔當吧。」他的臉上露出惆悵的笑意，「阿螢，牢蘭關眞的像一個夢啊，老鮑、黃大哥、趙二哥……他們每一個人，都是在我的夢裡。」

她也緊緊地握著他的手。「咱們得好好活著，替他們也一併好好活著，讓這世上的

6 編按：古代天子冕服上的九種圖飾。即龍、山、華蟲、火、宗彝、藻、粉米、黼、黻九種圖案。

人，都過上舒心的日子。」

他點點頭。「阿螢，妳知道嗎？牢蘭河水十八灣，那首歌的最後一句是：『歸我故園，白露蒼蒼，涉水渡之，伊人依舊。持葵作羹，持黍炊飯，欣然終聚，此願長久。』軍中五十五歲就可以解甲歸田，老鮑他們是沒有辦法解甲歸田，回家做飯了，可是天下又何止一個老鮑呢？有千千萬萬的老卒，有千千萬萬的遊子，更有千千萬萬因戰亂離別的夫妻、父子、兒女。我深悔救不了老鮑他們，但是我可以救更多的人。」

她對他說：「我們一起救更多的人。」

冊立太子是十分繁複的儀程，一直忙了整整三天，所有的禮祭才一一行完。

李嶷已經從秦王府，搬到了東宮。

東宮自然比秦王府還要闊大華麗，他只覺得冷清，而且早就惦記著這一日乃是阿螢的生辰，所以到了晚上，換了身衣服，徑直就越牆出去了。

阿螢仍舊住在平盧留邸，他還沒有敲窗，她就笑盈盈地打開窗子，讓他進來。

「我有一樣生辰禮要送給你。」李嶷說道，說著從懷中取出一物，竟是一卷冊子。她接過去一看，冊子上是用墨勾勒的畫，畫的是兩個人，都如同那幅她畫的《秦王酣眠圖》一樣，畫得兩人如稚童一般，圓圓的臉頰，小小的身子，肉乎乎的小手。畫中一個小人兒，正將另一個踹進井裡，看那服飾模樣，正是當初他們在井邊相遇時的穿著。

她不由笑了，指著畫中那正飛起藕節似小短腿的小人兒說道：「這個是我。」不禁又嗔道，「我的腿就這麼短嗎？」她瞧了瞧畫中正被踹落到井中的小人兒，忍俊不禁。

看看畫冊上的小人兒，又看看李嶷，說道：「你的眼睛有這麼大嗎？圓溜溜的，快占了一半臉了！」

他說道：「我不會畫嘛，就只能照著妳那幅《秦王酣眠圖》，畫虎類犬了。」她欣然道：「這樣有趣！十分有趣！你這是把咱們見面的情形都畫下來了，像行樂圖一樣。」說著翻過這頁，後面一頁上，畫的卻正是她被綁在地上，李嶷蹲在她身前，胖乎乎的小手指裡夾著一根碩大的銀針。她不禁噗哧一笑。「那個針哪有這麼大！」

他說道：「太細小了不好畫，只能把那根針畫這麼大了。」又說，「妳那幅《秦王酣眠圖》我可拿去裱得好好的，揣摩了好久其中的神韻，才敢下筆學著畫一畫，妳就別挑剔了。」

她又翻過一頁，原來這一幅畫正是她扶著假肚子坐在車上，他趕著牛車的情形。她想起昔日道中，他說她滿肚子稻草之事，不由得一笑。再往後看，他畫了許多幅，都是兩人共同經歷之事，有在農家做飯那一幕，有在洛水邊分別的那一幕，也有太清宮中那一幕，等等等等。她越往後看，越是感動，眼圈漸漸紅了，想起自與他相識以來，種種情形，只覺得唏噓萬千，然而又甜蜜萬分。

只聽他說道：「我把我們經歷過的事，都一一畫了下來。這後面的留白，就等著將來咱們倆一起畫，妳說好不好？」

她將那冊子往後翻了翻，說道：「這麼厚一本，後頭還有這麼多白紙呢。」

「是啊，這一輩子還長著呢，咱們還有很多很多有趣的事可以畫。」他攬住她的腰，十分嚮往地說，「等畫滿這一冊，再畫一冊，不知道能畫多少冊，等將來老了，一頁頁翻看，多有意思。」

她依偎在他懷中，甜甜一笑，點頭說：「好。」

李嶷萬萬沒想到，他欲娶崔琳爲太子妃一事，受到了前所未有的阻礙。皇帝自然是不用說了，極力反對。出乎意料，連顧衸都反對，朝中群臣，更是前所未有的眾口一詞。

確實，從朝局來看，崔倚已經實難節制，不宜立其女爲太子妃。所有文武官員，都心照不宣，天下大定，將來必須要裁撤兵馬。鎮西軍還好說，那是太子也就是未來天子的嫡系，裴獻又已經老病不堪，況且裴家素來忠君，生不出什麼事端來，其他府兵亦好說，唯有崔家定勝軍，朝中只怕無法順利抑裁。崔倚竟還想做太子的岳丈，外戚如此，這不立時便有王莽之禍嗎？國朝可再也經不起這樣的叛亂了。

絕不能令崔倚之女爲太子妃，朝中上下，難得齊心協力，就連裴獻都罕見地緘默起來。

所以李嶷煩惱得不行，皇帝自從立他當了太子，一直是無精打采，隔三五日，便要稱病不朝，將所有的事務都扔給李嶷處置。他雖然沒有監國的名分，卻是實實在在的，每天都在監國。

皇帝雖然不怎麼搭理朝政，卻一個勁起心要廣選良媛，想從中選出一名太子妃來，還讓皇后多多召京中三品以上官員的女兒進宮，非要李嶷前去領宴，鐵了心要撮合他與這些大家閨秀們的姻緣。

至於群臣，每個人都在說如今天下太平了，不需那些兵馬，朝中也供給不起，須得裁撤。然後又勸太子，速速選一位名門閨秀，冊立太子妃，為聖朝萬年之計，延綿宗嗣。

七嘴八舌，吵得李嶷頭痛。心想幸好崔倚前幾日就出京回平盧去了，不然這群人只怕會跑到靖良坊的平盧留邸，去滋擾崔倚。他這麼一想，不由得心念一動。

崔琳和桃子從西市回來，尤自說笑。桃子推開房門，崔琳踏進門，忽看到李嶷竟然穿著全套的太子冠服，懶洋洋躺在床上。桃子見狀，連忙轉身出去，順手帶上門。

她不由得走近床前，好氣又好笑。「你怎麼穿成這樣，躺在這裡？」

他伸了個懶腰，從床上坐起。「阿螢，崔伯伯到底給妳留了多少人手？我怎麼覺得妳這留邸裡完全不設防。我穿成這樣，行動不便，囉哩囉嗦地越窗而入，好險掛斷了衣帶，只差要拆窗破牆了，竟然都沒有人發現並攔住我。京裡如今雖然太平了，但也得注意防範啊。」

她嗔了他一眼，說道：「你這是一下朝，連衣裳都沒換，就直奔我這兒來了？」

他按住額頭，彷彿不勝頭痛。「妳不知道，前幾日崔伯伯辭京而去，朝中又一片譁然，這一連幾天，每日都吵嚷。非逼著我娶太子妃，又非逼著不讓我娶妳，吵來吵去，我不過辯白了兩句，那些大臣就哭的哭，喊的喊，還有人嚷嚷死諫。陛下又趁機將我罵了一頓，眞是快要被煩死了。」

她不禁斜睨了他一眼。「誰是你崔伯伯？」

「阿螢，妳不能因爲崔伯伯離京，就立刻不認了嘛。」說著拉住她的手，讓她坐在床邊，「阿螢，我們私奔吧！」

她伸出一根手指，托起他的下巴，語氣中透著戲謔。

「普天之下，莫非王土。殿下覺得，能和我私奔到哪裡去？」

他一聲長嘆，就勢抓住她的手指，輕輕吻了一下，說道：「要不，妳也走吧，回營州去。我就跟那些大臣說，我反正是不娶了，誰願意娶太子妃誰娶去，然後，我就找個由頭，直奔營州，與妳在營州拜堂成親，然後生七八個娃娃，不，都不用生到七八個，生到第三個的時候，朝中那些大臣一定就繃不住了，肯答應妳做太子妃了。」

她不禁噗哧一笑。「殿下知道生七八個娃娃，得多少年嗎？」

「總得十年八年吧。」他無精打采地說，「我也知道黃花菜都涼了，妳說怎麼辦？朝政也不能扔下不管，就我那位父皇，我若是一走開，他不知道怎麼就會異想天開，弄出什麼事端來，還得我收拾殘局。」

「那要不我還是回營州去。」她十分乾脆地說，「反正我只想做你的妻子，並不想做太子妃。到時候，你常來看我便是了。」

「我都已經是太子了，妳卻不想做太子妃，妳……妳這是欺人太甚！看我不好好罰妳！」他假作生氣，伸手作勢要去撓她的癢癢，她素來怕癢，笑著往後一縮。忽然聽見桃子的聲音在外面喚了一聲：「小姐。」

她理了理鬢髮，準備下床去開門，只聽桃子說道：「殿下！小裴將軍來了，說有要緊事。」

李嶷面沉如水，穿過紫宸殿前的橫街，袁常侍氣喘吁吁地跟在後頭。他沒想到太子殿下來得這麼急，這麼快，自己一路小跑也跟不上，直跑得上氣不接下氣，好容易跟上了，李嶷卻不用他上前開門，自己伸手將門一推，就進了紫宸殿。

皇帝居中而坐，臉色灰敗，他自從兩王之亂後，精神就不怎麼好。顧衸被賜坐在御座前的凳子上，裴獻亦被賜坐於側，臉色也十分難看。另有數名官員侍立在殿中，都是鴻臚寺、刑部、兵部、大理寺等處的官員。

李嶷徑直走到皇帝面前，顧衸與裴獻連忙站起來。

李嶷行了陛見之禮：「陛下。」

皇帝揮了揮手，似乎仍舊無精打采，說道：「起來吧，賜太子坐，把人犯帶上來吧。」

袁常侍答了一個「是」，轉頭又往殿外快步而去。這廂顧衸等人方來得及向李嶷見禮，他們都是重臣，見到太子，拱一拱手就可，皇帝也客氣，說道：「顧相且坐，裴卿，也坐。」

見李嶷在御座之下的左邊凳子上坐了下來，顧衸這才小心地斜著身子，在凳子上坐下。裴獻腿上有傷，也就坐下了。

數名羽林衛押著五花大綁的一人進來，那人腳上、手上都是鐵鍊，撲通一聲，被推跪在御座前。

那人昂起頭來，卻是一口不甚流利的中原官話，說道：「揭碩深利部加里，見過皇帝陛下，陛下萬歲萬歲萬萬歲。」

皇帝見此人鷹眼濃眉，長得甚是駭人，心中害怕，又見他手腳皆被鐵鍊綁住，這才微微放心，說道：「得啦！你說你要出首，到底要出首何人，說吧。」

「加里要出首崔倚。」只這一句話，殿中似乎瞬間一靜，靜得能聽見殿中官員之中，似有人倒吸了一口涼氣。

加里慷慨陳詞：「崔倚本來與我們的烏洛王談妥了，只要我們退出白水關，就會私下給我們鹽和鐵器。結果他不守信諾，不僅追殺我們和方功部，還硬說我們兩個部落的老弱婦孺是精兵強將，割了他們的首級充當戰績。」

李嶷不動聲色打量加里，只見他神色坦然，目光如梟，顯然是個凶蠻不畏死之徒。

裴獻忍不住道：「陛下，此人乃是崔倚俘獲的揭碩深利部首領，戰敗銜恨，攀汙大將，所以才作此言論。」

「胡說！」加里大吼了一聲，旋即被羽林衛呵斥，「殿中不得喧嘩！」那加里微微低頭，放低了聲音，語中滿是不忿：「我們揭碩人最是直爽不過，打不贏就是打不贏，輸了就服氣。崔倚明明答應只是假打一場，卻殺了我全部落的老弱婦孺，我如何能服氣？」

裴獻問道：「那崔倚在京中時，你爲何不當庭揭發？」

加里卻是撲通一聲，朝皇帝磕了一個頭，說道：「那時未見過天子，也不知道皇帝陛下原來最是仁慈寬厚，不僅赦免了我的性命，還賜給我一些衣裳和銀錢，令我能在京都居住。我心中這才明白，原來崔倚做的事，不是皇帝陛下吩咐的，而是他自作主張。」

皇帝聽了這番話，覺得眼前這凶徒竟然也不是一無是處，便說道：「朕就說，以德感之，必定會報之以德，你們看看，這個加里，就是被朕感化了。」

群臣不免又讚了一番天子聖明，頗讓皇帝覺得自矜。

只有裴獻不僅不拍皇帝的馬屁，反倒又問那加里：「崔倚乃我朝節度使，崔家世鎮營州，與揭碩連年交戰，崔倚有何理由與揭碩勾結？」

這時候忽有一名官員插話道：「裴太尉，這話就不太對了，所謂養寇自重。武將從來以戰功脅迫朝廷，這崔倚，怎麼就不會與揭碩勾結了呢？況且加里說得清楚明白，崔倚殺了好些老弱冒充軍功，就這一條，就是欺君罔上！」

裴獻並不理睬那名官員的攻訐，只對御座上的皇帝拱了拱手。「陛下，此言荒謬，崔家子侄，死於揭碩者百餘。崔倚結髮之妻，爲守城抗揭碩，力戰而亡，被朝廷敕封爲武烈夫人。崔倚與揭碩有血海深仇，如何會與之勾結？」

忽又有人道：「陛下，事近反常必有妖，白水關大捷，來得太巧了。怎麼就那麼巧，崔倚的養子勸降，白水關就丟了，崔倚偏就比朝中還要更早知道白水關之事，帶著大軍直接北上，如同等著立這場大功勞一樣。最可疑的是，崔倚養子柳承鋒竟然引揭碩的神箭隊潛進中原，意圖行刺，崔倚偏巧如神兵天降一般及時趕到，滅了神箭隊，卻走脫了柳承鋒。」

殿中諸人聽到他提及兩王之亂，不由得人人打了個寒噤。被廢成庶人的李峻謀反作亂，這倒也罷了，齊王李崍竟與揭碩勾結，也想弒君奪位。皇帝的兩個兒子皆死在這場叛亂中，只餘了秦王，也差一點點就重傷不治，朝野之中流言甚多，最爲歹毒的謠言便是秦王爲了爭儲，弒殺二兄，因此兩王之亂成了朝中群臣諱莫如深的禁忌。

那名臣子似也覺察失言，忙轉了話鋒：「臣只是不明，爲何裴大將軍不知崔家軍軍務，卻百般替崔倚辯解，難道鎮西軍中，也有這等冒功欺君之事嗎？」

最後一句話著實厲害，裴獻不由得驚憤交加，只得拱手道：「陛下明察，絕無此事。」

那人又道：「若不是心虛，怎麼裴太尉就一口咬定崔倚與揭碩並無勾結，這等十惡不赦的大罪，難道裴太尉能用身家性命，替崔倚擔保不成？這等大罪，難道有裴太尉擔保，就不應該追查清楚嗎？」

裴獻被氣得胸口一緊。李嶷看了那名文臣一眼，知道此人乃是刑部的一名侍郎，名叫周昌，心想此人好厲害的詞鋒，自己平素對這個周昌殊無什麼深刻印象，不知今日為何當著自己的面，說出這樣的話來，便說道：「夠了，文武相訐，非朝之幸事。」

他起身走到加里面前，說道：「你既然口口聲聲說，崔倚與你們揭碩有勾連，那他是如何勾連的，遣誰為使去與烏洛密謀？既有密謀，你又因何得知？你既得知，為何崔倚不殺你滅口？」

加里卻是對答如流：「崔倚遣其義子柳承鋒為使，與我們揭碩的王烏洛密談的。我是烏洛的親侄子，所以他曾經私下對我說過密談之事。崔倚不殺我滅口，是因為他不知道我知道他崔倚與烏洛王有暗中勾結。」

李嶷聽他答得天衣無縫，微微一笑。「你原本是我朝俘虜，陛下開恩赦免了你的性命，你卻攀汙我朝大將，只此便應處以極刑。你不要以為你一死就一了百了，烏洛一再處心積慮挑撥我朝君臣，我會親自帶兵，去踏平烏洛的王帳。」他這最後一句，說得輕巧無比，但殿中諸人都知道，這絕不是一句虛言恫嚇，即使遠在數千里外的揭碩，有誰不曾聽說這位昔日的秦王殿下，如今太子的赫赫戰功，他說要踏平王帳，那就真的會縱馬踏平王帳，令揭碩一敗塗地的。

加里抿了抿嘴，面露倔強之色，說道：「我說的都是實話！」

李嶷冷笑。「就憑你一面之詞，就想誣陷我朝節度使？」

加里卻將頭一昂，說道：「崔倚的兒子柳承鋒也出首了，不如把他也叫進來問，他比我知道得更清楚。」

李嶷心裡一沉，不由回頭看了一眼皇帝。

皇帝倒是忽然才想起此事，說道：「對，對，傳柳承鋒進來！」

袁常侍忙去傳旨，旋即只聞一陣叮鐺聲，幾名羽林衛，押著手上腳上綁著鐵鍊的柳承鋒走入殿中。柳承鋒微垂著頭，每走一步，腳上鐵鍊拖在大殿的方磚地上，便發出叮鐺聲。

李嶷冷冷看著柳承鋒，他就那樣一直微垂著頭，走到眾人面前，這才跪下行禮。他是被從獄中提出，全身衣衫汙損不堪，手腳上又盡是鎖鍊，如同一名重犯一般，但意態從容，姿勢優雅，卻仍舊是從前那般世家公子氣度，行了一禮，說道：「有罪之人柳承鋒，拜見陛下，願吾皇萬歲萬歲萬萬歲。」

皇帝見柳承鋒是這樣一個人，心想這人看著斯斯文文，倒不像是不服教化的，怪不得他肯出首揭發崔倚，大概是天良未泯吧。便說道：「你既出首，就仔細說說，崔倚和揭碩到底怎麼回事。」

柳承鋒便跪在當地，從容說了聲「是」，說道：「此事請陛下容罪人從頭說起。孫靖謀逆後，崔倚常與我說，此亂世也，當逐鹿中原，問鼎天下，也因此遣我率軍出幽州，打著勤王的旗號，實則是爲了搶占先機，趁著鎮西軍與孫靖交戰消耗，占據更多的州郡，以擴其之勢。後來天子登基，勤王之師大勝，收復西長京，崔倚憂心忡忡，言道朝中必將視崔家定勝軍爲心腹大患，因此想保全定勝軍實力，不願再與揭碩交戰，又擔憂朝中遲早會裁撤崔家軍，想做兩全準備。因此，派我去與烏洛密談，由我假作勸降，賣了白水關，從此，我可以長久留在揭碩，既爲崔家留一條後路，亦爲人質，以使烏洛放心。而崔倚早就與烏洛談妥，由他領兵至白水關，烏洛就佯作戰敗，令崔倚立下戰功。崔倚又早就屬意齊王爲婿，令神箭隊潛入中原供齊王驅使，崔倚則自帶人馬，埋伏在左近，以爲後援。幸好陛下福運洪天，安然無恙，崔倚見勢不妙，這才衝出來，冒功救駕。崔倚如此立下大功，自恃朝中必不會裁撤崔家軍，崔倚亦可進退自如，一旦朝中有裁撤之議，便可令揭碩滋擾邊境，而崔倚答應暗中會供給揭碩緊缺的鹽、鐵器等物，養寇自重。」

殿中聽了他這麼一篇話，靜得連根針掉在地上都聽得見。過了片刻之後，皇帝方才道：「既如此，你爲何今日出首？」

柳承鋒正色道：「罪民本爲崔倚養子，戀慕其女崔琳，崔倚早先曾答應將其女嫁與我，後來卻背信棄義，見異思遷，允婚齊王，罪民心中實實不甘被如此羞辱。再有，崔倚以我爲棋子，賣了白水關，卻令我背上罵名。我羞愧萬分，覺得難以於九泉之下，面見親生父母列祖列宗。更因崔倚寡廉鮮恥，卻高居廟堂，被世人以爲是有大功之臣。罪民自知，萬死莫贖，但罪民身爲天朝子民，不願通敵賣國，這是最後良知，因此，出首檢舉他。」

他這番話，先自陳私情，後又說得慷慨激昂。皇帝一想，這挺有道理啊，而且曾聽皇后說，宮宴之上，崔氏與齊王確實還挺親密的。怎麼後來一下子，秦王受了重傷，崔氏卻又見異思遷，竟搬到秦王府上去照料他了。李嶷傷重的那段時日，崔琳就住在他房中，幾乎寸步不離，毫不避嫌，似這般風言風語，皇帝聽了不少，因此對崔琳頗有點不以為然，心想果然是武將養出來的女兒，家風不正，一點女兒家的矜持都沒有。今日聽柳承鋒這麼一說，心裡越加厭棄，心道崔倚這個女兒，先許嫁柳承鋒，又許嫁齊王，現在又想硬將女兒塞給太子做太子妃，實在是無恥之極。

李嶷冷冷看著柳承鋒。「你說得冠冕堂皇，實則漏洞百出，滿口謊言，崔倚對你有養育之恩，你竟然為一己之私，這般誣陷於他？」

柳承鋒卻是絲毫沒有怯意，朗聲道：「太子殿下如此回護崔倚，難道不正是因為一己之私嗎？」

裴獻道：「柳承鋒，崔大將軍曾與我鎭西軍合力收復西長京，後又於兩王之亂時救了陛下性命，若他通敵賣國，又為何如此？」

柳承鋒道：「適才罪民早就說得清楚，崔倚奸猾善變，見勢不妙，即會順勢而為。天子登基後，他便常常喟嘆『天命不在我』，縱沒有定勝軍，鎭西軍亦是能收復西長京的，他來合圍，不過是藉機邀功罷了。更有那神箭隊正是受崔倚主張，潛入中原的，崔倚卻栽贓給罪民，這也正是罪民忍無可忍之處。陛下，試問若不是早與揭碩勾結，又怎麼會那般及時趕到，相救陛下？這與白水關大捷一樣，都是他勾結揭碩，貪冒勞功的鐵證！」

皇帝不由得連連點頭。「說得有理！有理！哪就那麼巧，次次都讓他趕上！」

顧衸起身，道：「陛下，唯今之計，只能命崔大將軍即刻還朝，好好對質，查問清楚。」

那周昌又道：「數日前崔倚匆匆離京，焉知其中是不是有詐？陛下，只能遣重兵，將崔倚先鎖拿回京，更要防著定勝軍作亂。」

皇帝剛要點頭，李嶷道：「陛下，這柳承鋒曾在長州設計毒害崔倚，兒臣親眼所見，他們父子早就已經恩斷義絕，此事崔大將軍也早就奏明過朝中，也因此，才公諸天下，說自己只有一個女兒。這柳承鋒銜恨已久，乃至誣陷崔大將軍，陛下不能為其蒙蔽。」

這話皇帝不是很愛聽，他覺得太子是在暗諷自己蠢。最近朝中頗多事務都是由太子辦理的，李嶷長於軍事，處理起朝政來也井井有條，因此朝中氣象為之一新，頗有些人交口稱讚，說道早就該立秦王為太子。這話也傳到皇帝耳中來，他不免有些不高興。

皇帝一不高興，臉色就更黯然一些，撫著胸口說道：「朕胸口悶，喘不上來氣，崔倚走了沒幾天，先派人去追上他，叫他回來，好好對質，其他的，明天再說吧。」

這是常有之事，殿中眾人無奈，只能躬身行禮，恭送聖駕，又將加里與柳承鋒收監於大理寺，暫待再審，並從兵部行文，派人去傳旨給崔倚，令他回京。

話說李嶷匆忙入宮不久，崔琳便得知了消息，畢竟崔家在京中，有諸多眼線暗探。加里與柳承鋒出首誣陷崔倚之事，本來皇帝只宣召了重臣，極是機密，是一名蟄伏多年的暗探冒死送出來的消息。崔琳聞得密報，一邊緊急做了些安排，一邊則向離京不久的崔倚發去急報。

桃子甚是擔憂，問道：「小姐，咱們要不要趕緊走？」

崔琳搖了搖頭，說道：「我們一走，只會落人口實，說我們乃是作賊心虛。此事十七郎會盡力周旋，此刻我們若是走了，反失先機，會令事情變得更被動。」她與桃子雖然親密，但有些話，卻是也不便說與桃子聽的。比如此事來勢洶洶，對方似不止就這一步布局，但自己卻暫時無法應子，因爲牽涉太多。若是此刻一走了之，那麼或許正中對手下懷，從此便令阿爹背上種種汙名。

她說道：「我在京中無礙，只要父親順利回到幽州定勝軍大營中，朝廷一時也奈何不了父親。這種陰謀詭計，時日稍久，就會破綻百出，彼時即可解此困局。」

桃子想了想，又道：「殿下還沒有出宮，要不等殿下出宮，小姐和他商議商議？」

崔琳嘆了口氣，說道：「當此嫌疑之時，他是儲君，事情又涉及兩王之亂，本就瓜下李下，最是微妙。不要將他捲進來，還是避嫌爲好。」

桃子不由道：「這都到什麼時候了，小姐怎麼還想這麼多呢？」

她黯然道：「他自從傷後，其實精力十分不濟，但仍處處爲我著想，我也得爲他著想一些。」

到了晚間，崔琳坐在桌邊仔細算著崔倚的腳程，默默思忖父親最快多久才能返回幽州。忽然一陣風過，吹得桌上的燭火搖曳不定，她一回頭，只見窗子被推開，李嶷又是越窗而入。她不禁抿嘴一笑，他卻幽怨道：「我從宮裡出來就一直等妳，等到半夜，妳也不去見我。我只好半夜換了衣裳出來見妳。」又說，「妳這裡防護真的不好，我出入如履平地，萬一有刺客怎麼辦？」

她不禁微笑。「十七郎是鎮西軍中最好的斥候，所以才如履平地。換作旁人，這個時候早就成了刺蝟。」

他狐疑道：「眞的嗎？我不信！」

她便不說話，只是拍了兩下手掌，只見門窗皆被人豁然打開，一群人不知道從哪裡冒出來，一擁而入，躬身朝屋中的她行禮，更有對面屋瓦上的弓弩在夜色下，隱約冒著幽藍的光澤；她又拍了兩下掌，那些人盡皆退出，門窗也重新被關好闔上。

李嶷不由得說：「這些人身手可以啊，我來了好幾次，只知道妳身邊有人護衛，卻不知道他們的藏身之處。」他這話說得謙遜，若是細察，當然能尋出這些人的藏身之處，不過，他每次來又不是為了這個。

果然，她不由薄嗔：「你半夜來，就爲了檢驗我身邊的防衛啊？」

他皺著眉，說道：「今日之事，甚是詭異。老實說，我擔心有人會對妳和節度使不利。」他沒說今日出了什麼事，卻篤定她一定都知道了。

她不由得冷笑。「這等陰損的手段，也只有陰險無恥之輩才會想得出。他們在未達目的之前，是不會想要行刺我和阿爹的。」

他略微放心了些，一轉念想到她是在罵柳承鋒無恥，於是笑道：「聽見妳這麼說，我有點不高興，想妳在之前，還罵過我無恥呢。」她不由得又睨了他一眼。「那我可真沒見過，連無恥這種稱謂，還要爭一爭的。」

正說笑間，忽聽遠處隱隱傳來喧嘩聲。時已夜半，秋夜岑寂，故此雖甚遠，但聽得依稀清楚，似乎是何處走水了。兩人連忙起身，推開窗子一望，只見遠處西南方位，半邊天都隱隱被燒成了紅色，倒好似映著霞光一般。

李嶷一看那個方位，忽想到那應該是大理寺的位置，不由得臉色微變，心裡一沉，轉臉一看崔琳，她亦是神色微變，顯然也想到了那是何處。

皇帝半夜被從床上喚醒，得知大理寺竟然走水的消息，不由得又驚又怒，連忙披衣出來。除了太子李嶷之外，顧祄等重臣都已經匆匆趕到，尤其是大理寺卿，他適才還在火場指揮救火，身上衣袍皆是黑灰，臉上也盡是汗漬，十分狼藉，一見皇帝出來，立時跪倒，滿面羞愧。「驚擾了陛下，臣等罪該萬死。」

皇帝雖然沒什麼好氣，但知道對文官一定要有三分客氣，只揮揮手，說道：「行了，說說到底是怎麼回事吧。」

那大理寺卿就跪在當地，從頭細奏：「今晚忽然火起，原是有一夥賊人前來劫獄，這些賊人武藝高強，黑衣蒙面。臣進宮前暫查明獄卒被殺十四人，揭碩深利部首領加里被刺死，柳承鋒重傷。幸得火勢甚大，巡城金吾趕到，與那夥劫獄的賊人力戰，賊人被殲三人，原俘獲四人，皆立刻服毒自盡，走脫數人。所用的兵器、衣著等物臣等悉心查驗，皆無任何線索。」

皇帝直聽得瞠目結舌，過了半晌方才道：「那可是大理寺，這賊人竟敢到朕的眼皮子底下來殺人劫獄！朕……朕這皇宮還能住嗎？」

大理寺卿滿頭大汗，也不敢分辯，只得連連叩首，說道：「臣有罪！臣有罪！」

皇帝心中又驚又怕，只覺得一顆心亂跳，幾乎都要蹦出胸口。袁常侍見皇帝臉色不好，連忙上前，替皇帝撫著胸口，左右又慌忙奉上熱茶，皇帝喝了好幾口，這才緩過來一些。

顧衸見皇帝如此，便問道：「既然這夥賊人乃是蒙面，又沒留下任何線索，可有能追查之處？」

大理寺卿道：「賊人放火，原本大概是想將所有人和證據付之一炬的，幸而巡夜金吾來得及時，將重傷的柳承鋒搶救了出來，但他傷得太重，還不能問話，亦不能知曉這夥賊子是何來歷。」

皇帝卻忽然睿智起來，怒道：「還用查嗎？都已經這麼明顯了，這夥賊人當然是崔倚派來的！他們就是想殺人滅口！派去追崔倚的人到了哪裡？崔倚這個老匹夫如此囂張。裴獻，你親自領一隊鎮西軍去追，不將他追回來，你也不用回來見朕了！」

天子雷霆震怒，殿中人皆躬身默然，裴獻不由得一怔。

李嶷道：「裴太尉年紀大了，既要追回崔倚，必要星夜疾馳，這般晝夜奔波，還是派裴源去吧。」

他知道此事已經不可善了，但如果派裴源去，追不追得上自然是兩說，其中分寸，可以由裴源把握。

皇帝覺得他說得挺有道理的，裴源年富力強，正是好行軍的時候，便說道：「也行。」話剛出口，忽然又想起，裴源從來是李嶷的心腹，李嶷明顯是不怎麼想定崔倚的罪，派裴源去，只怕會私自放走崔倚，當下便拿出天子的威儀來，沉著臉說道：「即刻派人去裴家傳旨，叫裴源帶一支精兵，務必將崔倚追回來，不然，朕就砍了他的腦袋！」

此話一出，殿中不由人人色變。李嶷道：「陛下，行道途中，各種艱苦難料，裴源自當盡力，但崔倚先行數日，若是疾行，只怕已經遙遙領先千里，萬一追之不及，也或有可能，不能以此來定裴源重罪！」

皇帝大怒，說道：「若是如此，你去追崔倚！追不回來，你替裴源掉腦袋！」

殿中諸人不由盡皆默然。

大理寺卿忽道：「陛下，若此事眞是崔倚所爲，只怕他留在京中的那個女兒，也是主事之人。不如即刻將其傳來問話？或可知曉一二？」

話音未落，皇帝猶未如何，李嶷已經出言反駁：「她不是。」

皇帝又怒又急。「你怎麼知道她不是？」

李嶷答得坦然：「今晚我就在她房中，自然知道她不曾主持此事。」

殿中諸人又是一默。皇帝氣得全身發抖，用手指著李嶷的鼻子，嘴唇哆嗦了半天，方才罵出一句：「你……你……不知羞恥！」

顧祄見如此尷尬，只得硬著頭皮勸道：「陛下，男未娶，女未嫁，年輕人一時情熱，遲遲忘歸，也是有的。」

「孤男寡女，三更半夜同處一室，居然好意思說出來！」皇帝越想越生氣，越想越覺得怒不可遏，「這個崔氏女，就是個狐狸精！帶壞朕的太子！」

偏李嶷此刻又駁了一句：「不關她的事，是我闖進她府中，我翻窗子進去的。」

皇帝氣得捂住胸口，跌坐在御座上，左右連忙上前撫胸的撫胸，奉茶的奉茶，這才緩過一口氣來。裴獻連忙道：「陛下聖躬不適，要不今日就議到此處……」

一語未了，皇帝反倒挺直了身子，一拍桌案，怒道：「朕今日還就不信了，派禁軍去，把崔氏女帶來，朕要親自審問……」

也不容顧祄等人再勸，李嶷沉聲道：「陛下，今日索性就把話說明白了，我要娶崔琳爲妻，她是我唯一認定的太子妃，不論是誰聽信那個柳承鋒攀汙崔倚，我都會認定崔大將軍是清白的，我就是要娶他的女兒。」

皇帝聽了這麼一番話，怔了片刻，忽然眼淚湧出來。「我這是作了什麼孽……峻兒峽兒多好的孩子，跟中了魔一樣，竟然作亂謀逆……只剩了你這麼一個冤種！是我上輩子結的仇，這輩子就是來活活剋我的……怪不得你一出生，就剋死你娘，如今就是要剋死我吧……」

顧祄聽聞這說得不成話，早就離座，連忙跪下，勸道：「陛下，慎言，慎言，如此，豈不寒了太子之心？」

皇帝直哭得捶胸頓足。「他怎麼不想想，他是怎麼寒我的心的？我算是明白了，他氣死朕了，可不就稱心如意了。正好，連這皇帝都讓給他做！我不如死了才好！不如死了才好！」

裴獻亦已經離座跪下，拉著李嶷的袍角，示意他也跪下。李嶷立在當地，只是倔強地不肯作聲。

「殿下，趕緊向陛下說句認錯的話吧！陛下也是有春秋的人了，眼見氣成這樣，莫說為人臣，便是為人子，也不當如此。」裴獻急得眼中不由得也泛起了淚。李嶷想到自己傷重之時，裴獻每日每日都要到秦王府中看視，在自己榻前，也曾經老淚縱橫，如今扯著自己的衣袍，已經語近哀求，心裡一軟，默不作聲，也就跪下了。

皇帝見李嶷跪下，這才擦了擦眼淚，恨聲道：「你去，也不用裴源了，你親自去，將崔倚追回來，朕就還認你這個兒子，不然，朕就一頭碰死在柱子上。」

顧祄忙道：「陛下何出此言，殿下並非此意。」言訖，連連朝李嶷遞眼色，說道，「殿下，就先將崔大將軍追回來吧。追回來之後，是非曲直，也好論斷。不然的話，聽憑那柳承鋒的一面之詞，難道真要令崔大將軍蒙冤嗎？」

李嶷跪在地上，只是一言不發。

皇帝怒不可遏。「你去，將崔倚追回來，不然，朕就殺了那個崔氏女。你有本事，便殺了老子！自己做皇帝！」

自李嶷走後，崔琳其實也並沒有睡著。等天快亮的時候，桃子忽然匆忙進來，說道：「小姐，出事了，外頭都是禁軍，帶頭的是小裴將軍，將咱們留邸圍起來了。」

崔琳微微一怔。「是小裴將軍帶著人？」見桃子點頭稱是，她於是又問，「他沒說要進來見我嗎？」

桃子道：「沒說，只叫我進來告訴小姐，說他帶著禁軍來的，叫咱們府裡的人，都暫時不要出入。」

崔琳抬頭看了看窗外透進來的光，說道：「天都快亮了，阿爹應該已經過了躍州吧。」

桃子遲疑問：「要不要派人去問問太子殿下？」

「不用，」崔琳搖了搖頭，說道，「他此刻已經不在西長京裡了。」

桃子不由得大吃一驚。「什麼？殿下出京了？他去哪兒了？」

崔琳默然了片刻，方才道：「大理寺出了事，李嶷匆匆進宮去了，然後音訊全無。裴源既然帶禁軍來圍了咱們，李嶷八成是帶著人出京去追阿爹了。」

桃子怔了一怔，然後跳腳痛罵謝長耳，說道他薄情寡義，這麼大的事竟然不偷偷告訴自己一聲。又說太子這簡直就是無情無義，竟然出京去追節度使，還不忘派了裴源帶兵來把留邸圍住看起來。

崔琳倒是搖了搖頭，說道：「我們在京中人手少，李嶷叫裴源圍了此處，總比別人圍了此處更方便，更安全。」
桃子悻悻的，這才不罵了，忽問：「小姐，太子能追上節度使嗎？」
崔琳不由得幽幽嘆了口氣，說道：「阿爹出京未久，以李嶷的本事，八成能追上。不過……」她目光深沉，「算算路程，等李嶷追上的時候，阿爹已近幽州，若想脫身不折返，倒也不是什麼難事。只是……」
桃子從來沒見過她說話如此猶豫吞吐，不由問道：「只是什麼？」
崔琳卻搖了搖頭，說道：「昨天晚上妳和我兩個，都一晚上沒怎麼睡，先好好歇一歇吧，將來的事，將來再說。」
裴源自從帶著禁軍將這平盧留邸圍了，倒是十分謹慎小心。不僅每日親自守在門口，而且每天一大早，總是親自挑選了最新鮮的蔬菜果瓜，並牛羊豚雞，各種食材送到留邸中。但凡府中眾人有所需，只要隔著門向門口的守衛說一聲，便立時派人飛奔著去買來。
這一圍，便是大半個月。天氣漸漸寒涼，裴源又送了兩車極好的銀骨炭到府中來，並初冬禦寒的諸種事物，但是外間的消息，卻是極難傳入府中。
話說，這大半個月，皇帝倒也沒閒著。他以死相逼，迫得李嶷出京去追崔倚，其實李嶷乃是聽進了顧祄的一句勸，顧祄說的是：「殿下當令節度使知曉方可決斷，不能從此平白蒙冤。」

李嶷一走，皇帝每天掐著指頭算，崔倚已經走了幾天，李嶷能不能將其截回來，只是坐立不安。這日皇帝特意召來了顧祄，憂心忡忡。「顧相，你說，這都已經好幾天了，李嶷截住了崔倚沒有？」

顧祄道：「太子殿下於行軍之道，十分嫻熟，殿下既然親自帶人去，那必定十拿九穩，能截住崔倚。」

「可是太子他已經被崔倚的女兒迷住了心竅，」皇帝想到此處，就銜恨不已，「萬一他故意把崔倚放跑了，說沒截住怎麼辦？」

顧祄安慰道：「陛下放心，最難的是讓殿下出去截崔倚，殿下既然答應了，親自帶了人去，就不會循私。」

皇帝哭喪著臉，不停地唉聲嘆氣。「那也沒用啊！他回來不得非要娶崔倚的女兒，那崔倚成了他的岳父，他們翁婿兩個合起夥來對付朕，朕非要被活活氣死不可……」一想到崔倚竟做了李嶷的岳父，那自己被嚇得尿褲子的事，保不齊崔倚都會告訴他女兒，自己還怎麼在太子妃面前做父皇?!

顧祄安慰道：「陛下，殿下對崔小姐確實有情，但好在，陛下是君父，冊立誰為太子妃，陛下自然可以作主。而且，太子殿下那晚的曖昧言語，明顯是負氣，所謂生米煮成了熟飯，也不過是氣話，以殿下的為人，不至於如此不顧崔小姐的閨譽。」

皇帝卻琢磨起來了這句俗話：「生米煮成了熟飯……生米煮成了熟飯……」他忽然靈光一現，說道，「不如，趁著李嶷如今不在西長京，朕賜婚一名太子妃，這樣生米就煮成了熟飯，他回來也沒法娶崔氏女了。」

顧祄心中一鬆，心想可算是暗示皇帝想到了此處，嘴上卻說道：「這不大好吧，太子殿下不在，禮法上是無法冊立太子妃的。」

皇帝卻十分起勁，他覺得自己眞是太聰明了，這主意眞是太好了，於是問道：「那良娣呢？朕記得，良娣是不必太子親迎的，只需要禮部那裡用冊，然後送進東宮就行了。最要緊的是，良娣再升一級，便是太子妃，到時候等太子回來，補一個冊立便是。」

顧祄拱了拱手，十分誠懇地說道：「陛下聖明，此計約摸可行。」

皇帝既然想出來這麼一個好主意，立刻張羅起來，要給李嶷選一位良娣，將來好做太子妃。皇后無奈，只得又將京中各世家大族未嫁的小娘子們召進宮來宴樂，又將這些小娘子們姓氏並父兄職位，寫了履歷，送與皇帝御覽。皇帝連看了幾天，終於挑中了一位小娘子，喜孜孜地拿來告訴皇后，說道：「有如此合適之人，爲何不告訴朕？」

皇后接過皇帝手中的履歷一看，方知皇帝乃是選中了顧祄的女兒顧六娘，忙含笑道：「此女我見過一面，倒是合宜。上次宮宴的時候，她自告奮勇，與太子一隊打水鞦韆，我看也是個聰明伶俐的。太子那日對她，也十分回護，似乎頗有好感，唯有一樣不太好，就是庶出。」

「這有什麼，」皇帝很不以爲然，說道，「改一改，叫顧相把她改到正室名下，就可以了。」

皇后含笑稱是。

倒是顧褕，聽聞皇帝選中了他的女兒，甚是堅決地推辭。

「臣女德薄能鮮，豈能堪配太子？」

皇帝不由得拉住顧褕的手，推心置腹地說道：「顧相，從先帝時算起，你已爲相十餘載。這麼多年，對先帝、對我都忠心耿耿，我心裡感念無比。我也知道此事委屈了你家女公子，但如今也是救急之舉，除了你，我還能相信誰呢？顧相啊，你若是不答應，我……朕……朕眞的只有抹脖子上吊了，免得被那個孽子活活氣死……」說著幾乎就要垂下淚來。

顧褕的神色既是感動，亦是惶恐，說道：「陛下……臣乃是讀書人，歷經十年寒窗，也是先帝恩澤，方才有今日。說句實話，臣活到如今年紀，自忖也沒有旁的貪戀，唯私心願留一世清名爾。陛下如此重愛臣女，本應全家叩謝天恩，但此非常之事，私心竊竊，以爲必會令路人側目，說我顧褕厚顏無恥，爲了攀附，竟將女兒硬塞進東宮……惟陛下今日有如此一言，臣縱是粉身碎骨，也難報答陛下，區區薄名，臣萬不敢計較！」

皇帝先聽他前面的話，本來覺得又是婉拒，心中絕望，誰知道後面峰迴路轉，顧褕竟然答應了，喜得握住了顧褕的手，說道：「顧卿果然是朕的肱骨！」

顧褕既然鬆口答應，皇帝便勒令禮部，一切儀式從簡。好在給太子納一個良娣，比起冊立太子妃確實少了許多繁瑣禮節，於是幾天後，便由皇帝作主，禮部頒了金寶金冊，顧良娣就由車輦接進了東宮。

依著皇帝的脾氣，就應該立時把這個消息告訴被幽禁在平盧留邸中的崔氏，甚至最好是讓新封的顧良娣親口去告訴，好叫崔氏死了勾搭太子的心。唯有皇后覺得不妥，苦苦勸住。

被禁軍圍在留邸中的崔琳，還是很快得知了這個消息，她甚至眼皮都沒抬一下，似乎這件事，還比不上裴源今日派人送來的螃蟹更令她動容。

桃子一邊剝螃蟹一邊熬豬油，裴源送來了整整六大簍螃蟹，每隻都有手掌大小，滿臍蟹黃，實在是太多了，吃不了。只能每天蒸一籠，細細拆成蟹粉，拿豬油封了，預備冬日裡吃麵。

桃子拆了一罐又一罐蟹粉和蟹黃，這天恰好是最後一籠。她剝得手指甲痛，正與崔琳說笑時，忽然聽得門外隱約有喧嘩聲，旋即，被封了多日的留邸大門，終於被打開了。

崔琳幾乎是飛奔到門口，只見這一帶街坊，禁軍仍舊包圍著。崔倚只帶了十幾名親衛，正在門前下馬，他滿面風塵之色，隨手將馬鞭交給親衛。一見了她，便對女兒笑了笑，說道：「阿螢，怎麼啦，瞧見阿爹回來，都不高興似的。」

崔琳心如刀割，上前去只喚了一聲「阿爹」，其他的話都哽在喉嚨裡。

「走吧，進去說話。」崔倚倒是若無其事，「阿爹餓了，咱們先吃飯吧。」

崔倚確實餓了，崔琳親手給他煮的湯餅，放了多多的新熬的蟹粉蟹黃。他吃了兩大碗，意猶未盡，等他吃飽，崔琳這才道：「阿爹何必回來呢？」

她算過腳程，只要走得快，崔倚就可至幽州大營左近，只要到了那裡，李嶷除非調動鎮西軍主力，與定勝軍決戰，否則，絕沒有辦法將崔倚截回來。崔倚既然回來了，那必然就是被李嶷說服了。

崔倚道：「我一想，妳孤身在此處，莫讓李嶷那小子欺負了去，就回來了。」她心中一陣難過，一時竟說不出話來。崔倚見她低頭不語，便故意打趣。「怎麼？阿爹回來晚了？害得阿螢不快了？」

「我知道阿爹是爲了我。」她心中越發難受，說了這句話，卻再也不忍說下去。

崔倚漫不經意地道：「那些宵小，竟然敢汙蔑我通敵賣國，我此番回來，就是好好看看，到底是何等貨色，行此陰險可惡之事。」見她仍舊垂頭不語，便問道：「阿螢，妳怎麼了？」

她心中一陣酸楚。「我就是難過……阿爹如今回來，不亞於自投羅網。李嶷一定對阿爹說，您若是不肯回來，朝廷必要撤藩，將來只能兵戎相見，我亦會有危險，他和我也再無可能結爲夫妻。您若是肯回來，他才能想法子洗脫阿爹罪名，立我爲太子妃。阿爹是爲了我才回來的。」

崔倚點點頭。「那小子確實是這麼說的，但我一想，我從來沒受過這等不白之冤，這口氣無論如何不能忍，妳嫁不嫁他都不打緊，但阿爹我可不樂意背上通敵賣國之名，也不能委屈了妳。」

崔琳問：「李奲呢？」

崔倚道：「他進宮去了，他說一定要讓他那個皇帝老子，答應冊立妳爲太子妃。哼，他皇帝老子答不答應，有什麼可稀罕的，阿螢，若是妳不高興做這個太子妃，咱們父女二人，殺出京城，鬧他個天翻地覆。」

就在西內，皇帝與太子爆發了史無前例的爭吵。皇帝氣得將茶盞朝太子頭上扔過去，李奲只偏了偏頭，就避過了。皇帝見沒能砸到他，頓時氣得又厥了過去，而李奲只令人傳來了太醫，並派人稟明皇后，自己卻拂袖而去。

皇帝只厥過去片刻，醒來聽說太子竟已經走了，連聲大罵：「這小畜生竟半點人倫都不顧了，早知道眞該當初生下來的時候就把他按在桶裡溺死！」皇后趕到的時候，恰巧聽見這句，饒她是世族涵養，也忍不住腳下一滯，直帶得頭上金步搖顫抖不停。

皇后深深吸了口氣，方邁進殿門，見皇帝氣倒在御座裡，忙上前替皇帝輕撫著胸口，柔聲勸道：「陛下息怒，太子縱有不好，也得慢慢教導……」

「你都沒聽那小畜生說什麼話！」皇帝氣得全身發抖，「朕不過說了句，既然崔倚被追回來了，那就該好好審問他與揭碩勾結之事，結果他竟然說我忘恩負義！他竟然敢罵朕忘恩負義！」

皇后只能佯作未聞，繼續勸解，又拿旁的話來引皇帝開心，種種不一而足。

李嶷也是氣得額角青筋亂跳，一直到快步走出西內，這才約略好一些。忽見宮門外裴源正在等著自己，便知道他有話對自己說。果然，裴源迎上來，說道：「有一件要緊事，得先告訴殿下。」頓了頓，這才道，「殿下恐怕還不知道，殿下不在京中的時候，陛下給殿下賜了一名良娣，是顧相的女兒顧六娘。」

李嶷幾疑聽錯。「什麼？」

裴源趕緊道：「顧良娣早幾日就在東宮裡了，您也知道，良娣不比太子妃，禮部那裡走個過場，就可以送進東宮了。」

李嶷聞言，心頭大怒，轉身就要重新回西內去，裴源趕緊阻攔，語近哀求，十分急切：「看殿下的臉色，適才定然是爲了崔大將軍，已經在宮裡頂撞過陛下了。若是再進宮去，爲了顧良娣之事，和陛下翻臉，有百害而無一利。」他懇切地說道，「殿下，如今洗脫崔大將軍冤屈，立崔小姐做太子妃，才是最最要緊之事。」

話說那顧婉娘進了東宮，除了每日入宮晨昏定省，其餘的時候，就把自己關在屋子裡繡花。她進東宮作良娣，顧夫人自然高興，給她指派了八個侍女，又另派了六個老成持重的僕婦，但顧婉娘極力約束，不令她們在東宮中擅自走動，說道：「這裡不比旁處，我是來侍奉太子殿下和太子妃娘娘的，你們是我的奴僕，更應小意謹慎才好。」

也因此，直到李嶷回到東宮快一個時辰，顧婉娘才得知消息。她想了一想，便將秋翠打發去廚房，說道：「殿下既然回來了，恐怕廚房裡忙不過來，妳先將咱們的飯取來吧。」

秋翠很是不解，因爲她是貼身侍女，取飯這種跑腿的粗活，平素都不歸她做，但她是個直腸子的人，小姐既做了這樣的安排，她便答應了一聲，自去了。

廚房裡果然忙亂不堪，太子回來得極是突然，計算腳程，總不至於這麼快，所以弄得眾人措手不及。太子又連日趕路，一回來就要沐浴，所有的爐灶如今都捅開火在燒著熱水，也因此，廚房只能將各色點心裝了一提盒，說道：「先給良娣墊墊饑，殿下回來了，只怕還得有一會兒才能備飯。」

秋翠是個好脾氣的，也沒有再理論，拿著提盒就回去了。顧良娣住的這處宮室名爲披香殿，秋翠拿著提盒進來，方推開內殿的門，不由得嚇得大叫一聲，跌坐地上。殿後的那些奴僕聞聲趕來，也唬得面無人色，原來顧婉娘竟然在內殿懸樑自盡了。眾人七手八腳，慌忙搭了椅凳，將她解救下來，幸好身體尚溫，鼻息微弱，並未氣絕。當下就一邊推胸活血，一邊就要令人去傳太醫，有個老成些的僕婦，眾人皆喚她作馮三娘的，便道：「此事還是該速速奏報殿下得知才好，便是傳太醫，亦得殿下下旨才好。」

眾人如夢初醒，急忙打發人去太子所居的臨華殿。

李簑往返千里，風塵僕僕，適才又在宮裡跟皇帝大吵了一架，坐在臨華殿裡，其實身心俱疲。因爲趕路，他又是一夜未曾闔眼，只想沐浴之後小憩片刻補眠，誰知還沒等來熱水，反倒等來了一個這樣的消息。

「顧良娣自縊了？」李簑要想一想，才反應過來誰是顧良娣。想到顧婉娘曾經送來她精心繡製的自己生母劉賢妃的繡像，李巖心裡對此一直存著感激，當下一面命人去宣召太醫，自己則前去披香殿。

披香殿裡起初慌作一團，後來大家鎮定了些，早已將顧婉娘頸中的素綾解開，將她抬到了榻上，不斷地推胸過血，又掐各種穴位，到底令顧婉娘緩過一口氣來。她頸中被勒出三指闊深深的一道瘀痕，眾人驚惶地圍在榻前，不明白爲什麼她會突然尋死。

此時李巖已經到了披香殿，顧婉娘聽聞太子殿下駕臨，想要掙扎著爬起來，但無力地又癱倒在枕上，李巖早就已經走進了內殿。

顧婉娘道：「快……扶我起來……」含淚道，「在……在殿下……面前失禮了……」她聲音暗啞不堪，顯是被勒傷了嗓子。

李巖道：「妳躺著吧。」

顧婉娘上氣不接下氣，卻示意眾人退走，於是侍女和奴僕盡皆退走，出去之後，又帶上內殿的門。

顧婉娘這才喘息著道：「實在是……令……令殿下煩惱了。陛下下旨賜我爲殿下的良娣……我知道此並非殿下之意，更是令殿下作難，本欲在家中自盡，又唯恐連累老父有抗旨之嫌……殿下既然回來，婉娘便覺可以一死了之，未料到秋翠這丫頭腳快，偏又回來撞見……」

李巖道：「妳連話都說不清楚，還是先歇著，好好將養兩天。」

顧婉娘眼中含淚，聲音更是哽咽：「殿下……婉娘知道……殿下早就有意中人，婉娘眞的不願令殿下和崔小姐之間，生了嫌隙……」她睫羽輕垂，眼淚漱漱落下，「婉娘自知是個多餘的人，如今唯有一死……」

一句未了，李嶷便道：「妳年紀輕輕，何能言及生死？我見過太多的人死在我面前，我卻救不得。妳方當妙齡，只怕都不知道，這世上好多人只盼能好好活著而不能。妳是個能活著的人，爲何不好好活著？」

顧婉娘不由得怔怔看著他，又喚了一聲：「殿下……」

李嶷說道：「妳好好養傷吧。」言畢，轉身就離去。

顧婉娘緊緊咬著嘴唇，看著李嶷的背影，一直走出寢殿。

李嶷走了許久之後，秋翠方才敢進來，哭著問：「小姐……小姐妳爲什麼這麼想不開……」

「不要哭，」顧婉娘傷了喉嚨，每說一個字，都像是刀刺一般，卻耐著性子，「這裡是東宮，不要哭。」

秋翠連忙拭了拭眼淚，說「是」。顧婉娘知道秋翠素來是個耿直的脾氣，所以當初入東宮之前，自己才執意帶上了她。顧夫人給她選了八名侍女，唯有這個，是自幼一直跟著她的，但因爲這性子，只怕將來會被人利用，但也幸好，是個這樣的性子，只能慢慢調教吧。

顧婉娘望著漆金雕花的十六扇殿門，出了一會兒神。最難的一步已經跨過來了。李嶷當然是不會讓她死的，但如果秋翠眞的晚回來片刻，她也就眞的縊死了。但是誰的人生不是一場豪賭呢？尤其是在這樣的東宮裡。只要李嶷不讓她死，也就不會將她逐出東宮，因爲禮法上她已經是太子良娣，他如果逐她出東宮，那其實就是變相在逼她去死。他其實一直是個心善之人，她一時出了神。他剛才來的時候，步履匆忙，滿臉疲色，身上猶帶風塵。自從兩王之亂之後，秦王成了太子，但也因爲重傷初癒，削瘦了許多，也憔悴了很多。她的心中充滿了憐愛，可惜，現在她還不能主動去照料他。

「小姐……」秋翠見她出神，不由得喚了一聲。

「叫我良娣。」顧婉娘忍著喉間劇痛，一字一句地說，「我是太子殿下的良娣。」

第十六章　大寒

立冬這日，朝中休沐放假。只因此日乃是冬節之始。坊中酒肆開始釀冬酒，民間各家要舂糕餅，更有舊俗，要用金銀花、野菊花等煮草藥湯，用以沐浴，一冬不生疥瘡。

裴家原是武將世家，這一天亦要煮草藥湯，男丁人人洗沐。他家的方子不比別家，祕不外傳，療癒骨傷特爲有效。也因此熬了草藥湯，裴獻便告訴裴源：「給殿下送一些去，只怕路上冷了，外頭要厚厚裹上才好。」

裴源卻是憂心忡忡。「殿下一早就進宮去了，還沒出來呢。」

裴獻不由得也嘆了口氣。這麼多天以來，朝中爭執不下，崔倚雖然被截回來了，連同他的女兒一起，被軟禁在平盧留邸，依著皇帝的脾氣，就該鎖拿下獄，用刑審問，但太子堅決不允，不僅不允，還堅持崔倚是清白的，柳承鋒不過是虛言構陷，但朝中群臣另有打算，故而僵持多日。

裴獻不禁搖了搖頭，說道：「朝中吵了這麼多天，吵來吵去，都齊了心想定崔倚通敵叛國之罪。」

裴源亦明白其中的微妙之處，他皺著眉頭道：「其實此事只憑那加里的口供，一點兒實據都沒有，偏加里被滅了口，死無對證，就剩那個傷得奄奄一息的柳承鋒，一口非要咬死崔倚，朝中又無法與揭碩對質，自然無法查證。」

裴獻沉默了片刻，方才嘆道：「這個局，做得老辣啊，讓崔倚百口莫辯。」他心裡一直隱隱綽綽，覺得哪裡不對，但到底何處有問題，卻一直說不上來，只覺得設計此局之人，不僅極爲陰險，而且對朝中上下的人心，揣摩得十分透徹。如此手筆，似乎並不是柳承鋒這種年輕公子能辦得到的，背後似乎另有高人。他不由嘆了一聲。「崔倚是否通敵並不重要，重要的是，陛下和群臣都要憑藉此事，給崔倚安上通敵的罪名，就算不成，也勢必要藉此裁撤解散崔家軍。難得在崔家這件事上，陛下與群臣上下一心。」

裴源亦是深憂此處，此事若只是皇帝一人藏有私心，其實不難轉圜，但朝中群臣，其實人人皆知，此乃一個天大的良機，可以將朝中視爲大患的盧龍節度使一舉扳倒，從此再無藩鎮之憂。所以即使覺得那柳承鋒口供破綻百出，卻也人人稱崔倚必有通敵之舉。

裴源道：「殿下曾經對我說過，揭碩雖敗，但仍舊未動搖根本，隨時可犯境，此時裁撤定勝軍，令朔北防衛空虛，並非良機，所以無論如何，他想爭一爭。」

裴獻點了點頭。「是啊，殿下說得對，此時若裁撤定勝軍，並非良機。但這樣難得逼迫崔倚不得不就範的機會，朝中上下，焉肯放過？再說，朝中大部分人都想著，揭碩眞若犯境，自可以派兵而戰，畢竟又不止定勝軍能戰。但若是不裁撤定勝軍，將來想要撤藩的時候，只怕還有一場傷筋動骨的大戰，朝中再也無力支撐那樣的大戰了。孫叛剛平，休養生息，恐怕還得七八年，才能稍復元氣。」

裴源道：「殿下今日進宮，八成還是想說服陛下，但陛下其實早就已經拿定了主意，外頭又有群臣的支持，只怕殿下難以相勸。」

裴獻則是憂心忡忡。「陛下對崔家父女，頗有成見，偏殿下執意要立崔氏爲太子妃。陛下素來又不怎麼親近太子，唉……」言到此處，後面的話就沒法再說了。他不由又嘆了一聲，往窗外看了看。從一早起來，天氣就陰沉沉的，鉛灰色的雲壓得天際低低的，午後又下起雨來。這初冬的雨，如銀絲，如亮線，密密麻麻，將天地交織在其中，不過片刻，地上積了一層水，風吹得雨四散飄揚，越發顯得冷。裴獻身上有舊傷，屋子裡早就生起了溫暖的火爐，但仍舊覺得有砭骨的寒意，全身關節都在隱隱作痛。

崔倚也收到了裴獻特意派人送來的草藥湯，桶外裹著厚厚的稻草，所以藥湯還是滾燙的。於是他舒舒服服地浸了個藥浴，然後換上了絮綿的夾袍，這才踱了出來。

這留邸裡也早就生了炭火。桃子還在爐子上烤著白果、芋頭等物，崔琳則在爐邊煎茶。見崔倚出來，笑著問：「阿爹如何不多浸一會兒？」

「泡得太久，也體虛眼花。」崔倚坐下來。桃子已經剝了一小碟烤好的白果，他拿了一顆來慢慢吃了，又見外頭冷雨瀟瀟，不由道：「這時候下雨，可比下雪還要厲害，只怕夜裡就要結冰，是所謂凍雨。」

崔琳心中一酸，知道父親是想到了營州，營州此時只怕已經下雪了。她伸手去拿煎好的茶，欲奉與崔倚，笑著本想說什麼，不料不知何故，或是衣袖帶到，竟將茶盞打翻，茶潑了整個書案，崔琳不由得一怔。

只聽「咣啷」一聲，裴獻手中的茶盞不知不覺落在地上。裴獻哪還顧得上茶盞，早就已經站起來，也不管滿頭大汗的內侍，掉頭就要往外走，裴源跟在後頭，一路喚左右：「快備馬，快取朝服來！」

裴獻跟裴源一起趕到西內的時候，李嶷已經跪在雨裡足足有大半晌了。

起初是又因爲崔倚之事起了爭執，皇帝震怒，叫他滾出南薰殿，就跪在殿前，一直跪到令他起來爲止。李嶷似是心灰透了，也不爭辯，走出南薰殿，就在殿前跪下了。

皇帝本來氣急了，後來下起雨來，袁常侍見機勸道：「陛下，還是令太子殿下起來吧，外頭都下雨了。」

皇帝心口熊熊怒火，一點未熄，怒道：「朕說了叫他跪到朕叫他起來爲止，別說下雨，便是下刀子，也叫他給朕跪著。」袁常侍見實難勸解，又見外頭的雨越下越大，本來是飄飄灑灑的雨點，此時簷下已經漸漸連成無數條雨線，而李嶷跪在丹陛前，早已經全身濕透，但仍舊一言不發，顯然是不打算開口求饒了。

袁常侍覺得眼皮直跳，知道這位太子殿下的脾氣，亦深明白皇帝的脾氣，是一定要人認錯求饒才肯甘休的，心裡只擔心出事，連忙給身邊小黃門使個眼色，示意速速去請皇后。

皇后聞訊冒雨趕來。此時雨已經下得更大了，殿宇四周，皆是白茫茫的一片。皇后身邊的宮娥雖替皇后舉著油綢大傘，但皇后的衣袖裙角亦濡濕了不少。皇后看到跪在大雨中的太子，自是一驚，待得進得殿中，只見皇帝兀自在殿中走來走去。

皇后便柔聲勸慰：「陛下，既已經令太子在殿外跪了足有大半日了，再跪下去，只怕傷身。」

「糊塗！」皇帝一想便又動了怒氣，「這都多少天了！每天上朝，就逼朕！非要說崔倚是清白的，柳承鋒等人的口供都作不得數，朕要殺崔倚，他就只差罵朕是昏君了。這麼維護崔倚，難道崔倚才是他親爹？」

「陛下這是氣糊塗了，太子素來挺有孝心的。」皇后又勸道，「再說，此番太子也不過是為情所困罷了。」

「這個逆子！非要氣死朕才甘心。」皇帝只覺得委屈萬分，拉著皇后訴苦：「朕替他選了那樣好一位良娣，正好冊為太子妃，結果他壓根不假辭色！為了崔氏女，恨不得替崔倚拚命！他到底是怎麼回事？那崔琳凶神惡煞的，哪有顧良娣溫柔賢淑？」他因為拉著皇后的手，這才發覺皇后衣袖盡濕了，忙道：「妳的手怎麼這麼冷？這衣裳怎麼都濕了，快令人拿衣服來換下。穿著這樣的濕衣，是要生病的。」忙命左右去取皇后的衣物。

皇后趁機勸道：「陛下莫要生氣了，外頭下那麼大的雨，太子曾經受過重傷，傷癒不久就出城去替陛下截回崔倚，風塵僕僕千里往返，縱沒有功勞，也有苦勞，就讓太子先起來吧，換身衣裳，也免得著涼。」

皇帝猶自恨恨。「他不是骨頭硬嗎？朕就看看他到底要硬到什麼時候！叫他跪，跪到他自己知道錯了爲止！」

皇后在心裡嘆了口氣，終於忍不住道：「陛下，您只有這一個兒子了！」

皇帝愣了一下。

初冬的冷雨澆在身上，起初是徹骨的寒，然後是針刺一般的痛，再然後，全身都濕透了之後，其實更多的是麻木。

李嶷跪在那裡，心裡想了很多，這不是他第一次這樣在雨裡跪著了。小時候，大約也只四五歲吧，那天他拿著自己削的彈弓打鳥，他的準頭好，一顆泥丸就打下一隻，李峻和李崃也各拿著一具彈弓從牆那頭出來，卻硬說那隻鳥是他們打下來的，應該歸他們所有。

那時候他還小，就指著那鳥上的泥沙說道：「你看，我是用泥丸打的，你們都用金彈子，如果這是金彈子打的，早嵌進鳥肚子裡了，這不是你們打的。」

李崃比他只大一歲，卻比他長得高半個頭，聞言頓時惱了，將他往地上一推。李嶷那時候雖然人小，但自有一種毅力和志氣，爬起來就抱住李崃攔腰一摔。李崃吃了這樣的虧，哪裡肯認，一邊號哭一邊就飛奔著去告狀，硬說是李嶷搶了他的彈弓，還打他。

梁王的脾氣，當然是不問青紅皂白，就罰李嶷跪在院子裡，整整半天，不令他起來，也不許他吃飯。

那天也是下著雨，他一直跪在院子裡，一直跪到天黑，跪到小小的他，在心裡發誓，將來一定要離開這裡，離開這座牢籠似的王府，離開這西長京。

後來直到掌燈時分，到底是董王妃不忍心，悄悄派人來，叫他起來，又命人給他送了一匣點心。他的膝蓋青紫了碗口那麼大的兩塊，而他的奶娘，也因爲此事，挨了整整二十藤條。

他膝蓋疼得好幾天都走不得路，卻小心翼翼摸著奶娘胳膊上的青紫腫痕，問：「奶娘，妳疼嗎？」

奶娘眼裡含著淚，卻說道：「小郎君，我不疼。」又對他說，「咱們和東邊院子裡的小郎君們不一樣，十七郎，你不要去招惹他們。」

可是，他明明沒有招惹，是他們欺凌他。

但是他什麼都沒有說，奶娘也只是心疼他而已，再說了，說了又有什麼用，除了讓奶娘更加擔驚受怕。

雨下得越來越大，漸漸在他面前的方磚地上，汪成了一片，雨點落下，那些積水被砸出了層層漣漪，騰起一層細白的水霧。他在心裡漠然地想，不過如此，過了十餘年，也不過如此罷了。

袁常侍撐著一把大傘，從殿中出來，一溜小跑，飛快地跑到李嶷身前，用傘遮住早就已經全身濕透的他，急切地道：「太子殿下，陛下傳旨讓您起來。老奴服侍殿下，先去更衣。」說著伸手就要攙扶他。

李嶷擋開他的手，說道：「不用了，你去告訴陛下，不還崔倚清白，不答應崔倚之女爲太子妃，我就不起來了。」

事到如今，他心裡就像這殿前空闊的橫街，除了茫茫的雨，空落落的一片之外，什麼都沒有。

袁常侍不由得哭喪著臉，直哀求：「殿下，您這不爲難死老奴嗎？」

他腰板挺得直直的，跪在那裡，像是一棵松樹，任何風雨，似乎都不能令他動搖。他的髮絲上往下滴著水，整個人早就如同從水裡撈出來似的，他的聲音平靜而從容：「你就以我的原話，去告訴陛下吧。照我從前的脾氣，我早就出宮，徑直回牢蘭關去了，如今我只是沒辦法拋下這天下不管。請陛下也好好想想，到底是誣陷崔倚要緊，還是李嶷的性命要緊。」

最後這句話實在是說得太重了，常侍無奈，想將傘遞給李嶷，卻被他推開。袁常侍只得一頓足，拿著傘，一溜小跑又奔向南薰殿。

天色漸漸暗下來，雨卻一點也沒小。到酉時了，開始掌燈，遠處的殿宇燈火朦朧，像在綿綿雨幕中浮著一層光。近處的南薰殿裡也掌燈了。

李嶷也不知道自己到底已經跪了多久，一個時辰？兩個時辰？

血一滴一滴，落在他面前的雨水中，緩緩滲開。他抬手擦了一下鼻子裡正在滴落的血。

袁常侍一手打傘，一手提著一盞羊角燈，一路小跑，又從南薰殿中直奔過來。

袁常侍徒勞地想要用傘遮住他，苦苦哀求：「殿下，殿下您就起來吧！老奴求您了！何必和陛下賭這種氣？您身子要緊啊！」

李嶷終於抬頭，有些恍惚地看了袁常侍一眼，似是不認得他一般。他嘴角上翹，竟似笑了：「賭氣？」他聲音激蕩在空闊的橫街上，字字句句，格外清楚，也格外激憤：「令大臣蒙冤，迫害忠良，非仁君氣概！崔大將軍救過陛下的命啊！我是在與陛下賭氣嗎？我是不能看著陛下行此糊塗之事，中了敵人的奸計！他怎能如此爲君！他怎能如此爲君！」說到最後兩句，只覺得胸口氣血翻湧，再難抑制，似乎五臟六腑都被絞碎一般劇痛，鼻中不斷地湧出鮮血，一點點滴落在衣襟上，又落在雨中。

袁常侍見此，不由得驚惶萬分。「殿下您怎麼了？怎麼了？」

李嶷舉手擦了一下鼻血，緊閉著嘴唇，不願意作答。裴獻與裴源已經趕到了，一見李嶷跪在殿前，裴獻二話不說，就跪在李嶷身邊，裴源緊跟著裴獻跪下。袁常侍表情越發驚慌。

裴獻心如刀割，憂心如焚，卻只是勸道：「殿下，您還是起來吧。再想旁的法子亦可，陛下也是一時氣急，待老臣去勸勸，或許有轉圜的機會。」

李嶷心中悲憤萬分，身子晃了一晃，突然嘴裡噴出一口血，重重地倒在雨中。

裴獻、裴源、袁常侍皆驚慌失措，連忙圍上來，七手八腳想要將他扶起來。裴獻將李嶷抱在懷中，只見他面色慘白，唇上已無半分血色，衣襟上血汙淋漓，連喚了數聲「殿下！」再也忍不住，老淚縱橫，放聲哭起來。

掌燈之後，雨漸漸下得小了，但是入夜之後，寒風刺骨，風捲著雨，沙沙打在窗櫺上。桌上小茶爐上，坐著小銀壺燒著一壺水，早就已經煮得沸了，熱氣四散氤氳，崔琳坐在桌邊，兀自出神。倒是桃子進來，腳步聲才令她回過神來。

崔琳見是她，忽道：「桃子，妳去門口看看，小裴將軍在嗎？」

自從留邸被圍之後，裴源幾乎天天都親自守在留邸門外，偶爾休沐，也必留下得用之人，於是桃子問：「若是小裴將軍在，就說小姐要見他，請他進來嗎？」

她點點頭，桃子略有幾分擔憂，說道：「這麼晚了，外面還在下雨，今日偏又是過節，小裴將軍若是不在呢？」

崔琳道：「我有點坐立不安，總覺得像是要出事。」她頓了頓，說道，「那一日，父親是獨自回來的，李嶷並沒有送他到府中來。這麼多天了，他既沒有遣人來，自己也沒有來。」

桃子忍不住撇了撇嘴。「他大概不好意思來吧，畢竟，是他把節度使截了回來，害得節度使和小姐妳都被關在這府裡，外頭圍得鐵桶一樣，到現在都不讓我們出去。」

崔琳不再說話，想到兩王之亂中，李嶷曾受過那麼重的傷，雖調理了這幾個月，其實身體仍舊虛耗甚多，後又奉旨不得不去將父親追回來，這般往返千里，只怕回來之後一日也不曾歇過。心中更覺憂慮，道：「桃子，妳還是去看看裴源在不在，我今晚一直覺得心裡難受，總覺得好像要出什麼事。」

桃子答應一聲，忙拿著傘去了，過了片刻，就折返回來，說道：「小裴將軍不在，我告訴門外的人，說小姐妳有要緊事想問問小裴將軍，他們派人往裴府裡傳話去了，一有消息來，便會敲門告訴我們。」

崔琳聽了這話，方才點點頭。她枯坐燈下，只覺得心潮起伏，難以平靜，一直等到了半夜，裴源卻並沒有前來，也沒有派人傳任何消息進來。

東宮臨華殿中，卻是四處都點了燈，照得殿內如同白晝一般，夜雨還瀟瀟下著，點點滴滴，似乎一直要下到天明。

李凝躺在床上，身上的濕衣早已經換掉，但他仍舊昏迷不醒。范醫正皺著眉頭，半跪在床前，用金針刺入他數處穴位，金針刺進去頗深，但李凝仍無任何反應；范醫正嘆了口氣，又換了一枚金針，再次刺入他頭頸間另一個穴位，輕輕撚動。李凝身子微一動彈，臉色極是痛苦。裴源連忙上前，想要幫范醫正按住李凝，但他身子一仰，又噴出一口血來，這口血盡是汙黑之色，淋淋漓漓灑在地上的方磚地上，被燭火一映，更顯觸目驚心。

裴源幾乎要哭出來，只扶著李凝，想叫一聲殿下，又想喚一聲十七郎，最後還是范醫正讓他輕輕將李凝重新放回枕上。

范醫正皺著眉，從床前腳踏上站起來，徑直往外間走，裴獻連忙跟出去。袁常侍本就哭喪著臉，站在外間，一看到范醫正出來，也連忙迎上來。

范醫正愁眉不展，說道：「殿下這是著實虧耗得厲害，之前受過那麼重的傷，這半年都該好好將養才是，但奔波操勞，又急怒攻心，在冷雨裡跪了那麼久，內虛外耗，不大好。」

袁常侍聽了這話，只苦著一張臉，卻也什麼都不敢說，只得道：「老奴這就趕緊回宮去稟奏陛下。」

范醫正搖了搖頭，又嘆了口氣，說道：「我先寫個方子，盡力試一試吧，我記得崔家桃子姑娘，擅長金針之術，比我倒還要強上幾分，殿下當時的傷，多虧了她，如今不如還請她來，給殿下針灸吧……」話說到一半，裴源也已經走出來，聽見這番話，忙道：「我這就去請桃子來。」他剛轉身欲走，忽聽得內殿李嶷的聲音，氣息微弱，卻喚了一聲：「阿源……」

裴源連忙轉身，裴獻也跟著折返內殿，走到李嶷的床前。他此刻終於蘇醒，但臉色仍舊煞白，呼吸急促卻微弱。裴源連忙也在腳榻上半跪下，喚了一聲：「殿下。」

「不能……叫桃子……」李嶷連說話的力氣都沒有，每說一個字，幾乎都要頓一頓，好積攢力氣。裴源聽得眼底一熱，說道：「可是……」裴獻卻猜到了幾分，說道，「殿下是擔憂崔小姐知道了？都到了如今地步，難道不應該告訴崔小姐嗎？」

李嶷只覺得五臟六腑都是痛的，額頭冷汗涔涔，掙扎著說：「我……我……已經挺對不住她了，不能再教她……擔憂著急。」裴源無奈，只想待會兒想個什麼法子，瞞著李嶷去告訴桃子才好，但李嶷彷彿看穿了他的心思，他嘴唇白得並沒有一絲血色，每說一句話，連聲音都在微微發抖，卻攥緊了裴源的衣袖，說道：「你……你們不准……去找她……否則……軍法從事。」

裴源十分不忍，只得低一低頭，應了一個「是」。

這場冬雨，下得十分纏綿，只下了七八日才停歇，但天並沒有放晴，每日皆是烏沉沉的天色。又過了數日，天上忽然飄起了零星的雪花。崔琳自從那日裴源不曾傳遞消息進來，就一日比一日沉默，桃子看在眼裡，急在心裡，卻毫無辦法。

這天下了半日的雪，本來零零星星的雪籽，漸漸變成了雪花，如柳絮，如飛綿，天地間變成了浩然的白色，地上也積起薄薄一層積雪。過不得片刻，屋瓦皆白，院中的井欄上，也積起了雪。

崔倚見下雪了，倒來了興致，讓門外的禁軍去幫忙買了肉送進來，中午與崔琳和桃子一起，吃了炙肉。他飲了幾杯酒，就回房小憩去了，崔琳和桃子，自坐在窗下說話。

雪下得最綿密的時候，李嶷來了，他並不是獨自來的，還有裴源。裴源一見著桃子，便笑著對她說：「桃子姑娘，謝長耳也來了，但是他未奉旨，不能進來，要不妳隨我去門口，跟他說幾句話吧。」

桃子高興地脫口說了聲好，說完才想起來，看看崔琳，她笑著點了點頭，桃子就跟著裴源一起，出去往大門口去了。

李嶷卻站在原地沒有動，才只十月裡，他已經穿了厚重的綿衣，外頭又繫著裘皮的氅衣；白狐出鋒的領子，襯得他臉色有幾分血色不足似的。她注目看了他片刻，並沒有說話，只是終於轉身去關上門，也將那呼嘯的雪風關在了門外。她不知道出神在想什麼，一時扶著門，並沒有說話，也沒有轉身。

過了片刻之後，還是他先叫了一聲：「阿螢。」她似乎回過神來，轉身走回來，仔細看了看他的臉色，問他：「你是生病了嗎？還是傷勢又有反覆？爲什麼臉色這麼憔悴？」

他只短促說了聲：「沒有。」

她拿起茶案上的小鉗子，往爐子裡放了一顆炭。屋子裡很暖和，也很安靜，聽得見炭爐裡火苗燃著的輕微嗶剝聲，還有窗外雪花落下，澌澌的微響。

他終於開口，打破這安靜：「阿螢，我來，是有事跟妳說。陛下和群臣都覺得，崔大將軍是清白的。陛下也答應了，讓我娶妳爲太子妃。就是有一個條件，得裁撤解散定勝軍。」

她心頭大震，毫不猶豫地說：「我不答應。」

他卻似乎對她的話恍若未聞，繼續說下去：「妳放心，定勝軍既然裁撤解散，兵部都會做好善後……我不會委屈了任何人……」

「你現在就在委屈我。」她的目光直視他，他似乎被這目光灼痛了，掉轉開眼神。她有一雙澄若秋水般的眸子，往日他總是會微微沉醉在她眼眸的波光裡，但是今日，大概是病得太久，傷得太重，他不太有力氣，去直視這樣一雙眼睛。

她緩了一口氣，說道：「若是朝中覺得定勝軍人數太多，可以裁撤部分，但是不能解散全部。定勝軍是我阿爹的心血，是我崔家的命脈，我不能同意。」

這些，其實他都知道，這麼多時日以來，他在朝堂上爭的，跟天子與所有群臣相爭的，不正是因爲這個嗎？

他說道：「阿螢，其實沒有別的辦法了……」

她又抬起頭來，看了他一眼。他生得比她還要高許多，所以她總是要仰起頭來看他，但是這一刻，他的目光也是飄浮的。她心中一酸，說道：「十七郎，算了吧，如果非要如此，我就不嫁給你了。」

他的心裡沉了沉，雖然早就預想過，但是親耳聽到她說出這句話，他還是十分難受。他艱難地道：「事到如今，妳必須得嫁給我做太子妃，不然我很難保全你們父女的性命。」

這句話就像是一柄利刃，終於挑開兩個人都不願意面對，都想逃避，無力遮掩的那個脆弱眞相。

「那你爲什麼要帶我阿爹回來？」她質問，「如果不是你去追他，他此時已經回到了營州。只要他回了營州，我們父女二人，就不會如同籠中鳥，砧上肉，任人宰割，壓根不需要你所謂保全我們父女性命。」

「阿螢，」他又叫了一聲她的名字，聲音低沉而無力，「裁撤解散定勝軍勢在必行，若是崔大將軍回了營州，朝中只怕對崔家軍猜忌更甚。眞到了那般田地，只怕我與妳，都不得不兵戎相見。」

「揭碩仍在虎視眈眈，解散了定勝軍，我營州百姓該何如?!我定勝軍十萬將士又該何去何從?朝中就因爲忌憚我崔家，就枉顧這些了嗎?」

他終於道：「朝中不止崔家軍能戰。」

她有些失望地看著他。過了片刻之後，才說了一句「原來如此」，又過了片刻，她說道：「過河拆橋。」

是的，過河拆橋，令人齒冷。她不僅齒冷，而且覺得有一股寒意從心裡湧出來，直湧到四肢百骸。她心裡是冷的，手指其實也是冷的，臉也是冷的，他卻好像不知道一般，只是又說了一遍：「阿螢，我剛說過了，定勝軍若是裁撤解散，解甲歸田，兵部自然會做好善後之事，不會委屈了將士……」

她不禁冷笑。「如此說來，倒是我們父女別有用心，不肯顧全大局了。」

他像是沒什麼氣力，將手撐在了桌子上，說話的聲音也更輕了：「阿螢，當初我們一席長談的時候，我就說過，朝中容不下太子妃手握定勝軍，其實朝中也容不下秦王妃如此，所以我才想回牢蘭關去，盡量保全，保全我們之間的情分。我知道妳也想保全所有，但這世上很多事，是難以兩全的。我盡力想要保全妳和節度使，所以朝中才答應，只要解散定勝軍，妳就可以做太子妃，那節度使就是我的岳父。以後，自再也沒有猜忌。」

她的眼中有粼粼的淚光。

「如果真要解散定勝軍，真將阿爹陷入如此境地，我寧可不嫁給你。」

他扶著桌子，似乎觸到了什麼傷處似的，像是嘆息，又像是深吸了口氣。過了片刻，他才緩緩道：「妳去問問節度使吧，看看他會怎麼選。解散定勝軍，妳就是太子妃；妳不想嫁給我，不想做太子妃，那也得解散定勝軍。否則，節度使的性命，我難以保全。」

屋子裡再次安靜下來，她把眼淚忍回去，只是看著他，他卻似乎無動於衷，又似乎想了很久很久，曾經把今日這一幕想過很多遍，所以冷酷得竟如鐵石心腸一般。

她想說什麼話，但只是張了張嘴，嘴唇顫抖著，最終什麼也沒說。他也並沒有再說什麼，只是轉身徑直拉開門走出去，外面漫天風雪，他走得似乎不快，但那件玄色的狐裘下襬，在風雪中一閃，就很快不見了。

崔琳在屋中呆立了半晌，門一直沒有關上，風捲著雪撲進來，屋子裡暖和，那些雪還沒有落在地板上，就已經化掉了，變成了淡淡的水汽。她不知道自己佇立了多久，直到全身上下都被風吹得冷透了，這才從屋子裡走出來，穿過西邊的院子，一直走到崔倚的居處去。

崔倚坐在椅中，望著窗外的落雪，若有所思，抬頭忽見她走進來，不由笑了笑。

她叫了一聲：「阿爹……」

「我都知道了。」崔倚忽然打斷她的話，「剛才裴太尉親自來過了，將好些話，都同我說清楚了。」他又笑了笑，說道，「說起來，我與老裴，總有好多年沒說過這麼多的話了。」他前一句還將裴獻稱作裴太尉，後一句卻又叫他老裴，話語之中滿是惆悵與唏噓，也不知是因爲裴獻的那番話，還是故友重逢時，回首歲月淡淡的傷感。

「阿爹，總有辦法的。」她不由得說了句謊，「我雖與李嶷爭了幾句嘴，但他對著女兒，總會有一刻半刻心軟。等過兩天，我尋個機會，將他騙來府中，以他爲質，我們父女，總可以出脫京城，遠走高飛。」

其實都不用再過兩日，剛剛他都給了她無數次機會，讓她挾持自己。他顯然是舊傷復發，整個人其實脆弱得像是紙糊的，不堪一擊。她只要一動手，就能夠制住他，外頭的禁軍自然無可奈何，只要出了城，那便是天高海闊。

可是看著他的眼睛，看著他病骨支離的模樣，她終於還是沒忍心。她想起他剛受了重傷的時候，那時候自己在想什麼呢？只要他能活下來，這世上的一切她都可以捨棄，甚至，只要他能活下來，教她永遠也見不著他，她也是願意的。但是到了這一刻，還是心如刀絞啊，怎麼就可以如此呢？如果她眞的挾持他，那麼這一生，她大概眞的永遠不能再見到他了，從此他不得不領軍削藩，而她就眞的走上一條不歸路，和他、和整個朝廷成了敵人。

她只要在心裡想一想，就覺得如同萬箭穿心一般。

她最珍視的兩個人，此生於她生命中最重要的兩個人，她總要傷害一個嗎？

崔倚聽她這麼說，卻搖了搖頭。「不用了，阿螢。阿爹這一生，同妳阿娘一樣，只盼妳好。妳和他，明明兩情相悅，阿爹為什麼要拆散你們呢？」

她眼中有淚要掉落，但強自忍住。「阿爹，女兒寧可不嫁。定勝軍是咱們崔家幾代人的心血。在我小時候，阿娘和您，都常常同我說起，我們崔家世鎮營州，揭碩屢次犯境，前輩先祖這才以自家子弟為主，招攬能戰之士，建立了崔家軍。崔家軍號稱『定勝軍』，是您帶著無數崔家子弟用血拚出來的，阿娘也是為了守城而死，定勝軍是您和阿娘一輩子的驕傲……」

崔倚卻含笑打斷她的話：「阿螢，妳才是阿爹阿娘最大的驕傲。」

她撲到崔倚椅前，抱住崔倚的腰，將臉貼在崔倚膝上，彷彿孩童一般，依依膝下，喃喃道：「阿爹，我們想法子逃走吧，我不要嫁人了。」

崔倚伸手，輕輕撫摸著她的頭髮，說道：「傻孩子，阿爹老了，就算回了營州，又能有幾天安逸日子可以過？本來，阿爹確實有替朝廷踏平揭碩的雄心，但是妳看，李嶷他是個胸懷萬軍之人。他比阿爹年輕，他也會比阿爹做得好……在他手裡，朝廷必能擊敗揭碩，阿爹何必非要成一塊絆腳石呢？」

她終於哭出聲。「阿爹，我心裡捨不得……」

「阿爹心裡何嘗捨得……」崔倚嘆道，「原本阿爹是打算，將定勝軍留給妳的。妳願意嫁人，這就是最好的嫁妝；妳不願意嫁人，這一輩子，妳也能做妳想做的事，逍遙自在。如今，妳要做太子妃啦，這筆嫁妝，實在無用，反成阻礙，那就，十萬將士解甲歸田吧。」

她哭著不敢抬頭，只覺得兩滴溫熱的眼淚，落在了自己的髮頂，是崔倚在無聲垂淚。錚錚的一條漢子，竟也有潸然淚下的時候。落淚的那一刻，他想，或許這就是命中註定吧，他總以爲自己會死在戰場上的，但事到如今，他竟要老死京中了。

阿敏啊，如果妳活著，大概也會跟我一樣選吧，他在心裡默默念誦著妻子的閨名。阿敏啊，阿敏。

李嶷從留邸中出來，似已耗盡了全部的力氣。僕從早就將馬拉了過來，他扶著馬鞍，被朔風嗆得連聲咳嗽。裴源早就過來，一把就扶住了他，他又彎腰咳嗽了幾聲，看著馬鐙，手指無力地抓著韁繩，不由自嘲地笑笑，聲音幾乎微不可聞：「阿源，誰能想到呢，我竟然有無力上馬的一天。」

裴源其實早就想勸他坐車來，但是李嶷十分不肯，這才勉強騎馬來的，從東宮到平盧留邸。風雪中裴源幾乎提心吊膽了一路，生怕李嶷會從馬背上摔下來，就像上次他摔的那一跤一樣，幸好並沒有。

「殿下，還是坐車吧。」裴源忍不住勸，想到范醫正的那句話，心中十分不忍。

李嶷點了點頭，說了聲：「好。」

裴源連忙叫人將馬車趕過來，這是早就預備好的，馬車中有火盆，鋪滿了錦褥，十分舒適。

李嶷難得坐一回車，他靠在車內的小案上出了會兒神，裴源騎馬跟在車後，得得的馬蹄聲傳進車裡來。他想起很久很久之前，那個秋日的下午，自己趕著一架破舊的牛車，載著阿螢。

那時候的太陽曬在身上眞暖和啊，阿螢說了些什麼話呢？他仔細想了一遍。這些時日來，他總是會仔細回想從前，那些日子，那些話語就像蜜糖一般，被他藏在罐子裡，偶爾拿一顆出來，可以甜很久，很久。

車子很快就到了東宮，裴源跳下馬，親自掀開車簾，剛叫了一聲：「殿下，該下車了。」忽然覺得不對，雪光映襯著馬車裡，李嶷不知道什麼時候已經又昏了過去。

李嶷這一病又是頗多時日，朝中人人噤若寒蟬，連皇帝都沒再說什麼，連吳國師也勸他：「兒孫自有兒孫福，陛下，太子是有此一情劫，您就由他去吧。」

皇帝也實在是怕了，他只有這一個兒子了，若眞有什麼三長兩短，豈不是眞絕後了。因此李嶷要求善待被裁撤的定勝軍之事，朝中還是按照承諾，仔細地推恩下去。

每一名解甲歸田的定勝軍士卒，都可以分到嶺南道二十畝田地，若不願去嶺南道，還可以選劍南道，雖然算不得什麼上好的肥田，但養活一家的口糧，總算是夠的。

李嶷因爲在病中，並沒有親眼看到最後裁撤時繳旗的情形，據說崔倚親自拿了斧頭，將留邸中的旗杆砍斷了，將那面先帝賜的「定勝」二字的旗幟捲了起來，交給兵部的人帶走了。

在場的將士，沒有一個不落淚的，連崔倚都老淚縱橫，涕淚交加。

等李嶷病好的時候，已經是隆冬時節。崔倚已經病得十分嚴重了，他繳旗之後那一夜，枯坐整晚，第二日一早，崔琳心裡十分記掛，匆忙來看，他卻不在房中。

崔琳是在御溝邊找到崔倚的。自從朝中接管營州防務，將定勝軍全部裁撤解散，崔倚交卸了盧龍節度使，與朔北都護的職務，禁軍也就奉旨解除對平盧留邸的圍禁。

崔琳找到崔倚的時候，他正一個人坐在御溝邊，目光癡癡地看著御溝裡的水。只不過一夜之間，他已經鬚髮皆白，形容老了十歲的模樣，神色頹唐，茫然地看著河水奔流。

「阿爹！你頭髮怎麼全都白了？」崔琳不由得失聲，但旋即，她明白過來，這是太傷心了，所以才會一夜白頭。

崔倚卻茫然看了她一眼。「阿螢啊……阿爹老了……老了……阿爹沒用了……阿爹不僅救不了妳阿娘，甚至都記不得回家的路了……阿螢，妳阿娘戰死殉城，連最後一面我都沒見著，阿爹是不是很沒用……」

崔琳手指微微顫抖，想去撫摸父親的滿頭白髮，但是又不忍。桃子在一旁，早就淚如雨下。崔琳帶著哭腔，說道：「阿爹，我們回家吧。」

「不，阿螢妳先回家。」崔倚搖了搖頭，「阿爹要去點卯，不要誤了時辰。咱們定勝軍點卯，從我而始，誰都不能誤了時辰。」他一邊說，一邊巍巍顫顫站了起來，隨手拿起靠在石頭旁的一根樹枝做拐杖，他拄著樹枝，一瘸一拐往前走。「阿爹老啦，差點誤了點卯……差點誤了點卯……我們定勝軍的大營在哪兒呢……我怎麼記不住了……」

崔琳怔怔地看著他的背影，終於明白，阿爹是病了，病得很厲害。崔倚從此，就徹底地糊塗了，他不認得人，也不記得事，像是活在一個夢裡，一個十年前的夢，或者更久遠一些。他不記得定勝軍已經沒有了，定勝二字的大旗已經上繳給了兵部，他甚至不記得自己住在平盧留邸，一不留意，他就會從宅子裡出去。桃子不得不找了很多的幫手，好十二個時辰都看住他，但總有百密一疏的時候。

崔琳起初心如刀絞，後來又覺得，幸好阿爹病了。定勝軍沒了，她自己都受不了，何況阿爹，阿爹這般糊塗了，大約也就是因爲，不用面對這樣痛苦的世間吧。

在大婚前，崔琳要求見李嶷一面，其實這是違反禮制的，但是李嶷還是來了。他孤身一人，也沒有帶僕從，走進她住的平盧留邸。

她本來想了很多話想說，有一些話很幼稚，很可笑。她想對他說，十七郎，我們私奔吧，到沒有人認得我們的地方去，做一對平凡的夫妻。她想對他說，十七郎，我不想嫁給你了，我的父親現在這個樣子，我心裡是恨你的。

但是眞的見到他的時候，她竟然微微地對他笑了一笑，他也對她笑了一笑，兩個人四目相對，都有些近乎貪戀地看著對方。

大約是知道，從此後，也許再也不會有這樣的機會了。蕭眞人還是說錯了啊，東宮，是那樣一個冷酷無情的地方，沒有一個小娘子，是高高興興嫁進東宮的。

她說道：「十七郎，這也許是我最後一次叫你十七郎了，蕭眞人說，不管你是太子，還是將來當了皇帝，都仍舊是我的夫君，可是現在不一樣了，我的夫君沒有了，我只是要嫁給太子做太子妃而已。」

她將那隻他射柳贏來送給她的鸚鵡，連同籠子一起拎出來，放在窗台上。她說：「你看，我費了這麼多功夫，本來想教會這隻鸚鵡說句話，但牠實在是太聰明了，也太狡猾了，這麼久了，不論我怎麼教牠，牠半個字也不肯說，關著牠也沒什麼用。」她說著打開了籠門，說道，「快飛走吧。」

這後半句話，卻是對籠中的鸚鵡說的，鸚鵡見她打開籠門，毫不猶豫，鑽出籠子，拍拍翅膀，就從窗子裡飛了出去，轉瞬就飛過高牆，不知往哪裡飛走了。

他默然看著她放走鸚鵡。她惆悵地看著鸚鵡遠去的方向，忽然說道：「十七郎，你以後還會去樂遊原嗎？」

他心中一陣陣難受，過了片刻之後，才說道：「如果一個人，我不會再去樂遊原的。」

她點了點頭，說道：「我也不會。」她說，「那不是太子該去的地方，也不是太子妃該去的地方。」

「阿螢……」他忍不住叫了她一聲。她靜靜地看著他，就像要把他的樣子深刻地，牢牢地記在自己的腦海中，就像從此之後，再也不會見到他似的。過了許久許久之後，她才說道：「殿下，你可以走了。」

元辰大典之後不久，就是欽天監挑出的上好吉日，太子大婚。那是數十年難得一遇的喜事，因爲國朝百年來，許多儲君是在成婚後才被立儲的，就連先太子大婚，那也是二十年前的事了，宮中一片喜氣洋洋，整個東宮都沉浸在富麗堂皇的喜氣中。

崔琳覺得時日過得飛快，從納采、問名、納吉、納徵、請期，到最後親迎，彷彿是一眨眼的事。

親迎這一日一大早，她就起床梳洗，內命婦爲首的是許國夫人，她是京中最有福氣的十全婦人，公婆父母俱全，兒女俱全，夫妻和美，所以禮部特意挑選了她來，陪伴未來的太子妃。

太子妃的衣冠甚是繁複，大妝起來，足足花了兩個多時辰。崔琳已經不認得鏡中的自己了，華麗、高貴、陌生，像戴著一個面具，不過這樣也好。

本來太子是不用親迎的，但太子堅持了古禮，仍舊帶著全副的儀仗來親迎了。他騎馬，太子妃乘輦，當她從府中出來的時候，手中拿著障面的扇子，遮住新婦的妝面。

她今日一定很好看，他心裡曾經幻想過無數次這一日，但是卻沒有想到，在本該如此歡喜的一日，他與她兩個，都毫無喜悅之情。

太子妃在宣政殿前下輦，他早就下了馬，等在一旁，鐃鈸鼓樂齊齊奏響，百官一起躬身，他與她並肩一起走上大殿的長階。

禮官的聲音迴盪在殿前：「茲當吉月惠時令辰，新人新婦，上事宗廟，下繼後世，奉制以禮！」

他想起很久之前，其實也並沒有太久，他在三軍面前縱馬笑著高呼：「阿螢！我要娶妳……」

三軍爲之歡呼，三軍也爲之氣奪。

禮官奉上合卺酒，他與她拿起合卺杯，各飲一杯。

禮官的聲音再次響起：「皇太子嘉聘禮成，群臣恭賀！」

「千秋萬歲」的歡呼聲響徹整個殿宇，他心裡滿滿的，都是悵然。她的手仍舊握著扇子，端正地擋著自己的臉，沒有新婦的嬌羞，也不像是阿螢了，她似乎變成了另外一個人。

在剛才飲合卺酒的時候，他曾經倉促地看了她一眼，只看見她華麗明豔的妝容，唇上塗滿了胭脂。

他的阿螢不是這樣子的，他的阿螢比這個美，比這個好看，比……比她要喜歡自己。

一想到此處，他就萬分難過，後來所有繁瑣的禮節，他也不知道是怎麼過去的，一直到最後，他們從宮中退出，被送回了東宮。

太子妃住昆德殿，他是頭一次往這裡來。東宮有很多殿宇，他住在臨華殿，旁邊就是太子妃的昆德殿，但是工部預備的時候，他一次也沒進來看過，心想就算把這屋子裝飾得再華麗又怎麼樣，阿螢又不會喜歡。

工部果然將昆德殿裝飾得十分華麗，也十分地中規中矩，沒什麼特別觸目的東西，布置得也很妥當，就是，他覺得不太像是阿螢會喜歡住的地方。

他自己其實也不喜歡臨華殿，太大了，太空闊了，偶爾說話，幾乎都有嗡嗡的回音。他甚至覺得秦王府都比這東宮好，這東宮，像一座牢籠，又像是一個巨大的冰窖。

但是昆德殿裡裡外外，懸掛著喜帳喜花，處處洋溢著喜氣，因爲東宮迎來新的女主人，皇后還特意替太子妃挑選了一些奴僕，大多是機靈的內官與聰明得用的女官。一對新人被引到昆德殿中坐下，這是洞房花燭夜裡最後也是最重要的一環，稱之爲坐帳。

好容易等這一節也完成，才終告一天婚儀的結束。本來太子大婚是需要三天時間的，但禮部受了太子的嚴令，一切從簡，於是把所有實在不能簡省的禮儀都排在了一天，從早到晚，滿滿當當。

女官替崔琳卸去了簪環，也脫掉了最外面的一層翟衣，那是太子妃的禮服，拖裾就有丈許，極是行動不便。太子也脫掉了冕服，摘了冠，女官還想侍奉崔琳卸妝沐浴，被她搖頭阻止。太子已經出言道：「都下去吧。」爲首的女官應了聲「是」，所有的人就跟著一起，躬身退出了昆德殿外，並帶上了殿門。

幾乎在殿門闔上的那一瞬間，崔琳立時就擲掉了障面的喜扇，從衣袍下拔出長劍，向李嶷刺去，也幾乎是同時，李嶷拔出佩劍，擋住她這一刺。兩人瞬間過了七八招，崔琳每一劍劍芒吞吐，都直刺要害，李嶷劍術比她高明許多，只不過片刻，李嶷已經一劍指住了她的咽喉。

她不住冷笑，被描畫精緻的眼角裡噙著一抹恨意。「有本事你殺了我！」

他說道：「我答應過妳三次相讓，這是第一次。」

「我不用你讓。」她又重複了一遍，「有本事你殺了我。」

李嶷將劍插回鞘中，自顧自從床上抱了一床被子，鋪到地上，和衣躺下，將被子折起來一半蓋住自己，背對著床，就那樣睡下了。

她怔怔地看了片刻，也收起劍，和衣在床上躺下，翻過身，背對著地上的他。

殿中的紅燭，一滴滴，緩緩滴落著燭淚。

她躺在床上，這床圍三面都是繡花的帳幔，還有一面她也懶得去放下來，她躺著一動不動，睜著眼睛，看著床頂上方的繡花。因爲辦喜事，這裡都是喜氣洋洋的，濃豔重彩，花也繡得繁複，裡面還用了金線，也不知道繡了幾十幾百種花樣，她睜大了眼睛，看了好久好久，毫無睡意。

她知道李嶷也沒有睡著，他的呼吸聲一直是很淺的，他躺在地上一動不動，不知道在想什麼，她卻知道自己在想什麼。

她在想從前的他們，眞好啊，那時候，美好得就像前世一般，又像是一個夢，現在夢醒了，什麼都沒有了。

不知何時，窗紗終於透出一縷魚肚白，地上躺著的李嶷忽然起身，也不言語，把外裳都解開扔在一旁，拿著被子就上床睡下了。崔琳本來就醒著，聽著他上床的動靜，也一動未動，幸好這張床甚是闊大，既使睡了兩個人，中間亦隔著老遠。

又過了片刻，殿宇外有了宮人們輕輕的走動聲，旋即，便有人在殿門外恭聲喚了兩聲「殿下」，只因今日一早，太子與太子妃理應入宮去拜見皇帝及皇后，所以女官早早便來提醒。

李嶷素來耳聰目慧，何況壓根也沒睡著，當即就答應了一聲，殿門被打開，宮娥們魚貫而入，捧著洗漱所用的諸物。李嶷匆匆盥洗，又到後殿去更衣，崔琳則比他要繁複很多，今日太子妃可算是新婦拜見舅姑，故而還是按品秩的大妝，足足又是一個多時辰，等她梳妝好，李嶷這才同她一起出東宮。

仍舊是他騎馬，她乘輦。到了南薰殿外，皇后早早就命人迎了出來，皇帝縱然有萬般的不滿，想起皇后的勸說，還是在臉上裝出了三分和氣，並兩分笑意。等崔琳行完了拜禮，皇帝與皇后又賜下些東西，不外乎衣裳、首飾、用器等。

皇后笑道：「太子妃是新婦，宮中多有規矩，東宮裡事務也甚是繁瑣，我身邊的趙女使，頗爲得力，便將她賜予東宮，服侍太子妃。」

說著，趙女使便上前，對崔琳與李嶷行禮。

崔琳倒是客客氣氣，只說道：「多謝母后體恤。」反倒是李嶷道：「母后，東宮裡人多得很，服侍太子妃的女官、宮女，林林總總，不下百十人。既然是母后身邊得力的人，何必要賜出來，還是留在母后身邊吧。」

皇后笑道：「你們男人，哪裡懂得做新婦的難處，若沒有一個得力的女官幫襯，不知道要多費多少力氣和心思。既給了太子妃，太子便不要推辭吧。」

李嶷只得應了聲「是」。

等到從南薰殿中出來，趙女使已和東宮的人一起，恭恭敬敬站在車輦前，等待太子妃上輦。李嶷見崔琳徑直朝車輦走去，叫了一聲：「阿螢。」

她恍若未聞，還是身邊侍女提醒，方才停步，轉過頭來看著他。身邊簇擁的都是人，李嶷忍了一忍，揮手斥退：「你們就留在這裡，我有話跟太子妃說。」

眾人都躬身退向了遠處的車輦，等這些人走遠，他才又叫了一聲：「阿螢。」

這次她倒是看了他一眼。他說道：「皇后賜給妳女使，明顯有監視之意，妳爲何毫不推脫，痛快答應？」

她倒是心平氣和，不徐不疾地道：「母后是一片好心，殿下想左了。」

他看著她。她今日著盛妝，鈿釵禮衣，他從來沒見過她如此釃妝，九枝鈿釵在她髮髻間顫顫巍巍，更襯得她唇如丹朱，長眉入鬢，但是她的眼是微冷的，像山中的幽潭。

過了許久之後，他才說：「阿螢，妳不要這樣對我好不好？」

她反倒對著他笑了笑。「殿下若是想我笑，我會笑的。」

他心如刀割，又說了一句：「阿螢……妳若是恨我，跟昨晚一樣，拿劍刺我便是了，妳別這樣對著我笑。」

「我為什麼要拿劍刺你，我又打不贏，統共才三次相讓，只剩下兩次了。」她語氣平靜，像在講述一件與自己絲毫不相關的事，字字句句，卻是誅心：「我阿爹現在已經像個小孩子了，既記不得回家的路，也不記得定勝軍其實已經沒有了，每天都念叨著要去大營裡看看……」說到此處，她甚至又笑了一笑，「殿下要娶我，現在已經娶了，殿下要我做太子妃，我現在已經是太子妃了。殿下若還想，我好似從前心悅十七郎一樣，心悅殿下，那恐怕是，不能了。」

說完，她轉過身，徑直朝車輦走去。南薰殿前的橫街，本來沒有含元殿前的橫街寬闊，但長風嗚咽，遠處殿宇的琉璃瓦上，猶帶著前幾日未化完的殘雪，風打著捲，撲在身上，卻是徹骨一樣的寒冷。

太子大婚，按從前的慣例，有十天的休沐，六部也格外識趣，縱然皇帝已經不怎麼理事，實質是太子在監國，但這幾天，哪怕真有天大的事也全按了下來，不去打擾新婚燕爾的太子殿下。

於是李嶷反倒長日無聊，無所事事。新婚第一天的下午，就換了衣服，微服出宮去了。裴源早就牽了馬，在東宮外等他，兩人翻身上馬，一直馳馬出城到河灘。

自崔倚病後，他們常常到這裡來。今日的太陽好，雖然背陰處還積著殘雪，但向陽處被日頭曬得暖烘烘的，只見崔倚坐在一塊大石頭上，怔怔地看著河水。在他身後不遠處，站著一身布衣的張剼。自從定勝軍被裁撤之後，張剼說道：「我是節度使帶出來的，只會打仗，節度使在哪裡，我在哪裡，便是不打仗了，節度使也要有人伺候的。」從此便換了布衣，自崔倚病後，更是忠心耿耿，須臾不離左右。

因爲李嶷常來，此刻他與裴源走近，張剼也只點了點頭，微作示意，反倒是裴源問道：「今日節度使好些了嗎？」張剼搖了搖頭，本想嘆口氣，但最後忍住了，只是搔了搔自己的鬍子。

李嶷早就走到了崔倚面前，恭恭敬敬叉手行禮，叫了一聲「節度使」，他還是用的從前的稱呼。崔倚卻恍若未聞，過了許久之後，才抬起渾濁的雙眼看著他，看了一會兒，猶猶豫豫地問：「你是誰啊？」

其實自他病後，李嶷幾乎每日都會來看他，只是他已經不太記得人，也不太記得事，所以每次見了，總會這麼問。見李嶷不答，崔倚便隨手拿起倚在石邊的拐杖，有些艱難地拄杖站起來，李嶷連忙上前，扶了他一把。

崔倚卻抬起拐杖，指了指四周，道：「你們看，這裡地形是不是不錯？若是敵人搶灘，該怎麼辦呢？」

李嶷眼中露出不忍之色，崔倚卻睨了他一眼。「小子，我就考問你了，若是敵人搶灘，該當如何？」

李嶷定了定神，問：「我軍幾何？敵軍幾何？」伸手一指旁邊的沙洲，「若是敵我相當，當然是在沙洲那處布置弓箭。若是敵人數倍於我，自然是布上荊棘，左右側翼用箭。若是我軍數倍於敵，自然是中流擊之。」

崔倚聞言，不由得讚賞地將他上下打量一番，露出笑容。「小子，說得不錯。我們定勝軍有你這樣的後生，真是難能可貴，告訴我你的名字，我要記下來，將來，升你作隊正。你好好立功，前途無量。」

李嶷心裡難過，卻順著他的話答道：「節度使，我叫李嶷。」

崔倚聽到這個名字，臉上露出幾分狐疑的表情，漸漸凝重。李嶷本來充滿期冀地看著他，但崔倚最後卻啞然搖頭一笑。「老啦，你這名字聽著耳熟，怎麼也想不起來哪裡聽過了。我瞧著你也眼熟，可惜也不認得啦……」說著，他拄著拐杖，又摸索著在大石上坐下。李嶷便也在大石上坐下，抬手替他掩好身上的氅衣，溫言道：「節度使，同我講一講崔家軍吧。」

提到此處，崔倚眼中終於有了神采，說道：「崔家軍這說法，文宗年間就有了，那是我太爺爺的大伯手裡的事了。那時候揭碩人老是來搶糧食，驚擾邊民，我太爺爺的大伯就組織崔家的子弟反抗，一來二去，就有了崔家軍。後來，陸續擴充，朝廷也給了糧餉，在我太爺爺那會兒，崔家就奉命世鎮營州了。崔家的子弟總要上陣殺敵，死得早，所以長輩總是張羅著，早早給結親生子。我像你這年紀，就已經娶妻了。」

說到這裡，他不由得看了李嶷一眼，說道：「你小子不錯，有沒有說親？要不，我替你說一門親事？」

李嶷心中不由一酸，百感交集，說不出酸甜苦辣，到底是何種滋味，最後終於笑了笑，說道：「我已經娶妻了。」崔倚話語中似有幾分惋惜，說道：「是嗎？是哪家的姑娘，下次帶來給我瞧瞧。」

李嶷輕聲應了聲：「是。」

「可惜，我的娘子……」崔倚話語中滿是悵然，也滿是悲慟，「我雖然和她十分恩愛，但有一次我帶著人出城去打仗，城裡只剩下老弱婦孺。敵人來襲城，她領著娘子軍，寧死也沒有後退一步，就那樣戰死殉城了。等我趕回去的時候，連她最後一面都沒見著，我抱著她冰冷的屍體，心中悲痛萬分。幸好我和她還有一個孩兒，不然，那一刻眞難活下去。」他眼中濁淚一閃，「都說男兒有淚不輕彈，只是未到傷心時。你不知道啊，我的娘子和我結縭十餘年，跟著我在營州戍邊，連一天半天的好日子都沒有過過。我和她少年夫妻，沒想到，未能恩愛到白頭，甚至連她最後一面都沒見著。就算有偌大的功業又有何用，這是我一生之憾……」

說到此處，崔倚不由得怔怔地落下兩行眼淚，張剶連忙從襟中掏出一方布巾。李嶷起身接過去，細心地替崔倚拭去淚痕，崔倚卻不耐煩地將他的手一擋，說道：「後來，我終於替我家娘子報仇了。嘿，在我手裡，崔家軍算是更進一步啦。有好幾次我把揭碩攆出近千里地去，殺得他們屁滾尿流。所以朝廷賜名叫咱們崔家軍『定勝軍』。咱們崔家軍中有一面大旗，上面就繡著定勝兩個字，那是先帝親賜的。那時候我就在想，崔家軍有我娘子一半的功勞，若是她能看到那面旗幟，不知道該有多歡喜。可惜，她再也看不見了……」

李嶷聽他如此說，知道他這一生心心念念，還是與妻子未能相守白頭，心下悵然。忽又想到，阿螢此時不知道在做什麼，今日是她在東宮裡的第一日，不知道能不能過得慣。自己原本該陪著她的，但是她昨晚一整夜都沒有睡，如果自己走開，她說不定還能補眠，而且這幾日忙著大婚典禮，沒能前來看望崔倚。她自嫁入東宮，也不能輕易出宮，只怕心中也著實記掛，所以今日才特意出宮來探望崔倚。

崔倚的精神卻漸漸振奮起來，笑道：「你生得晚了，沒看到我那次在沁水泉設伏，那天雪下得好大，我們幾萬崔家軍埋伏在雪地裡，悄無聲息，眞的是千山鳥飛絕，萬徑人蹤滅。那樣大的雪，連個活物都看不到，我心想揭碩人莫不是不打算走這條路了，這雪要是下得再大些，只怕幾萬人就要葬送在這裡，結果沒想到，揭碩人果然還是中計，踏進了包圍。那一仗打得，痛快，眞是痛快！」

李嶷也就道：「我聽說過，經過沁水泉之圍，從此揭碩人不敢再踏過拒以山。」

「那會兒孫靖大敗屹羅，我把揭碩人趕出了拒以山，裴獻讓鮮軍再也不敢靠近牢蘭河。不論是朝廷還是民間，那個開心啊，說我們三個是國朝三傑。陛下宣召我們三人入宮賜宴。」講到此處，崔倚臉上浮起一抹笑意，「結果我沒吃飽，出宮之後就跑到豐迎樓去找補吃食，沒想到孫靖、裴獻也先後都來了，我們三個人大醉一場。」他不知想起了什麼，忽又怔怔地出神，不勝唏噓。「說起來，那都是十幾……不，二十年前的事了……」他忽然想起了什麼似的，轉頭看著裴源，指著他叫道：「我想起來了！我想起來你是誰了！」李嶷心中一喜，裴源亦是一怔。只聽崔倚道：「怪不得看著你眼熟，你是裴獻的兒子裴漭，那年你十三歲，你牽著馬到豐迎樓外接你阿爹。你阿爹醉得上不了馬，你抱怨我和孫靖，把你阿爹灌醉成那樣。」

眾人皆是一怔。過了半晌，裴源苦笑一聲。

「節度使，裴漭是我兄長，我是裴源。」

崔倚滿是疑惑地「哦」了一聲，轉頭又看看李嶷，眼神中滿是困惑，喃喃地問：「為什麼我也看著你眼熟，難道你是孫靖的兒子？」

李嶷唯有苦笑一聲。

他們在城外逗留到黃昏時分，方才回到城中。崔倚已經不大能騎馬，因此李嶷親自護送著馬車，一直送到從前的平盧留邸，如今的燕國公府中——太子的岳父，照例是要封作國公的，所以崔倚在大婚前，就已經被封作燕國公了。

李嶷放心不下，又在燕國公府中，親自服侍崔倚吃過晚飯，這才折返東宮。

他回來得既晚，東宮中早就已經掌燈了，偌大的昆德殿裡，冷冷清清，似乎寂寂無人。其實殿中燒了火龍，又燃著熏籠，根本就不冷，但他還是覺得空曠而寂寥，像沒有人一樣。想到此處，他心中不由一緊，正待要喚人，忽然腳步聲微響，原來是阿螢從後殿出來了。她早已經沐浴更衣，穿著太子妃的常服，但亦甚是華麗；簪環早就卸了，頭上也並沒有珠花點綴，烏漆的長髮綰起來。他從來沒有見過她這樣子，一時不由得看得怔住了，她見是他進來，倒是客客氣氣行禮，叫了一聲：「殿下。」

這聲殿下就像一柄刀，刺得他胸口生疼，但他只能渾若無事地問：「妳用過晚膳沒有？」

她點了點頭，說道：「用過了，殿下一直沒回來，我就叫顧良娣來一同用了晚膳。」

他要想一想，才能想起來顧良娣是誰，張口欲解釋，偏偏又知道，其實沒有解釋的必要，她什麼都知道，什麼都明白。

「也是個可憐的人。」她說道，「殿下有空，就去顧良娣那裡坐一坐吧，她自從進了東宮，殿下好像一次都沒去見過她，太令她難堪了。」

「妳我新婚第一天，妳就叫我去見顧良娣？」他終於忍不住了，質問她。

她卻恍若未聞一般，自顧自就在榻上坐下，說道：「殿下過幾日再去也成。」

他忍住了一口氣，對她說道：「我早就想好了，再過些時日，就說顧婉娘病了，先讓她搬出東宮去城外的皇莊上養病，拖一段日子，謊稱她病得太重，只能出家爲道求神佛垂憐。等在道觀裡待些時日，或能遇上良緣，報個病亡，就可以改名換姓另嫁如意郎君。」

她倒是笑了一笑，說道：「你倒是打算得不錯，可人家的如意郎君，或許就只是你呢？」

他怔了一怔，過了片刻之後，終於嘆息一聲。「阿螢，妳我之間，何必如此呢？」

「是啊，何必如此呢？」她像是睏倦了，掩著口打了個呵欠，說道：「殿下還沒吃飯吧，我要小憩片刻。」她實在困乏極了，翻身往枕上一靠，幾乎立時就睡著了。

李嶷確實還沒有吃晚飯。如今崔倚不大能拿得住筷子，他的手一直在抖，吃飯的時候，需得人一勺一勺地餵。張剬雖是個莽漢，照顧起崔倚來，卻是又細心，又周到。李嶷見他餵崔倚吃飯，便接過勺子，學著他的模樣，耐心地哄著崔倚，把一碗飯吃完，這才起身回東宮。

張剬將他一直送出燕國公府，到了府門外，方才道：「有一樁事體，想問問殿下。」

李嶷感於他的忠義，忙道：「張將軍有話便說。」

雖然已經解甲歸田，但他仍是從前一般稱呼張剬，張剬卻猶豫了片刻，問道：「想問問殿下，不知老鮑他們的墳塋在何處？」

李嶷不由得一怔，過了片刻之後，方才說道：「我想要將他們都歸葬於牢蘭關，如今在京中，暫且停靈在靈泉寺。」

張剬點了點頭。「我想去靈前祭奠一番。」又說，「老鮑喜歡喝酒，我買壺好酒去看他。」

李嶷心中感傷萬分，但只是叉手一禮，張剬也恭恭敬敬地還了一禮，李嶷這才上馬離去。

因為這樁事的緣故，一路上他都在走神，直到近了東宮的麗正門外，方在心裡想，今日是新婚第一日，還未曾與阿螢一起吃過晚膳，萬一她會等他呢……明知道是一場空歡喜，但一個人坐在燈下，扶著牙箸，還是覺得胃口全無。

等到沐浴更衣之後，越發覺得昆德殿裡冷。他本來是打算仍如昨夜一般睡在地上的，幸得地下設有火龍，也不算太冷，但她早已經睡著了，另有一床被子，偏偏又疊放在床裡面最內側，於是他只能躬身伸手去拿，但這床實在太大了，他半躬著身子探手仍舊搆不著，只得單膝半屈在床沿，伸長了胳膊，手剛觸到被子的一剎那，她就驚醒了，本能地轉過頭來，看了他一眼。她剛醒的時候總是會有點迷糊，沒那麼清醒，眸子裡似籠了一層光。帳外的燭火搖動，倒映在她的眸底，也倒映在帳幔上，像是水波一樣，泛起層層漣漪。他一時怔在了那裡，並沒有動。

她好像還沒有睡醒，慢慢地抬起手，她的手指微涼，動作很輕，終於落在他的臉頰上。這年來他瘦了太多，瘦到臉上都沒有什麼肉了，她心裡一酸，忽然又想落淚。

他把頭低了一低，這一刻無限眷念，想要癡心地留住這一剎那。他其實都不敢說話，也不敢叫她的名字，怕只是一剎那後，她又會清醒過來，但是她眼底的水汽漸漸氤氳起來，心中的酸澀如同漲潮，翻騰洶湧，她的眼淚湧出眼眶。他終於伸手抱住她，叫了一聲：「阿螢……」

她一抬頭就吻住了他，又鹹又苦的眼淚都在唇角，兩個人都覺得恍若隔世一般。她都有好久沒有吻過他了，他有好久沒有這樣能將她擁在懷中。他抱得很用力，像是要將她嵌進自己的身體裡，又像是她隨時會化作一縷煙，離自己而去。她也吻得很用力，像是從此之後，再也無法親吻他。

一度他掙扎了一下。「阿螢……」

但是她沒有說話，只是狠狠地，決絕地，吻下去，把他從衣物的束縛中解脫出來，於是他也什麼都沒有想，什麼都拋卻了，只是回應她。

夜晚很漫長，夜晚也很短暫。李嶷覺得，也沒過多久，窗櫺已經泛白，他和她都疲倦極了，有兩次她都差點要睡著了，但是睫毛剛剛闔上，忽然又睜開眼睛來看他，好像只要一閉眼，他就會消失不見似的，所以他只能緊緊摟著她，讓她安心。

兩個人破天荒地地睡到了午後，幸好今日無事。李嶷生平從來沒有起得這麼晚過，待一醒來，只覺得心裡一沉，連忙轉身去看，幸好她還在身側沉沉睡著。他剛剛鬆了口氣，她也已經醒了，睜開眼看了他一眼，他一時忐忑，竟不知說什麼才好，只是又叫了她一聲：「阿螢。」

她慢慢地徹底清醒過來，昨晚的繾綣與癡情好似一場荒唐的美夢，她笑了笑，叫了聲「殿下」，道：「殿下壓著我的頭髮了。」

他這才發現自己手肘壓著她的長髮，連忙將手肘移開，她的頭髮像烏雲一般，散落在枕上，越發襯得肌膚雪白。他心中一蕩，想起夜裡的種種情形，俯身又欲往她唇上吻去，她卻懶洋洋伸出一根手指，抵在了他唇上，說道：「殿下可要想好了，我一旦有孕，生下兒子，便會把你殺了；讓我的兒子做皇帝，彼時我就是太后，垂簾攝政。」

他一時倒不妨她說出這句話來，不由得怔了一怔。她說完這句話，便要起身去拿衣裳，剛一欠身，忽然又被他按在床上，只聽他狠狠地說道：「既然生了兒子妳才能殺我，那就先生兒子吧。」

裴源有四五天沒見著李嶷，心中擔憂，還以爲他又病了。這一日終於見到了李嶷，只覺得他神清氣爽，容光煥發，似乎換了個人似的，心中不禁思忖，這是跟太子妃重歸於好了？

他正在胡思亂想，忽聽李嶷說道：「阿源，聽范醫正說，有一位神醫，能治各種疑難雜症，如今他好不容易雲遊回京了，要不咱們想法子去請神醫看看節度使的病。」

裴源只覺得心中慚愧，心道原來是因爲這個，忙道：「那自然是再好不過。」

這位神醫名喚慕仙鶴，卻是一位神龍見首不見尾的人物。原是蜀中人士，後來據說遇仙，從此能診一切疑難雜症，但想見他一面已是十分不易，偏他又脾氣古怪，輕易不肯替人診治。

范醫正道：「世人皆道他是神仙脾氣，但不論是財帛，還是名利，皆不可打動他，所以也要看醫緣。」

李嶷琢磨了好幾日，只苦於不知如何才能打動這位神醫。這天晚上，他一回到東宮昆德殿，便見到了顧婉娘，她與崔琳兩個人一起，在用一尊銅鼎煮肉，其下燃著炭火，邊煮邊吃，只吃得整個昆德殿中，皆飄逸著肉香。

一見他回來，顧婉娘不由得兩眼亮晶晶，忙起身叫了一聲殿下，忙不迭行禮；崔琳倒是十分從容，挾了一塊肉吃了，方道：「殿下回來了？」按禮制，此刻她應該站起來，但或是懶怠，竟然穩坐如泰山，倒是一旁侍立的趙女使見狀，連忙上前，提醒似地虛扶了一把她的胳膊，她這才起身，屈膝算是行禮。

他按捺著心中怒火，說道：「顧良娣請回去吧。」顧婉娘怯怯地看了他一眼，又看了崔琳一眼，到底沒敢作聲，只是盈盈行了一禮，無聲無息地退出去了。

他不耐地揮了揮手，殿中諸人見狀，亦躬身退出大殿。崔琳見他斥退了眾人，也不講究什麼尊卑禮儀了，坐下來拿起筷子，重新又吃了起來。

「妳爲什麼天天要跟顧婉娘在一起？」他問，「桃子呢？」

「我是太子妃，她是太子良娣，我們兩個在一起，那不挺尋常的。」她又挾了一片肉吃了，漫不經心地說道，「再說了，太子妃的職責所在，不就是令東宮上下，尤其妻妾和睦……」

話猶未落，忽然李嶷就已經上前來，將她一把打橫抱起。

「你做什麼，我還沒吃完呢……」後頭的話都被堵在了嘴裡。他今晚格外凶狠，過了許久許久之後，她都睏得睜不開眼睛了，還被他搖醒。「阿螢，妳都沒跟我一起用晚膳，爲什麼總是和別人一起吃飯？」

她睏得只想睡覺，拿手抵著他的臉，自己以爲很大聲，其實因爲太睏了，所以呢喃一般：「別吵……讓我睡會兒……」

但他還在她耳邊喋喋不休，一會兒這樣，一會兒那樣，直吵得她實在是忍無可忍，終於甩手朝他射出一枚銀針，針倒是沒刺中他，他一偏頭就讓過去了。她這幾天著實都睡得不夠，此時又困乏到了極點，火氣上沖，怒喝道：「十七郎，閉嘴！」

這五個字彷彿有魔力，耳邊的聲音終於戛然而止。她滿意地翻了個身，頭一歪，落到一個十分舒服，也十分溫暖的懷抱裡，幾乎是立時就睡著了。她睡著了很乖，小小的，團成一團，像一隻小兔子，或是別的什麼；又像是一隻小刺蝟，背上的刺都平了，此刻才會露出柔軟的肚皮。他實在有點捨不得睡，但其實也困乏到了極點，他低下頭，慢慢吻了吻她的睫毛，下巴抵著她的額角，片刻後也就睡著了。

這一覺實在是睡得太沉，又是午後才醒，李嶷倒沒覺得有什麼，倒是崔琳覺得這樣不行，莫說從前在軍中須得點卯，從不曾偷懶多睡過一時片刻，就說眼下，哪有每日睡到日上三竿的。她正了正臉色，十分嚴肅地說：「殿下，我有話同你說。」

每次醒來，李嶷的心情就十分不錯，他不喜歡奴僕服侍，所以在自己換衣服。見她擁著被衾怔忡地坐在床頭，板著臉同自己說話，便笑道：「妳要叫我十七郎呢，明兒我就讓妳能早點起來；妳要是叫我殿下，明兒咱們還是午後再起來吧。」

「殿下明日該上朝去了。」她正了正臉色，沒有搭理他的話。

「我本來可以歇十天。」他毫不在意，繫好了衣服肋下的紐絆。「但是闔朝上下都覺得，陛下就我這麼一個兒子，延綿宗嗣，這是頭等大事，想必我多歇個十天半月的，也不會有誰說什麼。」他隨手拿起她的寢衣，給她披在肩上，說道，「再說了，妳不是想當太后嗎？我也是急妳所急，憂妳所憂，替妳著想，不早點生下兒子，妳還怎麼把我殺了當太后？」

她一時氣得都笑了。「那我還該感激殿下了？」

「那當然。」他十分熟稔地替她將寢衣也穿好了，心猿意馬地在她雪白的頸間親吻了一下。「快起床，咱們一起去拜見岳父大人。」

她不由怔了一怔。太子妃是沒有回門之禮的，一入東宮，按禮制也幾乎沒有出宮省親的機會。她已經有十來日沒有見過自己的父親了，心中著實記掛，不知不覺，就任由他擺布，給她換上了一身利索的衣裳。兩個人微服出了東宮，謝長耳與桃子早就牽著馬等在門外，四人直奔燕國公府。

崔倚今日精神約摸好些，但還是不認得人。崔琳眼中含淚，叫了聲：「阿爹。」他亦無動於衷。

倒是李嶷，十分鄭重地對她道：「有一樁事情，我不知道該不該一試。」原來李嶷費盡了周折，終於見著那位神醫慕仙鶴一面，又花了偌多心思，終於打動了這位神醫，但是慕仙鶴聽聞了崔倚所患之疾後，說道：「治是能治，但只怕凶險，若是能成，一治就好了；但若是不成，一治之下，就此送命也不一定。」

所以李嶷才要與她商議，到底要不要一試。

崔琳源源本本聽完這位神醫的話，又踟躕了片刻，終於下定決心，說道：「父親是行軍打仗之人，兩軍狹路相逢，勇者勝。既如此，治！」

李嶷點了點頭，當下便預備車馬，和她一起，護送崔倚去往城外。

那慕仙鶴住在城外山腳下，門前一帶碧水，茅屋柴扉，似與尋常農家無異。院子裡有一株老樹，卻是一半已經叫雷劈得焦黑，另一半卻稀稀拉拉，生得幾片葉子，綠意盎然，在這寒冬裡也不見凋零。

崔琳本來心中忐忑，但見那慕仙鶴迎出柴門，卻是白衣飄飄，眉目慈柔。他雖然滿頭白髮，但臉頰圓潤，肌膚如同嬰兒一般，不辨年歲，眞有神仙之姿。

崔琳心中不由得安定了幾分，連忙下拜。那慕仙鶴脾氣甚是古怪，也不見禮，伸手攙住了崔倚，說道：「你們都在院外等著，務必要屏息靜氣，絕不可發出任何聲響，也不得靠近窺探。」說完一指那黃泥夾的籬芭，說道：「離我的籬芭三丈遠，但凡靠近一步，若是救治不得，也不要怪我。」

眾人聞言，連忙退出老遠，只見那慕仙鶴衣袂飄飄，似乎足不點地一般，就將崔倚攙進了院中。

崔倚只覺得似乎自己又睡著了，做了一個夢，夢裡他還是十七八歲的少年郎，一轉頭，他就見到了阿敏。

她也還是十六七歲模樣，笑吟吟地看著他，上前來牽住他的手。

阿敏啊，阿敏。

轉瞬間，是阿敏受了傷，醫士說她傷了根本，只怕將來生不得孩兒。阿敏忍不住痛哭失聲，他卻摟著她安慰：「不打緊，咱們將來若沒有孩子，收養同袍的遺孤也好，或從族中收養也好。」

崔家的兒郎，總是要上陣殺敵的，所以族中亦有遺孤。但是他戰功赫赫，很快，皇帝便找到藉口，要賜給他一位夫人，連人都給他選好了，但他堅持不肯。

阿敏吃了好多好多苦藥，看了好多好多的良醫，終於身懷有孕，他欣喜若狂。阿敏是個女孩兒，生下來長得像阿敏一樣，粉白粉白的，像是玉琢出來的娃娃。阿敏犯了愁，他早就拿定了主意，不論生下來是男嬰還是女嬰，他都會向朝中奏報，生了一個兒子。

庭中的花開了滿樹，阿螢慢慢地長大了，牙牙學語，蹣跚學步。他每次出征回來，阿敏抱著阿螢迎出來，他覺得自己是這世上最幸福的人。

庭中的花樹搖曳，阿螢認得字了，阿螢會背詩了，阿螢能拉開小弓了，阿螢的準頭不錯，阿敏手把著手，教會她射箭了……

他仰頭看著那滿樹的花，星星點點，漸次綻放，輕風吹過，一陣陣花瓣如雨飄落。

阿敏含笑站在樹下，站在亂紅飄零的花雨中。

他上前一步，想去牽住她的手，想問問她為何一個人立在此處，但瞬間狂風大作，樹上的花朵大半被吹落，樹在風中搖曳。

幾名揭碩兵卒手執兵器突然出現，惡狠狠衝過來就朝阿敏刺去。崔倚大驚失色，本能從腰間拔出長劍衝上去阻攔，但來不及了，那名揭碩士卒已經一刀刺入阿敏胸口。

阿敏滿臉痛楚，倒在地上，血流了滿地。崔倚大叫一聲，嘴中噴出一口紫血，手中長劍狠狠向那揭碩士卒的胸口刺去。

一陣亂風捲起花瓣，萬千花瓣落地，院中空空如也，既沒有花樹，也沒有揭碩人，更沒有阿敏，只有一襲白衣的慕仙鶴。他手裡捧著一只極小的白玉香爐，香爐裡插著一枝線香，已經幾近燃盡，最後一縷輕煙，正從香頭的餘燼上緩緩飄散。他臉上皆是悲憫之色，彷彿天上的神仙，在俯瞰著凡人的種種愛憎掙扎。

崔倚不由得低頭，只見自己手中拿著一根枯樹枝，枯枝的一端正抵在那白衣人的胸口。而自己衣襟上紫血淋漓，彷彿吐了不少血。地上沒有一片花瓣，也沒有倒地的阿敏，什麼都沒有，這裡只不過是一座再尋常不過的農家院子。

慕仙鶴一手捧住香爐，滿臉悲憫之色，伸出另一隻手來，輕輕從崔倚手中，取走那枝抵著自己胸口的樹枝。

崔倚不由得踉蹌著倒退兩步，又吐出一大口血。

他茫然地看著眼前的白衣人，喃喃問：「你是誰？我為什麼在這裡？你為什麼能讓我看到阿敏？能讓我看到我的娘子？」

慕仙鶴搖了搖頭，說道：「人生譬如朝露幻影，你無須知道我是誰，你如今知道自己是誰，那便行了。」說完便轉身，徑直走到柴門前，遠遠招呼李嶷：「李十七，你可以進來了。」

李嶷與崔琳早就等得惴惴不安，不知他到底在院中如何診治崔倚，一聞他招呼，連忙上前，只見崔倚雖然形容頹唐，但眼中清明，一見了女兒，便叫了一聲「阿螢」，說道，「妳怎麼瘦了許多？」顯然是清醒了過來。

李嶷心中大喜，連忙朝慕仙鶴一躬身，深深行了一禮。慕仙鶴道：「不必謝我，這是你的彩頭。」說完拿起門邊的竹杖，也不理睬眾人，白衣飄飄，似乎足不點地，瞬間身形一晃，便消失在了竹林間。

崔琳忙著服侍父親，直到回到燕國公府，確認崔倚神志清明，病勢早就去了八九，只不過還有一點虛弱罷了，這倒是范醫正可以慢慢用藥調養的，這才放下心來。

她這才問李嶷：「你是如何尋得這位神醫的，怎麼他就一下子治好了阿爹？」

李嶷道：「我也不知道他用什麼法子治好了節度使……」他話說到這裡，不由得頓了頓，方才道，「不過找到他，和說服他肯來治病，都費了一點功夫。」

崔琳見他說得輕描淡寫，但心中明白，那定然不是費了一點功夫，必是想盡了法子，費盡了周折。見她低頭不語，他便伸手握住她的手，心中有千言萬語，但最後也只是什麼都沒有說。

離開燕國公府之前，張剬瞅準李嶷不在跟前，忽然低聲對崔琳道：「大小姐，有一樁事，想要私下跟妳說。」

她微一沉吟，說道：「過兩日我會想法子出來，到時候再說。」

張剬會意點頭。

她與李嶷從燕國公府出來的時候，天色已晚。冬日裡天黑得早，不過酉時便已經挑上了燈。

李嶷忽道：「難得出來一趟，咱們去西市逛逛吧。」按照裴源的意思，那自然是萬萬不可，但桃子和謝長耳連拉帶勸，把裴源給帶走了，不僅把他帶走了，還把裴源帶著護衛李嶷的羽林郎都給帶走了。

於是只餘了李嶷和崔琳兩個，走到西市的胡肆裡去，叫了一角酒，一盤羊肉，並兩大碗熱氣騰騰的羊湯。其實東宮裡有的是好酒，但他喝慣了這樣的濁酒，倒也覺得滋味不錯。

她端著那碗羊湯，小口小口地喝著，只覺得又暖又燙。背後那桌客人甚是喧鬧，又在划拳，又在猜枚。最鬧騰的是個壯漢，長得五大三粗，滿臉橫肉，喝了酒就吹噓行商走道的時候，怎麼一個人赤手空拳打死了三匹狼，餘下的眾人又都捧著他，不過多時，連李嶷與崔琳都知道那壯漢名叫柴六郎。正說得熱鬧，忽然闖進來個娘子，氣勢洶洶，一進來就擰住了那柴六郎的耳朵，說道：「眼見下了雪，家中小郎尿布都沒洗，竟敢出來灌黃湯……」那娘子個子小小，還沒有柴六郎肩膀高，但說也奇怪，被她這麼一擰，那柴六郎竟好似被拿住了命脈一般，一聲也不敢吱，就這樣被她揪著耳朵，一路從酒肆裡拎了出去，還聽見那娘子恨聲道：「今日定叫你跪算盤……」

待他們去得遠了，酒肆裡的人才轟然大笑，還有相熟的人問道：「那柴六郎醋鉢大的拳頭，但凡動手，他娘子絕不是他對手，怎麼每每見了他娘子，就如同老鼠見了貓兒一般，竟然還有跪算盤這麼沒出息的事……」

「這你就不知道了，所謂一物降一物……再說了，柴六積年在外頭奔波，家中裡裡外外，老老小小，全都是他這娘子一手操持，照料得妥妥當當。你去看看，他們家的地，掃得都比別人乾淨；老的小的，身上綿衣，都是他娘子一針一線做出來的，這麼冷的天還漿洗得乾乾淨淨。柴六這哪裡是怕她，實在是敬她，有這樣一位娘子，莫說叫我跪算盤，跪釘板也成啊……」

眾人又哄笑起來。一陣北風吹來，酒肆裡的門簾被風吹開，只見外頭果然又下起雪來。夜裡風寒，很快，雪在地上薄薄積起一層，越發顯得天地潔白，倒教人不忍心踏上去似的。

李嶷與崔琳本就是微服出來，回到東宮的時候，也是靜悄悄的，並沒有驚動任何人。雪夜寂寂，殿宇皆在飛雪中，唯聞簷角的風鐸，被風吹得偶爾響一聲。適才翻牆進來的時候，他拉著她的手，待越過高牆，一時也沒放開。兩個人走到了他所居的臨華殿，是從後門進去的，有一間小小的暖閣，本來是給太子做書房用的，此刻燭火點著，屋子裡倒是十分暖和。她早就看到，角落裡放著一只籠子，籠子裡站著一隻鳥；見他們進來，拍了拍翅膀，斜著豆大的眼睛看人，正是她早前放走的那隻鸚鵡，她不由得一怔。

李嶷道：「後來我去找了射柳場的主人，果然這隻鳥飛回去找他了，於是我花了一個實在的價格，把牠買下來了。」他語氣裡有幾分懊惱，「不過，我教了牠這麼多時日，牠仍舊半個字也不肯說。」

她用手指輕輕叩著那籠子，鸚鵡歪著頭看著她，目光仍舊警惕。

她說道：「或許不用籠子關著牠，牠能好些。」

「試過了。」他說道，「也試過不用鍊子綁著牠，牠並不飛走，但是也不說話。」

他滿含希冀地看著她。「阿螢，要不妳再養一段時日，看看牠肯不肯說話？」

她一時默然，過了片刻，方才輕輕地點了點頭。當下他拎著鳥籠，親自將這鸚鵡和她一起送回昆德殿。自大婚之後，他都歇在這昆德殿，因此他的許多衣物也都被搬到了此處。今夜大雪，尚衣的女官早就撿出了一件玄狐的大氅，就搭在架子上，以便他出入穿著。

她回到昆德殿之後，就像突然又做回了那個冷冰冰的太子妃，掙開了他的手，自去更衣預備沐浴。他看了看那件大氅，狠了狠心，說道：「阿螢，我走了。」

見她不答，他便提高了聲音，又說了一遍，她這才披著衣服從後殿出來，說道：「那就恭送殿下。」語氣恭敬，卻沒有什麼恭敬的樣子。

「外面下這麼大的雪。」他看著她，「妳就叫我走？」

「是殿下自己要走的。」她微微有些詫異似的，「你不能不講理……」

說音未落，他就已經開始不講理。論到動手，確實她不是他的對手，不過片刻就被他抱起來，幾步就走進後殿，不由分說將她扔進了浴桶裡，她連寢衣都沒來得及脫，水濺了一地，他反倒比她更氣惱似的。「妳才是不講理！」

兩個人在浴桶裡打了一架，最後她被按在浴桶壁上親得透不過氣來的時候，眼尾都紅了，也不知道是因爲生氣，還是因爲熱氣氤氳。「到底是誰不講理？你這是欲加之罪，何患無辭！」

李嶷這時候早就不生氣了，笑咪咪地說：「確實是我不講理，回頭妳叫我跪算盤好了。」

她更生氣了。「東宮裡哪來的算盤？」

「那明兒叫他們買一把算盤……」他用手撐著她，才能不教她滑到水裡去。他一邊親她一邊抱怨，「這個浴桶太小了，回頭得換個大的……」

「別以爲我不知道！」她更生氣了。

他雖然心不在焉，也正忙著，卻還是問了一句：「知道什麼？」

「你早就想這麼著……」她只說了半句話，忽然耳廓一熱，被他吻在頰邊。他輕笑起來，他的阿螢還是這麼聰明。是的，從被困在韓立府中，他們二人爲躲避屋頂的窺探，被迫藏在浴桶裡說話的時候起，他就一直在心裡暗暗地惦記著，期盼能有這麼一天，能有這麼一刻。

很好，他十分愉悅地想，比想像得還要好。

群臣覺得，太子殿下因著大婚，多歇了一段時日，果然氣色好多了，不僅氣色好多了，心情也好多了。他素來是個雷厲風行的人，六部確實因爲他歇了這些天，略微積累了一些公事，但是不過兩天工夫，就處理得井井有條。

「從前殿下是個不苟言笑的人，這兩日也如沐春風。」兵部的一名吏員忍不住說道，「可見還是人逢喜事精神爽。」

裴源已經懶得說什麼了，朝中俱知他是太子的嫡系，一等一的心腹，既然在他面前說到太子，那怎麼也都是有溜鬚拍馬之嫌。不過李嶷哪裡是人逢喜事精神爽，簡直就是枯木逢春，渾然看不出來這個冬天他曾經病得死去活來。病危之時，裴源好幾次都忍不住想去告訴崔琳，若不是有個軍令如山死死壓著，他恨不得把李嶷的病榻抬到平盧留邸去。眞心累，他管不了了，也不想管了。

可是眼下還有一樁發愁的事，交到他小裴將軍手裡，太子殿下說過了，要趕緊讓顧良娣「生病」，好挪出東宮去養病。他再也不想一回東宮，就看到太子妃在和顧良娣吃茶，說笑，甚至一起用晚膳。

小裴將軍覺得這事太難辦了。太子剛大婚，如何顧良娣忽然就病到得挪出東宮去？這免不了惹人非議。再說了，不喜歡顧良娣打擾他和太子妃，那也應該對太子妃明言此事啊。從禮法上來說，只要太子妃不召見，顧良娣就踏不進昆德殿半步。

算了，沒用，小裴將軍在心裡嘆息。

太子殿下處處英明果斷，就是在太子妃面前，沒什麼出息。那個神醫慕仙鶴怎麼說的來著，他說蜀中稱此爲粑耳朵，對，粑耳朵。

不說小裴將軍百般為難，但李嶷這幾日確實心情好，哪怕這天散了朝，又處理了一堆公事，等晚間才回到東宮，一看，顧良娣又和太子妃在昆德殿中說笑，他也沒發脾氣。等顧良娣走後，他只拿了粟米去餵鸚鵡。那隻鸚鵡早就被從籠子裡放出來，也沒有繫上鍊子，但牠也不飛走，每日只在殿中踱步，一本正經，像個巡營的小將。

「阿螢，給牠取個名字吧。」他點了點鸚鵡的喙。鸚鵡被養得毛色光亮，越發神氣，見他伸手過來，牠用自己的喙輕啄著，不緊不慢，像在同他遊戲。

崔琳在後殿不知道做什麼，並沒有應聲答他，不知是不是沒聽見。他於是正中下懷，說：「那我給牠取名字了……」他摸了摸鸚鵡的羽毛，說道，「就叫你小騙子吧……」鸚鵡聽見他這麼說，歪著頭看著他，過了片刻，方才恨恨地扭過頭去，似乎不想搭理他。等崔琳換完衣裳出來，聽著他口口聲聲叫鸚鵡小騙子，不由得又氣又好笑。「怎麼取了這麼一個名字？」話一出口，忽然醒悟過來，恨聲道：「你叫人買的算盤呢？」

「眞叫我跪算盤啊？」他十分乾脆地做了決定，「反正都要跪了，那索性一不做二不休！」

她心中懊惱，心想這算盤不買不行了，明日自己一定去買一把大大的算盤，不，還是買一把小小的算盤，叫他跪著膝蓋生疼。

第二日他要上朝，起得極早。她沒睡夠，兀自擁被高臥，懶得起來送他，只跟他說：「我今天想出去看看父親。」

「行啊。」他整理好了衣冠，俯身在她臉上吻了一下，「那我回頭去接妳。」

偏這一日事情多，散了朝之後，三省六部又各有議事。因爲開春了，吏部照例要調配天下州郡官員，又要準備春闈開科取士；工部要重修永濟渠，這可是關係到關中糧道的命脈所在，又是極其浩大的工程。而戶部因之前打過幾次大仗，後來又安置裁軍，還有無數窟窿，不過是拆東牆補西牆。又爲去年江南道大旱，要減租庸調，重修永濟渠之事，戶部希望壓一壓預算；但工部認爲，事不宜遲，若入暑之後洪水氾濫，只怕永濟渠難以支撐，到時候別的不說，兩都首當其衝，難道要叫兩都百姓並天子群臣都餓肚子嗎？兵部自不用說了，千頭萬緒，堆積如山。就是禮部，還有天子的春祭，先帝的祭祀種種，不一而足。

等到黃昏時分，小山一般的奏疏才下去了一半，只得明日再議。

李嶷好不容易從六部各種事務裡頭脫身出來，將太子的儀仗都遣回了東宮，自己輕騎簡從，準備去燕國公府，行到半路，忽見街邊有賣滷羊頭的。想到崔倚愛吃此物，於是買了兩隻。那人見他衣著華麗，還帶著僕從，且買這羊頭一買就是兩隻，連忙從熱騰騰的鍋裡撈出來，用油紙包了，捆紮結實，不令漏油。又問道：「郎君還要些別的嗎？咱家的滷羊肝也做得好吃，左右街坊都知道。」

李嶷見鍋中還滷著鵪鶉，想到此物下酒極佳，說不定晚間要陪崔倚飲酒，便又要了幾隻，一併用油紙包了，這才往燕國公府來。謝長耳早就熟門熟路，一到了門上，張望一下，說道：「太子妃的馬還在這裡，桃子的馬也在，她們還沒回去。」自崔琳嫁入東宮，桃子便有了個女官的名頭，方便出入，但她常常來往於東宮與燕國公府之間，所以她的馬就繫在門內的馬廄裡，今日想必也是她牽了馬去接崔琳。

李嶷一望，果然是小白與桃子的馬都繫在槽邊。小白好久沒見他，伸出舌頭舔了舔他的手掌，甚是親熱。他想到小黑，心中酸楚，又摸了摸小白的額頭。忽然燕國公府裡一個人迎出來，此人他也認得，原也是崔倚麾下的大將程瑙，朝他叉手行禮，叫了一聲：「殿下。」

「太子妃呢？」李嶷問道，「國公可安好，我帶了些吃食來，與他下酒。」

程瑙面露訝異之色，說道：「太子妃午後就走了，跟國公說回東宮去了。」

李嶷轉頭就吩咐謝長耳：「派人回東宮去，看看太子妃回宮了嗎？」又問程瑙：「張剸呢？」

「是張將軍送太子妃回宮的，他們是坐車走的，所以沒有騎馬。」

李嶷不知為何，心裡一沉，問道：「國公呢？我進去拜見一下。」

及至見了崔倚，李嶷倒是滿面笑容，也不提別的事，只將滷羊頭並鵪鶉拿出來。崔倚果然歡喜，翁婿二人說了片刻話，派回東宮的人已經匆匆折返。謝長耳聞得回報的訊息臉色也變了，連忙上前，附耳告訴李嶷：「太子妃殿下並未回東宮。」

李嶷頗沉得住氣，只跟崔倚說忽有一樁要緊的公事要去處置，崔倚也絲毫沒有起疑。他常年軍伍，對各種突發之事司空見慣，何況如今李嶷為太子監國，他大病初癒，精力也頗有幾分不濟，於是笑道：「不留你了，你快去忙吧，得閒跟阿螢回來。」

李嶷答應著，待得一出燕國公府，立時吩咐：「叫裴源來。」又道，「閉九城城門，叫左右龍武衛將軍都來見我。」

後一道命令非同小可，尤其裴源趕到之後，聽聞已經關閉西長京九城城門，不由倒吸一口涼氣。「殿下……」

「一定是出了事，」李嶷不假思索，「阿螢不會一聲不吭，既不在燕國公府，又沒有回東宮。」

裴源道：「或是在路上耽擱了……」話說到一半，他自己也並不相信，深知崔琳素來的脾氣，若眞的是有事路上耽擱了，定會派人告訴李嶷。

李嶷忽想起一事，問道：「我曾讓你追查柳承鋒呢？有沒有什麼線索？」他這句話一問出來，裴源不由得臉色大變。

原來李嶷病得最沉重的時候，大理寺中報了柳承鋒傷重身亡。正逢李嶷在雨裡跪得太久，吐血之後人事不醒，性命垂危，裴源守在他床邊，寸步不敢離，哪顧得上別的。偏那時京中正鬧時疫，獄中亦死了好幾名犯人，當天大理寺就將柳承鋒等人的屍體都燒了，事後裴源將此事告訴李嶷，李嶷叫他悉心追查，總覺得事有蹊蹺，但柳承鋒既已死，又能查到什麼呢？

左右龍武衛將軍都已經到了，自兩王之亂後，禁軍首領都是李嶷親自挑選的人，此刻九門既閉，於是閉城大索，將禁軍全部派出去，每家每戶，一寸一寸地細搜。

如此動靜，自然是瞞不住任何人的，裴源問道：「若是陛下問起來……」

「就說城裡混進來了奸細，所以要細細搜捕。」李嶷說道，「若是陛下再追問，就叫他來問我。」

事實上，皇帝很快就知道九門已閉，太子調動了禁軍，據說奉旨亦不得出城。他不由得又驚又怕。他心中明白，自己對待這個兒子不算太好，幾次三番，都教李嶷難堪，但偏偏又只剩了這麼一個兒子，不得不立他為太子。此時聽聞如此，不由得慌了神，連忙召來了顧相。

顧衸聽了事情的首尾，安撫皇帝道：「太子殿下不是說，城裡混進來了幾個奸細，所以要細細搜捕嗎？」

「可不是這樣。」皇帝哭喪著臉，心裡明鏡一般，「顧相你想想，什麼奸細，當得連夜要關閉所有的城門，調動禁軍搜捕……這哪裡像是有奸細……」

顧衸安慰道：「陛下既然不放心，那就召太子來問問即可。」

皇帝一想也有理，便叫身邊的袁常侍去召李嶷進宮。

李嶷此刻心中一片冰涼，禁軍閉城大索，竟然搜出了張剬的屍體，被藏在一座油坊裡，本來已經面目全非，唯因如此，更加可疑。禁軍搜出來屍體之後，立時調了刑部的老仵作來查驗，不過半個時辰，就勘出了他的身分，並他致命的一處傷口，竟是為揭碩彎刀所傷。

李嶷心知不好，如今張剠既死，阿螢與桃子下落不明，只怕凶多吉少，於是下令宵禁，這下子城中百姓也惶恐起來。之前打仗的時候，才會宵禁，如今太平時日不知爲何如此，但禁軍一聲令下，巡城金吾齊齊出動，關閉每一道坊門，偌大的西長京，幾乎是在瞬間就安靜下來。李嶷一面親自帶人在城中搜索，一面將天下兵馬大元帥的金牌交給裴源，由他出城去，布置西長京方圓五百里內所有的州郡設卡細查。

袁常侍好不容易找到李嶷的時候，天已經快亮了，他正帶著禁軍，一個街坊一個街坊地細細搜查。

袁常侍忙道：「殿下，陛下傳令您即刻進宮覲見。」

李嶷抬眼看了他一眼，說道：「我有要緊事，實在沒工夫進宮見陛下，你先回去吧。」

袁常侍萬萬沒想到，他竟然說出這樣一句話來，忙道：「太子殿下！是陛下傳見您！」李嶷恍若未聞，帶人繼續往前搜查。袁常侍無奈，只得轉身回宮去覆命。

第十七章 驚蟄

屋子裡只點了一盞昏暗的油燈，豆大的火苗忽明忽暗，因著這樓上夾層並不透風，所以氣味有些難聞。揭碩人身上似乎永遠有一股氣味，旁人聞不出來，但柳承鋒不由微微皺了眉頭。縱然這些揭碩人早就已經改換身分，有的甚至在中原居住多年，但是一靠近他們，他還是能聞到那股氣味。或許是揭碩擅長用毒吧，又或許是血的腥氣，還有掩飾不住的殺氣。

這處落腳的地方是早幾年就預備好的，左鄰右舍都隔得遠，聽不見什麼動靜，甚是隱密。按照柳承鋒的意思，既然得手，那就該立時出城去，但烏延乃是揭碩王烏洛的親弟弟，壓根就不肯聽他的。上一次柳承鋒帶著神箭隊潛入中原，眼看就要襄助齊王殺掉李嶷，誰知崔倚竟然率兵趕到。那時李峻早已死在李崍的手裡，李崍卻運氣不好，死於亂軍。崔倚一到，便將揭碩王最視以爲傲的神箭隊整個葬送在山谷裡。

時運如此，如之奈何？

葬送了神箭隊，揭碩王烏洛震怒不說，朝廷竟然還遣使節去質問烏洛，揚言宣戰。幸好當初在長州的時候，柳承鋒無意間得知了一個極大的祕密，這才撥弄風雲，令崔家定勝軍被裁撤，不然只怕定勝軍又要趁著這個機會，大舉攻打揭碩。到了彼時，烏洛一定會殺了他。

他其實也不怎麼怕丟掉性命，但黃泉之下，只怕見不到阿螢。

爲了阿螢，他得活著。

他當初在黑水灘遇襲落水，醒來的時候，只有阿恕在他身邊。他傷得太重，迷迷糊糊，也不知阿恕背著他走了多久，走了多遠，再次醒來的時候，竟然已經被揭碩的遊騎給擄到了草原。

剛到揭碩的時候，揭碩人恨中原人入骨，百般折辱，他一聲也不吭，揭碩人將他視作廢物，連奴隸都不如。阿恕被抓去做苦力，他卻被拋棄在荒漠裡，差點死去，靠著喝牛尿他從荒漠爬回了揭碩人的帳篷。他抓住一個揭碩人的袍角，用盡最後的力氣用揭碩話說：「我是崔倚的兒子。」他會說揭碩話，此生他都記得那個揭碩人驚訝又錯愕，最後是狂喜的笑容。崔倚的兒子！烏洛非常重視，在他養病的時候，親自來看他，對他說道：「你既然是崔倚的兒子，你若是願意爲我所用，你就能活下去。」

他不假思索就點頭道：「王上，我想活下去。」

他想活下去，他還想見到阿螢。

揭碩的巫醫用神奇的法子治好了他的病，也拔去了他身上的餘毒。之前他一直有著的痼疾，就是因爲幼時中毒之故。

烏洛極爲高興，打發他和阿恕一起回去中原，回到崔家定勝軍大營。臨行前，他不由得問：「王上就不怕我一去不回嗎？」

烏洛哈哈大笑，說道：「那你可小瞧我們揭碩了。」

他這才知曉，自己身上那餘毒雖然被拔除，但是又中了新的毒。這種毒十分厲害，每過一月便要吃一顆解藥，否則就會爆血而死。烏洛叫他好好聽命行事，否則死的時候，一定痛苦萬分。

他其實並不怕死，但只怕再也見不到阿螢。他原本想著見她一面，就從容赴死，但是一見了她，他忽然改主意了，他爲什麼要去死呢，難道他就不能與她一起好好地活著嗎？

該死的人是李嶷，這世上，敢橫亙在他與阿螢之間的人，都該死。

只是沒想到長州城中，竟然被阿螢窺破了，不過沒關係，他還有法子捲土重來。只恨李崍實在是不爭氣，還有崔倚，帶著定勝軍來得太快了。

不過幸好，如今天下已經沒有了定勝軍，崔倚也只是一隻被拔去了爪牙的老虎，垂垂老矣，毫無威脅。一想到此處，他心中便十分暢快。

他以爲，如此深仇大恨，阿螢終於應該與李嶷生分了吧？卻沒想到，阿螢最終還是嫁給了李嶷，一想到此處，就如同萬箭穿心一般，心痛難忍。

幸好烏洛對裁撤定勝軍一事極爲滿意，又對他手握的那個絕大祕密十分重視，這才又遣了烏延親自前來，並且不惜動用揭碩經營多年在京中的一切布置。

也幸好，張剬是個忠義重情的人。

想到張剬，他心中不由得有一絲淡淡的惋惜，張剬是被他騙了。他令譚郎將去見張剴，那是從前張剴的舊下屬。譚郎將帶著孛州四百多名原定勝軍將士的血書，定勝軍已經陸續裁撤完畢，還留在營州等待裁撤的不過數百人而已。朝中另調府兵前去營州，並嚴苛限令，讓這數百定勝軍即刻解甲至孛州修築水渠。孛州官吏偏十分嚴酷，對待定勝軍這數百將士，視如豚犬牛羊一般，不僅剋扣飲食，還動輒棍棒拳腳，這數百人忍無可忍，公推了譚郎將從孛州逃到西長京來。張剴見了這數百名舊將士的血書，果然十分動容，但他早已經解甲，對這般事並無任何辦法，那譚郎將便哀求，只求見一見節度使或大小姐。張剴知道崔倚大病初癒，便是沒病，此刻於這等事只怕也毫無辦法，只擔心崔倚傷心憂急，於是告訴了崔琳。心想太子兼著天下兵馬大元帥，又素來愛重太子妃，必有法子解救舊時同袍。

崔琳聽聞這般事，也怕崔倚傷心，就瞞著崔倚，只說回東宮去，其實同張剴一起去見了譚郎將，想問問孛州之中從前舊同袍的遭遇情形。等到發現事情不對，這是個圈套，其實另有埋伏，張剴奮起反抗，想讓崔琳逃脫，就此被殺。

眞是有點可惜，柳承鋒覺得，他還挺喜歡張剴的，畢竟他魯直沒有心機，從前在軍中對自己也特別敬服。

從前的故人，眞是死一個少一個了。

威名赫赫的定勝軍，如今已經風流雲散，從前的人或事，就像一場恍惚的大夢。

幸好，如今阿螢終於在自己身邊了，雖然她被一種極其厲害的迷藥迷昏了，昏迷未醒，但也挺好的，她終於乖乖的，就在自己眼前了。

烏延舉著一盞油燈走了過來，拿著油燈照了照毫無知覺躺在竹席上的崔琳，有點嫌棄地說道：「就爲著這個女娘，你要害我們都失陷在這裡？」

這也是他與烏延最大的分歧。他堅持要設法帶著崔琳一起離開，烏延卻想一刀殺了崔琳。也正因爲這個分岐，稍微耽誤了片刻，就來不及出城，李嶷已經下令關閉九城城門，閉城大索，他們因此耽於城中，幸好這落腳的地方隱密，剛才這附近街坊已經被搜檢過一輪，卻是絲毫未露出破綻。

柳承鋒心中嫌棄，於是就站在竹席之前，擋住烏延的視線，說道：「咱們事先說好的，我把東西交給你們，你們幫我把崔琳劫出來，而且烏洛王答應過我，只要我辦完這件大事，你們就給我眞正的解藥，讓我帶著她一起遠走高飛。」

烏延說道：「現在這崔琳我們已經幫你劫到了，你該把朝中那個人的東西交給我們了吧？」

柳承鋒無動於衷，說道：「那解藥呢？」

烏延冷哼了一聲，從懷中取出藥瓶，扔給柳承鋒。柳承鋒接過藥瓶，打開細看，便說道：「這藥不對！」

烏延笑道：「怎麼不對？」柳承鋒冷冷地道：「我曾經在烏洛那裡見過這種藥，不是這樣子的。」烏延冷笑道：「我本來念著你曾經是條好狗，想留你一個全屍，你卻不肯乖乖吃了這毒藥。那麼，只能用別的法子，送你上路了。」

柳承鋒略一思量，便想明白了，他道：「想必是你終於知道朝中之人是誰，並且與之有了聯絡，所以才想殺我。」

烏延見他猜中，也不否認，反倒笑了一聲。「不錯，那又如何？你能辦到的事，全是靠朝中那人。你太貪婪了，看管羊群的狗，不需要吃得那麼好，也不需要吃得那麼多。你不過就是替我們揭碩賣命，卻葬送了我們的神箭隊。你還想帶著崔倚的女兒遠走高飛？那就一起去黃泉路上遠走高飛吧！」

柳承鋒並不如何驚惶，說道：「你猜猜阿恕如今身在何處？」

烏延傲然道：「不論他身在何處，那又如何？他都不知道咱們落腳的這個地方，難道他還能來救你嗎？」

「但是東西全都在他手裡，而且他知道你們揭碩在西長京裡的所有暗樁，還知道你們一路往北埋伏的各種藏身之所。」柳承鋒不緊不慢地說道，「烏延，你以爲聯絡上了那個人，就可以將我殺了，但只要我明日不出現，阿恕就會直接將東西全都交給李嶷，到了那時候，朝中人自身難保，你就是全盤落空！」

烏延靜靜地思索了片刻，心想柳承鋒素來狡猾，他既然叫阿恕帶著東西藏起來，那自己著實無法找到，只怕到時候眞的全盤落空。他氣憤地往地上啐了一口唾沫，旋即扭頭走了，屋子裡只餘了一盞油燈，光線又變暗了一些，照著崔琳的臉，她如同正在熟睡一般。

柳承鋒心知不妙，外面李嶷定然正在極力搜尋，而這些揭碩人，凶殘狠毒，竟然已經聯絡上了朝中那人，那自己今日只怕難以帶著崔琳脫身。他腦中還在急速想著，烏延忽然又帶著七八個人，氣勢洶洶走了回來。這次烏延從懷中取出一個藥瓶，擰開蓋子，就在他面前晃了一晃，說道：「這次是眞的解藥，只要你告訴我阿恕在哪兒，我馬上就將解藥給你。」

柳承鋒淡然一笑，說道：「我不會告訴你阿恕在哪兒。而且，我早與阿恕約定過，萬一出了變故沒有了我的音訊，十二個時辰之後，他就會把我交給他的那些東西，都呈給李嶷。」

烏延獰笑道：「眞沒想到，養著放羊的狗，反倒咬起了主人。」

柳承鋒只是淡淡地道：「你們素來出爾反爾，全無信義可言，我若不提防著些，現在早就已經死了。」他說道，「你想要那些東西，十分簡單，給我解藥，放我和崔琳離開，一路上安排好馬匹接應，不得跟蹤我們，保障我們的安全。」

「這裡都是我們揭碩的勇士，」烏延十分傲然地環視屋內喬裝的揭碩士兵。這些人雖然都做胡商打扮，但每個人身上都隱隱透出殺氣，「他們都是揭碩最勇猛的武士，能徒手殺死草原上的狼，撕下敵人的臂膀，你以爲你還能和我們討價還價？」他豁然拔出彎刀，指著昏迷不醒的崔琳，獰笑道：「你要是不告訴我阿恕在哪裡，我就殺了她！」

柳承鋒立在崔琳之前，被烏延用刀尖指著，但他臉上毫無畏懼之色，只是淡淡地道：「只要你敢動她一根汗毛，我立時就死，你就再也不知道阿恕在哪裡。等到明天此時，你和你的手下壓根來不及逃走，就會被李嶷的怒火撕碎。你知道李嶷的可怕，他是中原的太子，還是天下兵馬大元帥，這樣一個人，哪怕逃出萬里，也逃不出他的怒火，他不會放過揭碩，更不會放過烏洛王，他會縱馬踏平你們王帳的。」

烏延不由得獰笑。「你以爲我們在西長京裡是毫無準備嗎？你以爲我們眞的會把所有退路都告訴你嗎？你和阿恕知道的揭碩布置不過是九牛一毛，毀了就毀了，我也可以放過你。但是這個女人，今日必須得死，這是朝中那人提出的條件，我早就已經答應了，所以你眞的要和她同歸於盡嗎？」

柳承鋒冷冷地注視著烏延，烏延說道：「朝中那人說服了我，你能做的，他都可以做，而且會比你做的好一千倍，一萬倍，我代替大王答應了他，一定要殺掉這個女人。」

柳承鋒說道：「沒有阿恕手裡的東西，你們也無法眞正控制那個人。」

烏延道：「只要殺掉崔琳，那個人就得乖乖聽話，畢竟，謀殺太子妃這種事，可不正是一個天大的把柄。你剛才不是說了嗎？誰能夠承擔李嶷的憤怒？哪怕逃出萬里，他也不會放過殺害他妻子的人。」

柳承鋒低頭不語，烏延見他如此情形，忽然換了一種語氣，說道：「柳公子，你想想，這個女的，有什麼好？你要拿自己的命去維護她？她就算醒了，會願意同你一起走嗎？你倒是想帶著她遠走高飛，但她願意跟你一起遠走高飛嗎？」

他心中刺痛，恨恨地看了烏延一眼，說道：「她必然願意！」

烏延話語中卻滿是嘲弄：「我看是你一廂情願吧！她都已經是李嶷的太子妃了，她爲什麼要跟你一起走？她心悅你嗎？她如果心悅你，又怎麼會嫁給李嶷？」

柳承鋒厲聲道：「她願意！她從來都願意跟我一起走，都是李嶷逼她！她才被迫嫁給他的！」

「我們揭碩有句話，叫沒有籠子能關住天上的老鷹，除非牠心甘情願。她是崔倚的女兒，聽說也挺有本事的，如果不是心甘情願，她怎麼會嫁給李嶷呢？」烏延卻漸漸放鬆下來，用雪亮的彎刀拍著自己掌心，笑道：「傻小子，你在這裡想拿自己的命去換她的命，她有過一時片刻的領情嗎？」

柳承鋒默不作聲。案上那盞小小的油燈爆了一個燈花，驟然一亮，旋即光暈又昏暗下來，照著他的臉色，也是忽明忽暗。烏延見他不語，又笑道：「連我都知道，她壓根都不喜歡你，你不要再自作多情，一廂情願了！就算你把她救了，真的帶她遠走高飛，等到她醒過來，肯定恨不得殺了你，她還是要回到李嶷身邊去！她如果真的喜歡你，為什麼你還要用這種手段，求助於我們，將她硬生生給劫出來？」

柳承鋒似乎被他這番話戳中，臉上的肌肉微微顫抖。

又過了許久，才說道：「她是喜歡我的！都是因為李嶷從中作梗，李嶷騙了她，她是被逼的！她是因為被迫才嫁給他的！」

烏延嗤笑一聲。「你非要這般自欺欺人，連我都覺得你可憐。你為她做了這麼多，而她呢，她對你不屑一顧。你要不信，我就用藥令她醒來，只要她醒來，必定一刀殺了你，好回去做她的太子妃。」

柳承鋒仍舊不語，眼中卻露出一絲絕望之意。

烏延見他這般神色，就還刀入鞘，故意放緩了聲氣，說道：「柳公子，王上曾經說你是個聰明人，你既然是個聰明人，就別犯糊塗了。這樣吧，你也別攔著我殺崔琳了，我放你走，把解藥給你，阿恕我也不追究了，畢竟今日我只需要殺了崔琳，那些東西有沒有，都不礙我拿捏住朝中那人，所以你們主僕二人，願意去哪裡去哪裡，我保證從此後不再有任何瓜葛，怎麼樣？你和她，只能活一個，我覺得你犯不著爲她死，她又不喜歡你，你爲她死了，她仍舊不喜歡你，不如將她殺了，一了百了。」

柳承鋒仍舊低頭不語，臉上卻不由露出悵然之色。烏延見他似有動搖之意，又道：「你和阿恕，我都可以留你們一條命，城外會有人和馬匹接應你們，也不枉你曾替我們王上辦了此事。但是她，今日我是非殺不可。」

屋中一片寂靜，遠處的巷中傳來幾聲犬吠，還有隱約可聞的腳步聲雜遝而來。那是曾經搜尋過這一片的禁軍，竟然又再次搜尋而來，屋中人一時屏息靜氣，靜聽遠處的動靜。他們身處的這閣樓，乃是屋子頂上的夾層，從外間絕難看破，而且此處有人居住，此間主人還是朝中一個小吏，搜檢之時自有應對，不會引起任何人的懷疑。

幸好那雜遝的聲音並沒有走近，反倒越來越遠，顯然去搜尋另一片街坊了。

烏延只見柳承鋒低頭不語，神色慘然，心想此人迂腐又多情，爲了眼前這個女娘，優柔寡斷，差點貽誤自己的大事。但這種人也有一樣好處，就是貪生怕死，只要動之以利，脅以性命，就是會動搖的，不然之前他也不能降了揭碩。烏延又放緩了聲音，說道：「柳公子，你們中原人說得好，大丈夫何患無妻，她既然已經嫁人，心又另有所屬，你還執著於她做甚？如今搜捕這麼嚴，沒有我們的接應，你絕出不了城，脫不了身，這個女娘對你來說，不過是個累贅，你如果想帶著她，唯有死路一條，何不撒手不管，你有才有貌，將來什麼樣的女娘沒有？」

柳承鋒目中流露出種種複雜的神色，烏延推心置腹地說道：「柳公子，你若是答應就此離去，我不僅會把解藥給你，還會把我們在洛陽的財庫交給你。你也知道，我們往中原販賣藥材，皮草，在洛陽積蓄了不少錢財，你拿了錢從此做個逍遙的公子，難道不快活嗎？」

柳承鋒垂頭不言，眼中目光閃爍，想了很久很久，似乎想了很多，到了最後，忽然咬一咬牙，說道：「只要你答應的這些全都辦到，那殺了她可以，但是我要親手殺了她。」

烏延聞言大喜，說道：「好！爽快！我們羯碩的獵人，對於馴服不了的野馬，也會親自一刀殺了，這才是堂堂男人的行徑。」

柳承鋒微微皺眉，說道：「我特別討厭看到血，給她留一具全屍，不要流血。」烏延心道怪不得，適才殺那個桃子的時候，刀捅進去，他遠遠就避在一旁，原來他是怕見血。殺桃子倒是柳承鋒的主意，他說此人乃是崔琳最親近的使女，不如一刀殺了，但是須得下刀偏一些，不令傷到要害，這樣一時片刻，桃子不會氣絕，然後將受重傷的桃子藏到義莊去；等搜到桃子的時候，不論桃子是否已經死了，李嶷必為之方寸大亂，說不定能引開李嶷的搜捕。烏延覺得這主意不錯，所以就將桃子刺得重傷，然後送到城中最偏遠的義莊去了。

所以當柳承鋒提出給崔琳留一具全屍的時候，烏延十分痛快就答應了，手一招，便有人捧上一個藥瓶。烏延將藥瓶遞給柳承鋒，說道：「這是我們揭碩最好的毒藥，沒有痛苦，入喉即死，也不會流血的。」

柳承鋒接過毒藥。烏延只見他雙手皆在微微顫抖，心想此人果然是個軟骨頭。降人嘛，他也見過，但是如崔倚養子這般的降人，他還是第一次見。烏洛雖然表面上對柳承鋒十分客氣，但背地裡提到的時候，自然十分不屑，曾經對烏延道：「這是一個軟骨頭，為了活下去，什麼都肯做。」

出賣自己的父親，出賣自己的同袍，出賣了白水關，出賣了一切，甚至，出賣了自己的靈魂。這樣的人，打從心眼裡，烏延是十分瞧不起的，也因此，他有把握說服柳承鋒。不就是個女人，為了活下去，他為什麼不殺了這個女人？

柳承鋒手中緊緊攥著那藥瓶，他轉身走到竹席之前。阿螢還是昏迷不醒，她氣息均勻，如同睡著一般，他慢慢地躬身，然後伸出雙手，將她抱在懷中，他還從來沒有抱過她呢。她其實抱起來的時候很輕很輕，比他想像中的要輕得多，也暖得多。她身上永遠有一股甜甜的香氣，要靠得極近才能聞到，但是其實從成年之後，他也很少可以如此地靠近她，更不用說，將她擁在懷中。

他的心一點一點，漸漸支離破碎。他慢慢地低頭下，凝視著她的臉龐。他心裡十分想親一親她的臉頰，昏暗的油燈光暈之下，她的臉頰仍舊潔白晶瑩，如同高山上的積雪，又像是這世上最無瑕的美玉。他心想，還是不用了，他滿身汙濁，連心裡都骯髒得千瘡百孔。他不配親她，不配玷汙她，如今這樣抱著她，已經是非分之想了，可是這是他這一生，第一次，也是最後一次擁抱她了。他神色慘澹地一笑，心中默念：阿螢，妳別怕，一點都不疼。雖然我們今日，這樣永別，但是沒關係，只願有來世，妳會心悅於我，與我生生世世，永不分離。

烏延早就等得不耐煩了，說道：「快動手吧！殺了她，我們只怕要換個藏身之處。」

柳承鋒恍若未聞，仍舊只是低頭凝視著崔琳的臉龐，又過了片刻，方才從藥瓶中倒出一粒藥丸，然後伸手將她兩頰一捏。此處乃是穴位，被捏住之後，她雖在昏迷中，但嘴微微張開，他無限留戀地看了她一眼，猛然將毒藥丸塞進她口中，然後鬆開手指，在她喉嚨外順著一拂。

在他懷中的她雖然仍在昏迷中，但片刻之後，就急促地喘息起來，又過了片刻，她呼吸漸漸微弱，頭無力地垂下。他眼中含淚，又等了片刻，終於抬手，試了試她的呼吸，她已然氣絕。

他似哭非哭，似笑非笑，輕輕喚了她兩聲：「阿螢……阿螢……」猛然將她抱緊，眼淚滾滾而下。烏延見此情狀，躬身上前，伸手試了試崔琳的呼吸，又試了試崔琳頸中的脈搏，滿意地點了點頭。「我就說嘛，這毒藥沒什麼痛苦，死得很快。」

柳承鋒卻好似發了瘋，猛然推開烏延的手，厲聲道：「不要碰她！」

烏延被他推了一個趔趄，心中惱恨，正待要拔刀，忽然只聽遠處那雜遝的喧嘩聲轉了一個方向，竟似朝這附近來了。

李嶷其實憂心如焚，西長京各處，尤其是魚龍混雜之地，已經被細細地搜檢了一遍，俱無所獲，餘下的，就是百姓人家，和公卿相府了。偌大的西長京，要藏起一個人來，再容易不過，無異於大海撈針。

他生平打過無數次仗，其中不乏九死一生、十分危急的時候。每每此時，皆會將生死置之度外，背水一戰，但唯有今天，竟然有懼意。

他甚至開始懷疑，自己是不是想錯了。阿螢是不是已經被擄出城去，畢竟她午後即離開燕國公府，而自己直到黃昏的時候才察覺不對，下令閉城。

但是很快，他就告訴自己，不會的，自己沒有做錯決斷，西長京出城的路有無數條，但是張剼既然已死，她必也有所反抗。敵人不論是誰，都不敢帶她走遠路，必然是先隱匿城中。

既然第一遍在魚龍混雜處沒搜出任何線索，好歹找到了張剼的屍身，那就再細細地搜尋一遍。

這處街坊叫作永平坊，平時多住六部的官吏，所以十分清淨。剛才他並沒有親至，此刻開了坊門，坊內各家俱大門洞開，禁軍挨家挨戶，逐一搜索。

他站在一戶人家的台階上，憂急萬分，心想已經又過了兩個時辰，不知道阿螢到底身處何處，是否還平安。正思慮間，忽然有一騎衝入街坊，李嶷認得，正是帶隊去往西市搜尋的禁軍首領的親衛。此人都來不及下馬，氣喘吁吁地告訴李嶷一個消息：「殿下，義莊裡發現了一具可疑的屍身，經過辨認，正是桃子，她身上帶著女官的金牌。」

李嶷心中大駭，不假思索，立時轉身上馬，他身邊禁軍見狀，立時也紛紛上馬，準備掉轉馬頭，隨他離開。

正在此時，忽聽見「喀嚓」一聲，旋即轟隆一聲巨響，李嶷抬頭一望，竟有人撞破壁板，從樓上直跌下來，重重地就摔落在他面前。

左右禁軍皆以爲刺客，驚呼一聲，紛紛拔出兵刃，四處燈火並禁軍手執的火炬照得分明，那人落在李嶷馬前，雖是滿臉血汙，但李嶷早就一眼認出，正是柳承鋒。他臉上肌肉扭曲，眼中極其痛苦，似乎想說什麼話，但咽喉被割斷，頸中血不斷噴湧，他身子痙攣著掙了一掙，旋即氣絕身死。

李嶷毫不猶豫，縱馬衝進這處宅院，他飛身下馬，幾乎是幾步就衝上了柳承鋒適才摔下來的小樓。樓中諸人本欲逃走，被他一人一劍，盡皆刺死，那些揭碩人極爲悍勇，見此也心中大駭，四散奔逃。

李嶷早已經殺到閣樓之上，一眼便望穿知有夾層，他一劍刺死一名揭碩人，翻身便從狹小的入口翻進了夾層。屋內並未點燈，但樓下禁軍已經執著火炬衝上來，火光從入口裡漏進來，依稀可見一個熟悉的身形躺在屋角竹席之上。

「阿螢！」他撲過去扶起她，喚了一聲她的名字，竟然手足無措。他一把將她打橫抱起，三腳並作兩步，幾乎瞬間就躍到了樓下。眾人猶自未明白過來，他早已抱著她上馬，打馬便朝東宮去。

范醫正幾乎是第一時間就被傳來，還有他的父親老范醫令，也被人連夜抬過來，還在路上。

疾步衝進昆德殿的范醫正看到太子妃的第一眼，心就一沉，也來不及取旁的東西，他直接上手，試了試崔琳腕上的脈搏，只覺得心下一片冰涼。他的手指顫抖起來，跌跌撞撞轉身找醫箱。李嶷雖然心急如焚，卻還算有理智，立時就親自將他的醫箱遞給他。他從醫箱中拿出數枚金針，刺入崔琳的不同穴道，又不停撚動，足足過了半炷香的時辰，老范醫令終於被人抬了過來，他被幾名侍從攙扶著，幾乎是腳不點地，被架到了太子妃的榻前。殿中點滿了燈燭，照得亮如白晝一般，也照著崔琳頭上、身上各處穴位被刺入的金針，明晃晃地映著燈燭。老范醫令看了一眼崔琳全身各處穴位被刺入的金針，又伸手試了試崔琳脈搏，無聲地嘆了口氣。范醫正已經滿頭大汗，雙眼只望著自己的父親，老范醫令帶著憐憫的神色微微搖了搖頭。范醫正似乎是脫力了，一下子跌坐在地上，李嶷怔怔地看著老范醫令，老范醫令躬身道：「殿下，太子妃已經薨了。」

李嶷仍舊怔怔地看著老范醫令，似乎恍若未聞。老范醫令已經八十多歲了，見過何止成千上萬的病人，但此時此刻，仍舊有幾分不忍，於是又說了一遍：「殿下，太子妃脈息已絕，已經薨了。」

李嶷仍舊有幾分恍惚似的，看了看老范醫令。老范醫令說道：「殿下常年在軍伍之中，適才抱太子妃回來的時候，就應該明白……」後頭的話他已經不忍心再說，只遲疑地頓住。

李嶷這才有些恍惚地轉過頭去，看了看榻上的崔琳。是啊，他常年在軍伍之中，打過那麼多的仗，殺過那麼多的人，他見過的屍體何止成千上萬，剛才抱住她的那一瞬間，他幾乎就知道，她早沒了氣息，但是他心裡還存著萬一的指望，阿螢怎麼會死呢？阿螢怎麼可能死呢？

她是他這一生一世，要白首到老的人。

爲了和她在一起，他捨棄了太多太多；她也一樣，爲了同他在一起，她捨棄了太多太多。

在最難的時候，他曾經想過，只要阿螢願意，那麼從此後再也見不到她，他也是可以的。所以等到那日身體稍能支撐的時候，他就堅持親自去見她。那個時候朝中決意要裁撤定勝軍，但她只要脅持他，就可以與崔倚一起逃離京城，回到幽州去，恃定勝軍自重，朝中自然無可奈何。

沒人知道那個時候他在想什麼，他在想這樣也好吧，縱然此後山海相隔，只要阿螢願意，他也是可以的。

孤獨終老，他也是可以的。

但他心裡也清楚，他其實是在賭，賭阿螢不捨得這樣對他，所以他才親自去見她。果然，見面之後她心軟了，並沒有動手。

她從來沒有提過這一節，可他心裡明白，她心裡也知道，她嘴上說著惱恨的話，他心裡卻知道，她捨棄了什麼，也因此，他心裡有愧。他想過，日子還長，這虧欠，他總可以慢慢償還。

可是她怎麼能死呢？

他連半分半點，都還沒能來得及償還。

她與他經過了那麼多的事，打過那麼多的仗，生過氣，吵過架，也動過手，可是他從頭到尾，想的都是，要與她同度一生，等到頭髮白了，看兒孫滿堂。

她怎麼能死呢？

裴源趕回來的時候，日頭已經升起數丈高，昆德殿中靜悄悄的，唯有李嶷獨自坐在崔琳的榻前，他似乎已經在那裡坐了一萬年那麼久，像一座木胎泥塑。

裴源一步一步地走近，李嶷毫無反應，也毫無生氣，只是坐在那裡，一動不動。

裴源十分不忍心，半跪下來，叫了一聲：「殿下。」

李嶷似乎恍若未聞，裴源扶著他的膝蓋，又叫了一聲：「十七郎。」他本來心裡早就想好了一篇話，但一看到李嶷這樣子，反倒哽在喉嚨裡，一個字都說不出來，眼淚漱漱地落下，只滴在李嶷膝上。

見他流淚，李嶷這才微微動了動，抬頭看了他一眼，眼中全是茫然，似乎有一絲困惑，不明所以一般。

「十七郎，」裴源抬起袖子，擦了擦眼淚，勸道，「那閣樓中揭碩人有兩個活口，已經招供了，說是烏洛的弟弟烏延下手，毒殺太子妃，用的是揭碩最毒的毒藥，沾唇即死。太子妃……太子妃因此亡故……殿下得讓人進來，給太子妃換衣服，還有，城門還關著，宮裡也不知道出了什麼事，殿下要不要遣個人，去回稟陛下一聲……」

李嶷的表情更困惑了，似乎一點兒也沒聽懂他在說什麼。裴源無奈，只得起身，想喚人進來，李嶷仍舊沒有動，卻說：「阿源，你出去，別再進來。」

裴源的身形頓住，他還想再勸，但看到李嶷眼中的神色，於是將話全都嚥下，他轉身退出了昆德殿，然後親自抱著劍，守在了昆德殿門口的台階上。

李嶷不知道自己坐了多久，直坐得全身發麻。他起身的時候，竟然踉蹌著摔了一跤，他幾乎沒有摔得這麼狠過，除了上一次，他故意摔的那一回，但這次他不是故意的，他只是坐得太久了，乃至於血脈凝滯，所以才摔倒了。他並不覺得疼，反而轉過頭來，看了看榻上的阿螢。

她似乎是在沉沉睡著，但臉上並無半分生機，她早已經沒了呼吸，沒了脈搏，沒了心跳。在小樓上，他抱住她的那一剎那，他就知道了，但是他無論如何，都不能相信。

回到東宮，老范醫令說她死了，他仍舊不信。

他讓所有的人都退出了昆德殿，只有他獨自守在這裡。她那麼聰明，他們崔家還有那種假死的藥，或許她是在跟他鬧著玩，又或是，她只是嚇一嚇他呢？

他心裡存著萬一的指望，卻也清清楚楚地知道，柳承鋒既死，她必然也是凶多吉少，而且她不會這樣嚇他的。

她不會的，因爲她不捨得。

她明明知道，沒有她，他都活不下去。

她怎麼會如此狠心呢？直到剛才，裴源說出了她的死因，揭碩最毒的毒藥，他心裡最後一絲希望才失掉了。最毒的毒藥啊，沾唇即死……他的阿螢，那一刻該有多痛苦呢？

他慢慢地替她理一理頭髮。趙女使曾經帶著人，想要替她擦洗更衣，但他不許，她臉上是有汙漬，但他不想讓任何人碰她，尤其是她不喜歡的人。

他在心裡想過好多遍，比如阿螢其實是爲了他，捨棄了半壁江山，捨棄了她視若性命的定勝軍，甚至，捨棄了她視之爲傲的一切。在他傷重的時候，她幾乎連她自己的性命都要捨棄了，他什麼都來不及，自嫁入東宮之後，他甚至都來不及能讓她展顏一笑。

她身上還穿著她微服出東宮時候的衣服，是一件不甚華麗的衣服，他沒有見過，大概是她從家裡帶到東宮裡來的。這東宮，除了他之外，其實沒有一樣東西是她喜歡的。

她從來都不說，但他心裡都知道。

他起身，打開箱櫃，不知道自己在找什麼，翻了一會兒，他終於找到了，是一把簇新的算盤，他前日就令人買了，趁她睡了他把算盤偷偷藏在她的衣箱裡，心想她八成是不會知道的，到時候可以拿出來，逗她一笑。

她真的好久好久，都沒有笑過了。

「阿螢……」他慢慢摸了摸她的臉，她的臉頰是冰冷的，他喃喃地說，「阿螢，妳快醒過來，我跪算盤給妳看好不好？」

她嘴上十分厲害，其實心可軟了。從前崔倚打了他三十鞭子，他自己未覺得如何，她已經心疼得要命。他如果真拿出這把算盤來，她八成會說，男兒膝下有黃金，然後把算盤扔得老遠。

不過，在扔了算盤之後，她必然會在畫冊上畫上自己跪算盤的模樣，好似他真的跪過一般。他忽然心如刀割，那本畫冊還有那麼多白紙，可是再也畫不上一幅畫了。

他捧著她冰冷的手，心裡如同刀割一般。他太蠢了，去得太晚了；他去得太晚了，都沒能見到她最後一面，不知道她最後的時候，有沒有痛，有沒有怕？有沒有想到自己？她必然是會想到他的，在最後一刻，她心裡一定難過極了。

她怎麼能拋下他，孤零零一個人在這世間呢？她明明知道他怕什麼，雖然他從來都沒有說過，但他自幼喪母，又不見喜於自己的親生父親。他打仗的時候那樣不惜命，其實是因爲他覺得自己是孤零零一個，在這世間沒什麼可留戀的。他其實心裡是怕的，他怕所愛之人皆離他而去，他沒有了母親，亦如同早就沒有父親一般，他再沒有她，其實會活不下去的。她就是深知這一點，當日才不忍心脅持他，離京而去。

爲此她不惜捨棄了一切，孤身嫁入東宮，做這個太子妃。

他眞是太壞了，太自私了，他明明都知道，但他還是私心希冀，她可以和他在一起。爲此，他專挑了自己病得剛剛能掙扎著起來的那一天去見她，病骨支離。他知道，她一見他這樣子，就會心軟的，她會不捨得。他從來沒有這麼自私過，因爲心裡明白，其實他難以做到，眞的讓她離開，從此孤苦一生。

是他錯了，他心裡充滿了悔恨。他曾經怨恨她逼迫自己，可是他又何嘗不曾逼迫她呢？

他不知道在榻前跪了多久，也不知道過了多久，忽然恍惚聽見似是她的聲音，輕喚了他一聲：「十七郎！」

他驀地抬起頭，幾疑自己聽錯，忽然又清清楚楚聽到了一聲，這次卻聽清了，是從身後傳來的。他回頭一看，原來是那隻鸚鵡。殿中無人，不知牠何時走了過來，就如同平時那樣歪著頭，眼睛圓溜溜地看著他。

他心中大慟。這隻鸚鵡她養了好久，在大婚之前，她負氣把牠放走了，他花了好多錢把牠買了回來，可是不論他怎麼教，牠再也沒有說過話，原來她還是教會了牠一句話，想必是她天天在牠面前念，牠才知道他是「十七郎」。

眼淚奪眶而出，潸潸地落在衣襟上，也滴在他自己的手背上。鸚鵡見他哭了，忽然又轉了轉眼珠，說道：「傻狍子。」

說話的語氣，竟然與她平時一般無二。他想起從前種種，想到她親暱地叫自己傻狍子，想到她如何每日百遍千遍才能教得這隻鸚鵡開口說話，再也忍不住，抱著她號啕大哭起來。

裴源一直守在殿外，聽見殿中終於傳出李嶷的哭聲，再也不忍心聽，起身去喚來了趙女使，說道：「去將太子妃的衣服送來，還有熱水。」

趙女使惶然無措，其實東西是早就預備下的，過了片刻，她便領著人送了過來。裴源也不用她們，自己將東西都拿進去，就放在殿門內，也不多看，悄無聲息地退出來，仍舊關好了殿門。

李嶷也不知道自己是如何替阿螢擦乾淨臉頰，又給她換上了衣服。她還是沒有醒過來，而且穿衣服的時候，她的身體已經僵硬了，他很費了一點功夫。他在耐心做這些事的時候，心裡其實什麼都沒有想，也什麼都想到了。

阿螢不喜歡這東宮，他其實也不喜歡，他就應該早早帶阿螢回牢蘭關去，那裡才是他們應該去的地方。

把她外裳上最後一個衣結打好，打得端端正正。他其實不會打女子的衣結，所以他是打男子的衣結，但阿螢定然不會嫌棄的。他將她抱起來，她其實比昨晚還要輕，可是又很重，重得他好似都抱不住了。其實她一直很輕，平時只要他輕輕一攬，就能將她抱起來了。

他獨自帶她去了樂遊原。

早春時分，還是春寒料峭，樂遊原上地勢更高，也比西長京裡更冷，湖中還結著薄薄的冰。他抱著她，一直走到那株巨大的合歡樹下。他唯恐她受了寒，不僅給她穿上了又厚又暖的衣裳，還給她裹了一件大氅。氅衣原本是他的，所以裹在她身上，又大又長，他心裡十分難過，就那樣擁著她，坐在合歡樹前。

他想起了從前，想到他和她第一次到樂遊原上，好像也是這樣一個寒冷的晚上。天地冷得像琉璃世界，像水晶宮，但那時候他心裡滿滿都是歡喜，縱然受了一點委屈，但是她從東都奔來見他。那時候他在想什麼呢？縱然有幾分委屈又有什麼要緊，他還有她，他還有阿螢，她會緊緊地抱著他，這世上，還有一個人將他視作珍寶，愛他如適自己的性命。

他已經不想哭了，也哭不出來了，他知道自己這一天一夜，是快要瘋了。太陽已經西斜，這一天又已經快要過去了，但是她永遠醒不過來了。他木然地伸出手，拉住她的手，雖然裹著厚厚的衣服，但她的手早就已經冷得像冰塊一般。

他在心裡想，阿螢的手都已經這麼涼了啊。他從來沒有這麼害怕過。從前她曾經數次說過，她的母親曾對她說，一定要好好活著。現在想起來，幾乎如同故意一般，她是怕有一天她比他早走了，他不肯好好活著；可是她要是走了，他要怎麼樣才能活下去？

阿螢，他摟緊了她，在心裡默默地想：我知道我不能死，也不該瘋，但就讓我任性這一晚上吧。在天亮之前，我不是什麼太子，也不用再管這天下怎麼辦，我就只是阿螢的十七郎，就咱們兩個，安安靜靜地待在這裡……

太陽終於落下去，月亮升起來，他一直摟著她坐在那裡。身後的合歡樹現在光禿禿的，但他知道，春天會來，合歡樹會長葉子，也會開出新的花朵，她就靠在他的肩頭，就像從前一樣。

他一動不動，眼睜睜看著月亮也漸漸西沉，大地陷入了一片黑暗，過了不知多久，東方終於露出了魚肚白。

第一縷曙光跳出了地平線，太陽升起來了，瞬間刺得人睜不開眼。他扭過頭去，溫柔地注視著她的臉龐，她的唇上早就已經沒了血色，微微泛著青灰，他心如刀割一般。想到崔倚曾經說過，阿螢的母親死後，他曾經萬念俱灰，這一刻，他何嘗不是萬念俱灰？但是崔倚說幸得還有一個孩子，才能支撐著他活下去，但他的阿螢，什麼都沒來得及給他留下。

從今以後，他要怎麼才能活下去？

他細心地替她整理被晨風吹亂的鬢髮，最後一次親吻在她的唇上。他終於是失去了她，在這世上，他最後竟還是孤零零的一個。

他帶著阿螢回到了東宮，裴源仍舊在東宮等他，他甚至對裴源笑了笑，叫了他一聲：「阿源。」

裴源被這個笑幾乎嚇住了，但他知道什麼都不能勸，只是小心翼翼地說道：「殿下，有樁要緊事。有個叫阿恕的人，是從前柳承鋒的舊屬，他昨天晚間就自投了金吾衛，一層層報上來，說有要緊事要見您，我令人如何拷打盤問，他都一個字不肯說。」

李嶷聽說是柳承鋒的舊屬阿恕，心中刺痛。過了片刻之後，下了決心，說道：「那就帶他來見我吧。」

皇帝自從早晨起來，就心驚肉跳，其實昨天一整晚。他都沒有睡好，一直做惡夢，因爲東宮裡亂作一團，最後還是顧婉娘進宮來稟報皇后，說是太子妃薨了。

皇后被嚇得不行，連忙帶著顧婉娘到皇帝面前來。顧婉娘其實也說不明白到底怎麼回事，只知道傳了老范醫令來，還有范醫正，都說太子妃已經薨了。

皇帝急忙問：「太子呢？」

「太子殿下獨自抱了太子妃，出東宮去了。」顧婉娘著實被嚇著了，她素來膽大，但是親眼目睹那一刻，也覺得太嚇人了。

李嶷的樣子像是誰敢攔著他，他就一定會殺了誰。

也是從那一刻，她徹底地心灰意冷。從前她一直覺得自己只要耐心等待，總會有機會的，但是那一刻，她知道，既然崔琳已經死了，李嶷再不會多看這世上任何女人一眼，他壓根自己都不想活了。

皇帝心裡也很害怕。他曾偷偷地告訴吳國師，自己特別討厭一個人，吳國師聽完之後，淡然笑著說，陛下爲眞龍天子，這世上陛下討厭誰，那個人就該死，然後也不問是誰，只是問他要那個人的生辰八字，皇帝知道這種世外高人，都有著神仙手段，他一時狠心，就把崔琳的生辰八字，給了吳國師。

崔琳是太子妃，欽天監曾經因爲大婚，替太子和太子妃合過八字，皇帝偷偷召來欽天監，一問便知道了她的生辰八字。

崔氏的生辰八字是三天前給吳國師的，皇帝也沒想到，竟然這麼靈驗，崔琳就眞的忽然死了。

這事如果讓李嶷知道，他定然會要了自己的命，皇帝坐立不安起來。在李嶷跪在雨中吐血的那天，他就已經知道了，李嶷爲了崔氏，是會連他自己的性命都毫不顧惜的，如果他知道是自己讓吳國師厭勝[7]死了崔氏，他一定會……一定會弒父的。

皇帝惶恐不安了半晌，終於還是召來了顧祄，支支吾吾，半含半露，說出了太子如果謀反，自己該怎麼辦。

顧祄聽聞了這話，驚得幾乎跳起來，他說道：「陛下何出此言？」

皇帝心想，武將以裴獻爲首，他乃是太子的嫡系，鎮西軍一脈，又掌握禁軍，可信之人，唯有顧祄了。於是源源本本，將自己如何令吳國師厭勝太子妃崔氏之事都說了，哭喪著臉說道：「如今崔氏既死，太子一定不會放過朕的。」

---

7 編按：意即「厭而勝之」，指用法術、咀咒以達到壓制、戰勝人或妖魔鬼怪的目的。

顧衸定了定神，心想這倒是個絕佳的機會，可以好好謀劃一番，便問道：「陛下，此事還有旁人知曉嗎？」

皇帝搖了搖頭，說道：「這般機密，便是皇后，也不曾令她知曉。」

顧衸道：「既無旁人知曉，太子便無憑據；太子無憑無據，若膽敢對陛下不敬，那就是謀逆。再說了，陛下乃是天子，就算想要賜死崔氏，亦不過一道聖旨的事，太子生為人子，安能以此怨恨於陛下？」

皇帝本就心驚肉跳，聽到顧衸如此說，不由得心中大慰，含淚道：「顧相知我……」他心中甚是後悔，說道，「其實我也不是眞要賜死崔氏，我只是覺得她討厭，所以才跟吳國師說了一說，誰知道吳國師的法術竟然這麼靈驗，竟然一下子，就把她給咒死了呢……」說到此處，皇帝不免又憂心忡忡起來，「顧相，太子如今仍舊令九城城門緊閉，朕數次派人傳喚，他都不肯入宮來見朕，他是不是打算……打算殺了我，自立為帝？」

顧衸心中，早有全盤之策，聽聞皇帝這樣說，便從容道：「陛下聖明，太子不見得會做如此悖逆無道之事，但如今內外相隔，音訊斷絕，陛下不可不防，尤其禁軍，孫賊前車之鑑，如今亦不遠矣。」

皇帝聽了這話，越發慌張，便問顧衸有何良策，當下顧衸便謀劃一番。皇帝聽了，深以為然，便立時命人取來玉璽，連下數道聖旨。

第一道旨意，便是派人去東宮，責令太子，交出禁軍兵符。顧衸道：「若是太子殿下奉旨，那麼說明殿下絕無異心，陛下一試便知他眞正的心意，拿到兵符之後，陛下再派可信之人，執兵符、聖旨，前去接管禁軍。」

皇帝期期艾艾，問道：「那若是太子不奉旨呢？」

顧衸道：「太子若不肯交出禁軍，那就不僅僅是抗旨，確實是想謀反了。」他心裡明白，李嶷八成不肯交出禁軍，那就大有可爲。皇帝素來糊塗而愚蠢，對太子又毫無信任，倒是可以大加利用。

皇帝聽到此處，不由得打了個寒噤。顧衸又道：「臣府中有一些親衛，皆忠實可信，陛下可以恩准他們隨臣入宮護駕。禁軍六部首領之一的蔡昭，原是先帝手裡的老人，與鎮西軍素無來往，可以一用。兵部侍郎郭昌霖是臣的二女婿，臣敢擔保他對陛下忠心耿耿，絕對是可信之人。到時候萬一太子不奉旨，臣與郭昌霖、蔡昭等先護衛陛下出宮，直奔驪山，然後在那裡宣召群臣，廢黜太子。若太子眞要謀反，只要先令其沒了太子名分，這樣，他哪怕有大逆不道之心，附庸他的人也會少很多。」

皇帝聽完，不由得連連點頭。顧衸又指出文臣中有何人忠心耿耿，武將中誰人又與裴家素來有嫌隙，可堪驅用，聽得皇帝感慨萬分，拉著顧衸的手說道：「幸得有顧相！」又聽從顧衸的謀畫，將代表皇帝旨意的金牌交給他，任由他去做種種布置和安排。顧衸持了金牌，心中掠過一絲驚惶，只想拿著這金牌打開城門，逃之夭夭，但亦明白逃之無路，若是逃走，只怕斷無生理，唯有拚力一搏。

責令李嶷交出禁軍兵符的聖旨傳到東宮的時候，李嶷正審完阿恕，他源源本本，將一切物證呈上，李嶷此刻方才知曉。

原來孫靖早就與顧祄有勾結。先帝對待臣子，確實稱不得寬厚，孫靖與顧祄來往甚深；孫靖謀逆，其實顧祄早就參與其間，但是孫靖弒殺李氏闔族之後，顧祄反退了一步，不知如何說服了孫靖，擺出了一副忠君不二的模樣，不肯爲貳臣。

一時顧祄的風骨，令朝野間欽佩，後來顧祄見孫靖大勢已去，於是暗中又通過顧婉娘，與李嶷裡應外合。孫靖身死，原本這個祕密永遠都要被埋葬，偏偏孫靖在送走魏國夫人和自己長子的時候，連同與顧祄的書信一起，皆送往南越。

後來崔倚領兵滅了南越，奪得魏國夫人和孫靖長子，麾下人抄檢出這匣書信，彼時柳承鋒還是崔公子的身分，就此交給了柳承鋒。柳承鋒獲得這匣書信，如獲至寶，便隱匿下來，不曾令崔倚知曉。

柳承鋒利用這匣書信，聯絡到顧祄。顧祄受制於他，於是謀劃了栽贓崔倚，裁撤定勝軍之事。

李嶷聽到此處，方才明白過來，他曾經反覆思量，覺得當日加里與柳承鋒栽贓崔倚之事，甚是老辣，其中種種情形，唯有對朝中局勢人心，皆深有洞察之人才能辦到。其中文武之間，群臣之間，甚至君臣父子之間的種種微妙之處，不是輕易可以謀算的，原來是顧衸。

怪不得，只有他，如同閃電劈開烏雲。李龑忽然心頭明白過來，他一直隱隱覺得，哪裡不對，原來是顧衸。顧衸有這樣的把柄落在柳承鋒手裡，那麼必為揭碩所用，此後種種，不問可知。

阿恕既已和盤托出，又得知柳承鋒已死，便只求一事，想要將柳承鋒的屍體歸葬。

李龑不置可否，只說道：「柳承鋒依附揭碩，裡通叛國，陷害崔大將軍，罪無可恕。」

阿恕並不知道崔琳已死，又苦苦出言懇求：「草民自知罪孽深重，萬死莫贖，還請殿下……還請殿下……若是太子妃得知……不，還請殿下不要告訴太子妃，就讓她以為公子還活著吧。」

李龑心中劇痛，一時竟幾乎又落下淚來。他強自忍住，微一示意，左右便將阿恕帶了下去。他緩緩起身，裴源心急如焚地走進來，告訴他，皇帝剛剛下了聖旨，要求太子交出禁軍的兵符。

李龑說道：「兵符定然是不能交，顧衸蠱惑陛下，想要篡奪禁軍兵權，而後挾持陛下。他打錯了主意，只要我在這西長京，他就不要想行此謀朝篡位之事。」他對裴源說道，「如今還有一戰，我要與太子妃一起，並肩而戰。」

裴源只覺得李龑傷心得糊塗了，也傷心得太狠了，可是他知道怎麼也無法出言相勸，只得跺一跺腳，轉身離去，自去布置一切。

李嶷親自替崔琳換上了戰甲，然後將她輕輕放進棺木中。他半跪在棺前，幫她整理著盔甲和頭髮，十分眷戀地伸手摸了摸她的臉。

「阿螢，阿恕同我說不必告訴妳，柳承鋒已經死了。現在我竟然有些嫉妒柳承鋒了，他竟然可以跟妳一起死。世上癡心的人眞多啊，阿螢，若是我死在妳前頭，我寧可也教妳一生一世，都被牢牢瞞住才好。不然，像我這樣傷心欲絕，我眞是怕妳要哭壞了……」他說到此處，忍不住一滴熱淚，就那樣落了下來，滴在了她的臉上，然後，又是一滴，過了片刻之後，他方才伸手，輕輕拭去落在她臉頰上的眼淚。

「阿螢……他們說，不能將淚落在亡者的臉上，不然就會是下輩子的胎記，可是我忍不住，萬一下輩子妳臉上眞的有胎記，神靈保佑，一定讓我再遇見妳，我一定能認出妳來。妳就算滿臉都是胎記，我也一定娶妳爲妻……就是這一世奈何橋上，妳只怕要等我很久很久了。」他拿起她的劍，從劍鞘中抽出。他將劍鞘放進棺中，然後抬起她的手臂，將劍柄放在她掌中虛握著。劍身泛著寒光，映著她的臉。他輕聲道：「阿螢，這是妳的佩劍。從前有無數次，妳我並肩而戰。今日，我也要帶著妳，讓妳親眼看著，就當是妳我，再次並肩而戰吧。」

皇帝雖然連下數道聖旨，但一直忐忑難安，坐在宣政殿中，只彷彿如坐針氈。倒是顧祄不斷安慰他，說道：陛下放心，太子如果眞的悖逆謀反，老臣拚了這條命，也一定護得陛下周全。何況還有蔡昭，他率著禁軍六部之一，守在玄武門，不會讓太子帶兵闖進來的，外頭還有郭昌霖接應，萬一不敵，咱們還可以退往驪山。」

皇帝哭喪著臉，眼皮直跳，只覺得凶多吉少，因爲玄武門實在是……發生過太多次慘禍了。前朝自不必說了，便是本朝，孫靖也是從玄武門帶兵進宮的，又再十幾年前，韓王謀逆，也是差點在玄武門刺駕成功……唉，他的眼皮一直跳，心裡也一直驚跳，若是吳國師在此處就好了。不，吳國師知道厭勝太子妃崔氏一事，顧祄說得將吳國師遠遠地送走，最好是殺了滅口，但皇帝不捨得，思忖事後還是偷偷送走吧。且不說皇帝在那裡胡思亂想，忽有一名內侍慌慌張張衝進殿中，倒頭便拜，氣喘吁吁道：「太子……太子殿下抬著太子妃的棺木，進宮來了。」

皇帝聞言，頓時慌了，心想李嶷竟然抬著棺木進宮，這是要與自己對質，好殺了自己，立時高聲道：「他這是要做什麼？不准他進來，把他打出去！」

顧祄見此情狀，便道：「太子不肯交出禁軍兵符，擺明了是要對陛下不利了。陛下，下一道旨意吧，如果太子膽敢闖宮，可以令蔡昭對太子格殺勿論！」他只想趁機攛掇皇帝下旨，這樣蔡昭名正言順，可以率人在門樓上用弩弓將李嶷射殺在玄武門外。

玄武門門樓巍峨高聳，十分堅固，李嶷哪怕帶了千軍萬馬，想要衝進玄武門，也殊爲不易。

偏此時皇后聞訊，匆匆趕來，聽得這句話，連忙高呼：「陛下，萬萬不可啊！陛下只此一子，太子又沒有犯什麼大錯，陛下怎麼能下這樣的旨意呢？」

皇帝想說自己令吳國師咒死了太子妃，但左思右想，終於還是將這句話忍了回去。顧衸便趁機說道：「陛下，這道旨意，也不是真要殺太子，陛下可以命蔡昭在宮門之上，向太子殿下高聲宣讀此旨意，若是太子就此回頭是岸，不再闖宮，願意交出禁軍兵權，那不是皆大歡喜嗎？如果太子殿下聽了陛下的旨意，還執意要帶兵闖宮，那就擺明了有不臣之心，那就是想要謀反弒殺君父，這樣的亂臣賊子，人人得而誅之！」他心知李嶷必不會奉旨，那就會闖宮，到時候蔡昭再動手，亦是名正言順。

孰不知，李嶷帶著東宮的羽林軍到了玄武門下，聽聞蔡昭在門樓之上，高聲念出這道聖旨，李嶷一言不發，只一伸手，早有人遞上他所用的強弓長箭。他彎弓搭箭，門樓上左右見狀，皆拿了盾牌來遮護蔡昭，不想李嶷臂力驚人，這一箭急若流星，左右遮掩不及，一箭便射死了蔡昭，玄武門內不由一陣大亂。

顧衸其實早就想說服皇帝出宮去驪山，但偏偏皇帝不肯。他雖然耳根子軟，膽子小，卻認為在宮裡待著是最安全的，或許是當年在蔡州出城反被堵截的事令他心有餘悸，不論顧衸如何遊說，他就是不肯移駕。

待聽聞蔡昭竟然被李嶷一箭射死，顧衸心中大駭。縱然往日聽聞秦王勇武，不想自己不知軍事，不料李嶷竟有如此能耐，那蔡昭竟然能被他一箭射死。玄武門上下高數百尺，這李嶷用得何等弓箭，又有何等臂力？他心知今日只怕不妙，一咬牙，便示意左右，那些人其實只有寥寥不多是顧府的私兵，絕大多數卻是揭碩派來的武士喬裝所扮，皆是烏延所部的精銳，頗為勇武，一擁而上架住了皇帝，顧祄道：「陛下，再不能等了，咱們先移駕驪山吧。」

皇帝來不及說話，已經被諸人架了起來，匆匆往殿外而去。顧祄見狀，轉身就走，他早就謀劃好了，皇帝一行人會由丹鳳門出宮，引開李嶷，而他自己，則從通訓門出去，他早令人在那裡備有快馬。事發倉促，自從揭碩人找上他，說出他為柳承鋒謀劃誣陷崔倚之事，他心知事情敗露，此事萬萬不能讓李嶷得知，不僅在朝中再難有容身之地，只怕滿門性命不保。他思慮再三，本想利用天家父子的嫌隙最後一搏，但如今顯然這一搏並不成功，那還是暫且逃走吧。

皇帝稀裡糊塗，被人架著，還沒到殿外，殿門忽然被人踹開，全身著甲的李嶷已經提著劍走進來，身後正是十六人，抬著一具棺木，那棺蓋並未闔上，想必就是太子妃的棺木。皇帝一見李嶷進來，早就嚇得癱軟在地，而顧祄雖心中慌亂，不知為何李嶷竟然來得這麼快，難道玄武門內竟絲毫沒有人阻攔他？

他強自鎮靜，朗聲質問：「太子殿下持劍入宮，這是要謀逆嗎？」

李嶷冷冷地瞥了他一眼，說道：「你裡通揭碩，脅持父皇，枉我之前視你作文林領袖，以為你有錚錚風骨。原來你早就與孫靖勾結，你才是這朝中最大的奸臣。」

顧祄見皇帝瞠目不言，便說道：「太子這是為了謀反，開始誣陷忠良了。陛下，請下旨，將太子拿下。」皇帝早嚇得牙齒打架，再說不出半個字來，一名揭碩武士見狀，早就劍一橫，架在皇帝頸中，此人乃是烏延的親信叫作格勒，極為悍勇，烏延既死，便是他做這揭碩在京中諸人的頭領。皇后見狀尖叫一聲，差點嚇昏過去，也被人挾制住。

顧衸拿了皇帝的金牌，早就命人在這殿中布置了重弩，對準李嶷諸人。

顧衸壯起膽子來，說道：「你把劍扔了，備上快馬，命令沿途州縣不得阻攔，讓我們平安離去。」

李嶷看著被嚇得全身發抖的皇帝，輕蔑一笑，說道：「你把他殺了吧，他從來都不是我的父親，我在心裡恨透了他，昏聵無能，愚蠢懦弱，他不配做這個天下的君主，也不配做我的父親。」顧衸一怔，李嶷又道，「殺了他，我還不必背上弑父的惡名，動手吧，快些動手！」說完，便轉身朝殿外走去。皇帝聽了他這一番話，頓時涕淚橫流，張著嘴，想要號哭卻又不敢。

顧衸未料到李嶷竟如此說，一時也怔住了。李嶷還未走到大殿門前，突然一個回身，袖中一枚短刀擲出，挾持皇帝的那揭碩人格勒手中的刀被短刀擊中撞飛，皇帝本能往前一竄，想要逃走，格勒反應極快，一把抓住皇帝將他重新拉回自己身前，顧衸也反應過來，大叫：「放弩箭！放箭！」

弩機皆是由埋伏下的揭碩人控弦，聞言頓時重箭脫弦，李嶷揮劍格擋。裴源率人早就衝了進來，那些揭碩武士挾制著皇帝，且戰且退，轉眼間就退到了殿門口的棺木邊。皇帝一見了崔琳的棺木，嚇得全身痠軟，刀子立時就在他頸中劃出一道血痕。皇帝嚇得大叫：「救命！快救我！」顧衸高聲道，「李嶷，你今日眞的要坐視君父被弑嗎？你以爲你當了皇帝，就堵得住天下悠悠人之口嗎？」

裴源聽得分明，心一橫，心想不如自己殺上去，若是皇帝死了，那也是自己這個做臣子的救護不力，與十七郎無關，但殿中弩箭橫飛，眼見皇帝就要被弩箭射中。格勒知道這是護身符，將皇帝的頭一按，避開這一箭。顧祄又大叫：「太子謀反！太子要弒殺陛下……」皇帝被這麼一嚇，也嗷嗷哭叫起來，只喊：「李嶷，你今日竟不願救我嗎？」裴源心中又急又怒，只恨不能堵上他的嘴。

便在此刻，突然有人自棺中一躍而起，手握長劍，刺向格勒。格勒猝不及防，被她一劍斜著洞穿肩頭，血噴到皇帝的後頸中。皇帝見有人從棺中躍起，此人竟然是崔琳，以爲詐屍還魂，崔氏竟向自己索命來了，直嚇得哇哇亂叫。崔琳推開皇帝，拔出劍又狠狠朝那格勒刺了一劍，格勒撲地而亡。

李嶷揮劍擋住射向自己的弩箭，只是震驚無比，錯愕、驚喜、難以置信地看著她。阿螢！他一定是在做夢，不不，他不是做夢，是阿螢。他癡癡怔怔地看著她，顧祄想要趁亂逃走，他反手一劍擲出，顧祄被一劍從後背穿透，掙扎著死去。

他終於叫了一聲：「阿螢。」

她揮劍擋開一枝射向他的弩箭，問：「你哭什麼？」

他又想哭，又想笑，只是說：「我以爲妳死了。」說著話，一腳將一名偷襲的羯碩武士踢開。

「我知道。但現在我明明好好的，你哭什麼？」

「我不知道，大概是太高興了吧。」他飛快地捏住她的下巴看了一眼，百感交集，眼淚又忍不住湧出來，「是妳，眞的是妳。」

她說：「別說傻話！」她一劍刺死一名揭碩武士，說道，「可是，我也很高興。」裴源已經帶人控制住了所有的弩箭，餘下的揭碩武士，皆被一一殺死。李嶷的劍尖上淌著鮮血，皇帝早就嚇昏了過去，癱軟倒在地上。李嶷什麼都顧不上了，拉著她的手，一直往外走，外頭大太陽照著，他拉著她如同飛一般，奔下高高的台階，一直來到了殿前的橫街上。

阿螢，是他的阿螢！

他只想大喊大叫，不，他想哭，想長歌當哭，想號啕痛哭。「噹啷」一聲，是他手中的長劍落地，他捧住了她的臉，深深地吻她。

她也扔掉了手中的劍，她抱住了他，深深地回吻他。

他的眼淚滾燙地落在她的臉頰上，她也在哭，這一刻是如此地彌足珍貴，也是如此地幸福。

吻了好久好久，遠處的喧囂，殿中的廝殺，彷彿都如同隔世一般，他旁若無人地捧著她的臉，仍舊是又哭又笑。「阿螢，妳眞的沒有死，我是不是在做夢。」

「沒有。」她也捧著他的臉，踮著腳尖，用自己的嘴唇貼著他柔軟的唇，「十七郎，是我，眞的是我。」

他將她攬入懷中，如重新攬住這世間所有的一切光明、溫暖和幸福。

尾聲

阿稻和阿枕聽到此處，一時都迷住了。阿稻到底大幾歲，先叫起來：「阿娘！那妳是怎麼活過來的？妳怎麼就能從棺木裡面，忽然跳出來？」

「這也是我後來才想明白的。」崔琳道，「你阿爹說，當初那個閣樓上，燈火昏暗，想必是柳承鋒在餵我吃毒藥的時候，趁人不備將藥偷偷地換了，換成了假死之藥。」

「柳承鋒這麼壞，就做了這麼一件好事。」阿稻說道，「那他又是怎麼死的呢？」

「他或許是想給我報信吧，」李嶷說道，「所以才不惜摔死在我馬前，但在那之前的一刻，揭碩人就割破了他的喉嚨，令他發不出聲音來，所以我才不知道你娘並沒有死。」說到此處，他不由得怔怔地出神，也因此緣故，他將柳承鋒的骨灰交給了阿恕。據阿恕說，他會把柳承鋒的骨灰拋撒到山青水秀之處，那是許久之前，柳承鋒曾提到過的，他說：「我是個應該死無葬身之地的人，就將我的骨灰，揚撒到四處吧。」

阿枕扁了扁嘴，說道：「但他還是一個壞人。」

「對，他還是一個壞人。」崔琳說道，「所以我們要做一個好人。」

阿枕又問：「那桃子姨姨呢？她為什麼沒有死？」

不等李嶷、崔琳說話，阿稻已經叫起來：「妳傻啊！桃子姨姨不是給妳看過她的傷口，好長一道，幸好范醫令把她救活了，范醫令還說，耳朵叔叔哭得像個淚人兒一樣。」

「我不信，范醫令還說，阿爹哭得像個淚人兒一樣，阿爹怎麼會哭呢？」阿枕理直氣壯起來，「范醫令騙人，我從來沒有看到阿爹哭過，再說了，阿爹是天子，天子是絕不會哭的。」

李嶷心想，小范醫令如果得知阿枕這麼說，八成眞會在家中哭吧。這小范醫令都快四十歲的人了，竟然還如此不穩重，跟小孩子提這些話做什麼，不知道童言無忌嗎？明日就下旨，令他去給玄妙眞人瞧病。

顧祄勾結揭碩，賣國謀逆，按律該當滿門抄斬，但李嶷仍舊從輕發落了，並沒有株連太多，只是查清楚之後，殺掉了犯惡之人。而顧婉娘無以自容，自請出家爲道，改名玄妙，被稱爲玄妙眞人，但她總是生病。後來李嶷從裴源處才知道，她是瞧上了小范醫令，奈何小范醫令說自己早就有了心上人，這麼多年了，卻一直不肯娶妻。

小范醫令的心上人是誰，顧婉娘一直想知道，李嶷也挺想知道的。不過此時他心中惱恨，決定再令小范醫令去一趟道觀裡，令他也好生受受這俗世煩惱。

李嶷蹲下來，抱著女兒，說道：「阿爹沒有哭過，阿枕說得是，阿爹當然是不會哭的。」阿枕眼珠子轉了轉，指了指攤開在几案上的那冊圖畫，那一頁正是畫著樂遊原上的情景，她便問道：「阿爹，阿娘，你們還會帶我和哥哥去樂遊原嗎？」

「會的。」李嶷一手攬著女兒，一手攬著阿稻，說道，「爹爹一定會帶著你們，還有你們的阿娘，再去樂遊原上，看春來花開，秋來葉落。」

阿枕甜甜一笑，依著李嶷。「我最愛爹爹了！」

阿稻卻朝妹妹扮了個鬼臉。「妳昨日還說，最愛翁翁了。」

「翁翁也愛，爹爹也愛。」阿枕趕緊說，「阿娘我也最愛，阿兄我也最愛。」她想到忘了人，又趕緊補上，「玄澤小叔叔我也最喜歡！」

李嶷不由得一笑。待得一雙兒女都睡下了，他才轉出外間來，對阿螢說道：「我養得這麼好一個女兒，眞不甘心，不知到時候會教哪個臭小子騙了去。」

她不過噗哧一笑，指了指壁上掛著的那條鞭子，說道：「那你到時候用鞭子抽他便是。」「三十鞭子……不，五十鞭子，一鞭也不能少！」他笑著擁住她，在她鬢邊輕吻一下。她笑吟吟地說道：「當初你爲了娶我，只挨了三十鞭，爲什麼你如今還要加上二十鞭，難道女兒就比我更嬌貴難得？你今日不說個清楚明白，別想睡覺。」

他一時怔住，過了半晌，四顧茫然，說道：「算盤呢，妳拿過來我先跪下吧。」

聽他這麼說，一旁的鸚鵡不由得驕矜地踱了兩步，撲了撲翅膀，用圓溜溜的眼睛看著他，聲音與她平時說話的語氣幾乎一般無二，維妙維肖，歪頭道：「傻狍子。」

添泰二年，帝禪位於皇太子李嶷，改元翔隆，冊封太子妃崔氏爲皇后。自此，大裕亂世終至平定，四海昇平，八方寧靖，史稱中興。後李玄澤繼位，改元盛和。盛和帝崩後，第三子李澶繼位，改元熙永。後二十年，熙永帝崩，第五子李承鄴繼位。

（全文終）

番外一　阿枕和阿稻

依著舊例，端午這日，昆明池是要賽龍舟的。西長京闔城的百姓攜家帶口，湧到昆明池邊觀看這一年一度的盛景，所以到了端午這日，昆明池邊水泄不通，無數人帶了蒲扇、竹席、坐臥之具，並果子飲饌，點心糕餅，席地而坐。至於那等富貴人家，自有豪奴提前數日便占了湖邊觀景上佳的位置，搭了看棚，張開帷幄，護著主人飲酒作樂，只待觀龍舟競發。

更有那做端午節生意的小販，於人山人海中穿梭叫賣應節之物，譬如雄黃、角黍、糕餅、彩絲……等等形形種種，繁華不堪。

裴詵站在端午節的毒日頭底下，只覺得豆大的汗正從額頭上沁出，他舉袖拭了拭汗，哭喪著臉，對攀在樹上正四處張望的錦衣少年說道：「我爹知道了，非打斷我的腿不可。」

那錦衣少年攀在樹上，放眼望去，湖邊密密麻麻，何止有千人萬人，聲音中不由帶了幾分氣惱：「這會兒知道怕了？早先幹嘛去了？你明明知道阿稻那個人，最是滑頭不過，怎麼他說，你就肯信？」

裴詵不由帶了幾分委屈。「我怎麼知道他會誑我，畢竟阿枕也在呢，誰知他竟然帶著阿枕一起跑了。」

那錦衣少年從樹上跳下來，沉吟道：「阿枕人小腿短，走不快，平日不過行數步，便要姆姆抱，阿稻帶著她，走不遠。只是此處人多，實在難尋。」

裴詵不由抖了抖。「殿……」方才說了一個字，那錦衣少年瞪了他一眼，他便訥訥改口：「小郎君，還是趕緊告訴我爹，叫他調動禁……調動人手來尋吧！」

錦衣少年拾起一根樹枝，在地上沙土中飛快地劃出痕跡，邊畫邊講：「你看，這是昆明池，這是曲江，這道吞虹橋，是絕佳觀賞龍舟之處，但橋上人多，他們兩個年紀小，必占不得好位置。這裡，是漱玉亭，亭邊多柳樹，素日有蔭涼，阿枕怕熱，八成他們兩個會在這裡，我們先過去尋。」他扔掉樹枝，拍了拍手，說道，「若是漱玉亭前尋不到，那就再去白龍橋底下，若是此二處都尋不著，回去告訴你父親也不遲。」

裴詵連忙點點頭。

卻說白龍橋底下大石上，阿稻正拿了一塊花糕，與阿枕一起分食，兩人吃得津津有味，只是阿枕年幼，粉團一般的臉，用兩隻小手捧著糕餅，吃得滿臉都是碎屑。阿稻便伸手替她擦拭，說道：「這裡是不是很好？又蔭涼，待會兒又能看到龍舟。」

阿枕笑得兩眼彎彎，捧著糕餅。忽聞昆明池上如驟雷一般響起鼓聲，旋即兩岸喝彩聲暴起，震動雲天，原來是龍舟開賽了，只見琉璃一般的湖面上，幾艘狹長的龍舟便如離弦的箭一般，飛快地划向前方。龍舟經過之處，兩岸觀者如堵，喝彩聲驚嘆聲幾乎將龍舟的鼓聲都快要壓下去了。

阿枕連忙站起來，只是她人小腿短，踮著腳張望，阿稻卻將糕餅往嘴裡一塞，抱起阿枕，讓她坐在自己肩上。阿枕快活地咯咯笑，說道：「看到了！看到了！」阿稻扛著妹妹，快活地看著湖上龍舟競發。兩個人正高興時，忽然一張偌大魚網從天而降，將他們牢牢兜住，阿稻大驚，待要去摸腰間的匕首，阿枕已經哇一聲哭出來。

阿枕哭了一路，裴詵自不必說了，被阿枕拳打腳踢，還在他手腕上咬了一口。阿稻倒是鎮定，在車裡一言不發，臨下車之時，才問：「你們如何找得我們？」

那錦衣少年一路騎馬押車送他們倆回來，此時冷笑一聲。「連昆明池的地勢都沒弄明白，還想要溜出去看熱鬧？」

阿稻瞪了他一眼，錦衣少年便道：「你瞪我做什麼，看回頭是不是這般問你。」

阿枕在車上直哭出了一身汗，被姆姆接過去，洗過澡，換了衣裳，連頭髮都重新梳得整齊，手臂上又繫了五彩絲線，被姆姆抱了去南薰殿，只是眼睛腫得如同核桃一般。只見阿稻連衣裳都沒換，就老老實實跪在南薰殿前。

阿枕便伸出手，姆姆拗不過，只得將她放在地上。阿枕挪著小小腿兒，扭啊扭走到阿稻身邊，看了看阿稻，撲通一聲，也跪下了。

只聽簾櫳聲響，兩個宮娥掀起簾子。今日雖是過節，但皇帝素來避此節，因此燕居宮中，此刻只披了件素色外衣，手裡拿著一根光可鑑人的竹尺，沉著臉走到阿稻面前，還沒說一句話，阿枕小小的身軀已經撲上前，抱住了皇帝的腿，扯開嗓子嗷嗷大哭：「阿爹，不要打阿兄，你就打我吧……是我讓阿兄帶我去玩的……不怪阿兄……」

皇帝手中的竹尺不由垂下來。阿枕哭得驚天動地，氣噎聲堵：「阿爹不喜歡阿枕了嗎？阿爹生氣了嗎？阿爹就打阿枕好不好？」

皇帝將粉團子似的女兒抱起來，阿枕抽泣著伸出小短胳膊，試圖去摟住皇帝的脖子，但皇帝硬起心腸，將女兒塞進姆姆懷中，渾不顧阿枕哇一聲又哭起來，只冷著臉問跪在地上的阿稻：「你錯在哪兒？」

阿稻垂頭喪氣，說道：「不該帶妹妹出去，既帶出去了，就不該教人抓回來。」

皇帝還是沉著臉。「你阿翁是當世名將，你小叔叔跟著他學兵法數年，若是連你都抓不回來，那也白學了。」

阿稻有些不服氣。「那是因爲我帶著阿枕走不遠。」

「給你一匹馬，你先走三天，看你小叔叔能不能將你追回來。」皇帝的話音未落，簾櫳聲響，皇后已經從殿中出來。阿枕一見了她，連假哭都忘記了，仰著嫩嫩的臉，伸出小短胳膊，叫了一聲「阿娘」，到底又擠出幾顆眼淚，鼻尖紅紅的，要多可憐有多可憐，要多委屈有多委屈。

皇后有些啼笑皆非，看了看皇帝手裡的竹尺，沒有搭理女兒，卻將竹尺接過去，問阿稻：「知道你必然不服，也別說昆明池了，就宮中太液池這周近，給你一炷香的工夫，你好好藏起來，燃一炷香後，若是阿娘尋不出你，就免了這頓打；若是尋得出你，你就好好認錯，老實挨打，再別掂記出去玩。」

阿稻倒也痛快，說道：「阿娘若是親自來察看，那就是欺負我年幼了，您只能說與父皇，我藏在何處，不能親自來池邊察看。」

皇后點了點頭。

阿稻拔腿就跑，頭也不回。阿枕睜大了眼睛，一會兒看看父皇，一會兒看看母后，最後打了個呵欠。

阿枕哭累了，到底仗著自己年幼，四仰八叉躺在父母的床榻上沉沉睡去，姆姆在一旁，替她輕輕打著扇子。

隔著幾重珠簾，帝后坐在幽深殿中，一時無言。

過得片刻，皇帝終於忍不住抱怨：「我就說該狠狠打一頓才是。」

皇后搖了搖白紈扇，說：「待會兒把他從假山石子裡揪出來，你再打也不遲。」

皇帝問：「妳怎麼知道他會藏在假山石子裡？」

「我生的，我當然知道，脾氣也不知道像誰，不試一試，總不肯服輸。」

皇帝故作氣惱。「妳這是話裡有話？」

「陛下聽出來了？」皇后故作訝異，「臣妾惶恐。」

「無法無天，膽大任性！」皇帝極力做出生氣的樣子，但想到過會兒可以親自打兒子，還是忍不住笑了。

簾外明晃晃的太陽，端午節的午後，殿裡有清涼的香氣，是菖蒲艾葉，並著沉水香。皇帝瞇著眼睛看了看快要燃盡的那炷香，起身對皇后道：「娘子稍待，我去把那小子揪出來。」

「去吧。」皇后笑吟吟的，「別打太狠，記得打肉多的地方。」

皇帝輕袍緩帶，意氣風發，走出殿門，去享受教訓兒子的樂趣。

阿枕這一覺好睡，等醒來的時候，見父母都在，頓時開心得不得了，高高興興陪著父母用了晚膳，忽然想起來。「阿兄呢？他沒有挨打吧？」

帝后對望一眼，皇后從容道：「他下午在太液池玩了一下午，這會兒累了，就回去睡了。」

阿枕到底年幼，很好糊弄，馬上就高興起來，伸著胳膊摟住父親的腰。「阿爹晌午好凶，我還以爲阿爹眞的要打阿兄。那我可生氣了，一輩子不理阿爹了。」

皇帝抱著粉妝玉琢的女兒，偷偷朝皇后夾了夾眼睛。一家三口，其樂融融。

至於阿稻，他正趴在床上，一邊任由內侍給自己塗金創藥，一邊百思不得其解。太液池方圓數里，可藏身處何止百處，怎麼自己就會被徑直揪出來，只好服輸認打。

還是要好好奮發上進，阿稻痛定思痛，心想，無論如何，得讓父皇答應送自己去跟著阿翁學兵法，至不濟，也得跟著裴詵去禁軍中學習學習，演練演練。

起碼下一回不能讓父皇那麼痛快，揪出來便打。

番外二　瑪瑙湖邊的藍花

揭碩草原上有一座湖，湖邊開滿了藍色的花。養傷的時候，柳承鋒常常坐在湖邊。這裡已經是極北之地，大漠邊緣，天亙山雪白的山巔，倒映在湖泊裡，被日頭映著，波光粼粼。湖水像一面鏡子，又好似一片巨大的琉璃，裡頭倒映著藍天白雲，還有揭碩人一望無際的草場。

平時，總會聽到悠長的牧歌，那是揭碩少年，在心愛的女子帳篷前唱歌，他們會從黃昏時分，一直唱到夜晚。

新月升起，天邊有明亮的星子，閃閃爍爍。在夜色中，北斗七星格外分明，還有天亙山隱隱約約的山脊，即使是夏天，天亙山的山巔，也會積滿了白雪。

每到這個時候，他都會想，阿螢是在做什麼呢？阿螢一定以爲他已經死了吧，他也覺得自己早就死了，活著的，不過是一具行屍走肉。

他是如此地厭棄自己，乃至於揭碩巫醫對他說：「你死後靈魂會化爲惡鬼。」他反倒笑了。惡鬼好啊，他不會作祟的，他只會遠遠地跟著阿螢……不，不能跟著她，也許會嚇著她，怎麼辦？

阿螢其實並不信什麼鬼神，從小到大，她都說，若是這世上有神佛，那爲什麼壞人並不會遭到報應，爲什麼好人那麼艱難，爲什麼她阿娘會死？

她也不信有鬼，她常常說，她心中無愧，所以不怕什麼惡鬼。

或許見到了他的鬼魂，她也並不會害怕，只會覺得厭惡吧。別說阿螢了，就連他自己，都深深地厭惡著自己。

崔家子弟，絕不降於揭碩，可是如今他不僅降了揭碩，還打算出賣一切。

如果這世間有地獄，就讓他死後下到地獄裡去受盡磨難吧，但此刻，他只想活著。

最後一次離開揭碩草原的時候，他對阿恕說：「若是有一日我死了，便將我的骨灰揚了吧，我是個死無葬身之地的人。」

阿恕卻不肯應允，他說道：「公子，此話不吉。」

「這有什麼吉利不吉利的。」柳承鋒不以爲然，他此番再入中原，只想帶走阿螢，他會帶著她回來，回到揭碩來，和她住在這開滿藍花的湖水邊。但如果事敗身死，他覺得挫骨揚灰，也是個不錯的下場。

其實他並不怕死，等到終於將阿螢攬入懷中的時候，他在心裡想，死有什麼可怕的？烏延以爲他會爲了自己活下去而毒殺阿螢，眞是愚蠢。他怎麼可能會殺死阿螢呢？

那枚沾唇即死的毒藥被他指腹撥弄，早就已經藏在了袖中，他餵給阿螢的，只是崔家特製的假死祕藥。

只可惜，外邊搜捕的人，竟然好像要走了，他情急之下撲上去與烏延動手，終於撞破了壁板，但在他撞破壁板的那一瞬間，烏延手中的利刃也割破了他的咽喉。血噴濺而出，在墜向黑暗的那一刹那，他看見了騎在馬上的李嶷。

竟然是李嶷，他想哭，又想笑。李嶷親自帶人在搜尋阿螢，這漫天的神佛保佑垂憐，竟然令他搜到了此處。

他想告訴李嶷，阿螢還活著，阿螢沒有死，快救他，但他的喉嚨裡壓根發不出任何聲音，只有血，只有無數溫熱的血不斷噴湧而出。他痛苦地想要告訴李嶷，這一生，沒有比這一刻，讓他無比想要告訴李嶷，阿螢在哪裡，她並沒有死，要救她，這一生，請照顧好她。

但他連半個字都說不出來，李嶷一見是他摔落在馬前，幾乎立時就認出他來，也幾乎立時反應過來阿螢定然在樓上。

不愧是阿螢選中的人，在最後一刻，他在心裡欣慰地想，他總不至於眞的蠢到，以爲阿螢眞的死了。雖然爲了立時起效，令她能假死如同那揭碩的毒藥般迅猛，他不得不給她服下加倍的假死之藥，但他知道，李嶷不會輕易以爲她死了，更不會輕易就將她放在棺木中埋葬的。

因爲李嶷實在是太愛她了，就像她，阿螢實在是太愛他了，自己眞的是，無法離間這般濃烈的愛意。

他曾深深地嫉恨過，但在這一刻，這最後一刻，他是欣慰的，幸虧李嶷這麼愛她，一定能等到她蘇醒過來的。

他的手指深深地嵌進地上的泥土裡，其實他並沒有力氣挪動半根手指，哪怕能畫出半個筆劃，若能再給李嶷一點點提醒就好了。

在臨近陷入最濃重黑暗的那一剎那，他只在心裡惋惜，等到春天的時候，那個湖邊一定又會開滿了藍色的花吧，可惜阿螢這一生，都不會知道揭碩有這樣一個湖泊，他每天坐在湖邊的時候，總是會想起她。

夏日的夜晚，他坐在湖邊的草叢中，看著螢火蟲星星點點的，飛舞起來，那些螢火蟲如同繁星一般，又如同，天上的星河倒轉，傾入人間。那樣曼妙，如夢似幻。

揭碩少女看他捕捉螢火蟲，總會問他，你捉這個做什麼？他會耐心地答，只要能捉到一百隻螢火蟲，上天就會答應凡人一個願望。

揭碩少女如同恍然大悟，興沖沖地同他一起，捕捉著螢火蟲。她問他：「你有什麼心願嗎？」

他輕輕地笑起來，他能有什麼心願呢？只有他知道，小時候，阿爹每次想讓阿螢答應一件事情的時候，總會給她捉一隻螢火蟲。她說道：「一隻螢火蟲太少了，只有一百隻螢火蟲，我才會答應阿爹。」

從小到大，他何止捉過幾百幾千隻螢火蟲，但是每次捉完了螢火蟲，他都並不會對她提出任何要求，也不會拿給她看，總是在夜深人靜的時候，他會將那些螢火蟲又一一放出窗外。

眞美啊，這些提著燈籠的小精靈，牠們一閃一閃的，在夜空中慢慢飛散。

阿恕走了很遠很遠的路，終於走到了那個湖邊。他已經衣衫襤褸，腳上都是血泡，他走了幾千里的路，終於走到了這裡。春末夏初，湖邊的花兒已經謝了大半，只有零零星星，一朵兩朵藍色的小花，還在錯落地開著。

阿恕將裝著骨灰的罈子，從自己身上解下來。他打開了蓋子，將柳承鋒的骨灰，慢慢地傾入湖水中。

風吹過，遠處天亙山積雪皚皚的山巔，倒映在湖水中，還有湛藍的天空，潔白的雲朵。遠處牧人在唱著悠長的牧歌，那牧歌是揭碩話，他能聽懂大半，這調子唱得哀婉動人，卻是他從前沒有聽過的。

「天亙山上的積雪，就像愛人的心，一萬年都不會融化。雪山下的湖水，就像愛人的眼，只須一望就可以沉醉千年……放羊的少年啊，在等著心愛的姑娘……只須看她一眼，看她一眼……她就像夏日最美的螢火蟲，就像那提著燈的小小仙子……」

風越來越大了，藍色的小花在風中搖曳。阿恕站了很久很久，他舉起手，攤開掌心，讓風帶走他的最後一捧灰。

番外三　小黑：小帥和小美的故事

我叫小黑，今年七歲，是一匹很英俊的高頭大馬，一歲的時候我認識了小帥。本來我在馬槽裡吃草料，忽然有個人把我牽走了，一直牽到一個少年人面前，旁邊還站了一個穿著盔甲的人。那個穿盔甲的我認識，所有人都叫他大將軍，他的馬我也認識，他的馬很厲害，能跑得像閃電一樣快，是所有馬的偶像，平時在馬廄不怎麼搭理我們這些小馬。馬廄裡所有的小馬，都想跑得跟牠一樣快，好被大將軍選中。

我充滿期待地看著大將軍，結果大將軍對那少年說：「十七郎，這是我給你挑的馬，你看看喜歡不喜歡？」

我只想翻白眼，撅蹄子。

眼前這個少年還沒我馬肩高，而且又黑又瘦，我才不想成爲他的馬。

但是他竟然一踩馬蹬，翻身就上馬了，動作還挺利索，我又發脾氣又撅蹄子，甩了他好久，也沒把他從馬背上甩下來。

「你可還眞有點脾氣啊！」那個十七郎伸手，輕輕拍了拍我的脖子。

我氣急敗壞，但是轡繩被他捏在手裡，按規矩半個時辰不把他甩下來，我可就眞的是他的馬了，我跟你拚了！我再試！再試！甩他！

半個時辰後，我垂頭喪氣地駝著他跑在黃沙地裡，要去一個名叫牢蘭關的地方，那裡距離安西都護府很遠很遠。我不知道為什麼大將軍要把我送給這個十七郎，但是牢蘭關就牢蘭關吧，我可是一匹戰馬，再艱苦的地方我都能適應。

牢蘭關的日子當然比安西都護府要苦，但也沒有我想像得那麼艱苦。十七郎對我挺義氣，雖然沒有豆料給我吃，但他總是願意帶我去找最嫩的青草。夏天的時候，他帶我去河裡洗澡，還會把我脖子上的鬃毛都編起來，免得我太熱。秋天的時候，他會割好多好多牧草回來，屯著給我冬天吃。冬天下大雪，他會悄悄地溜進馬廄裡，給我一把他自己捨不得吃的豆子，炒熟的，可香了。

牢蘭關的日子過得飛快，還沒兩年工夫，他已經長得比我馬肩還要高了，我也長高了，我的蹄子比牢蘭關裡任何一匹馬都要長，我跑得也比牢蘭關裡任何一匹馬都要快。每次有任何比試，我們兩個總是像箭一樣地竄出去，所有的人所有的馬都追不上我們。我們兩個得意洋洋，像是踩著風，踏著流雲，一直能跑到大漠的盡頭。

我跟著他也打了好多次仗，每次打完仗，他總要仔細看看，有沒有磕到傷到我。其實我機靈著呢，敵人的箭射過來的時候，我早就躲掉了。

我覺得牢蘭關挺好的，我和十七郎成為了最好的朋友，經常一人一馬坐在大漠裡看星星，看月亮。有時候我在河邊喝水，他在河邊打水漂，他打水漂的本事可是牢蘭關數一數二，不，整個安西都護府，數一數二。有時候我喝完水，會叫他一聲，他就會不緊不慢地說：「急什麼，再玩一會兒。」

我有點無奈，畢竟我又不會說話，只會希聿聿，希聿聿。

突然有一天，我們又打仗了。這一次可走得眞遠啊，我們從牢蘭關，一直到了安西都護府，然後又沿著大漠，一直往東走，一直往東走。在路上陸陸續續，又打了幾仗，每一次都可艱苦了，也可驚險了。

直到後來，我遇見了小白。

牠可眞是一匹好看的馬，我一激動，就咬了牠一口，十七郎拚命地拉我，也沒拉住我。

你們人類，怎麼會懂我們馬！

小白像牠的主人一樣美，牠的蹄子也長，嘴唇還是粉色的。我對牠一見傾心，但牠不怎麼搭理我。

十七郎當即給我取了個名字叫小黑。這名字好，跟小白一樣好聽，我心花怒放，立刻給十七郎換了個名字叫小帥，因爲小白說她的主人叫小美。

小黑和小白，小帥和小美，天造地設的一對，不，兩對！

小白告訴了很多我不知道的事，比如小帥第一次見小美，他們兩個就打了一架，然後小美把小帥踹井裡去了。

什麼？我極力地扭過脖子，想看小帥，十七郎他被人踹井裡去了？這……這要傳回牢蘭關，我還怎麼在馬廄裡混？太丟臉了，我抬不起頭來。

不過小白說，小帥也沒有吃虧，因爲不久後，小帥就把小美踹到河裡去了。

媽耶，我作爲一匹馬，我眞不懂他們人類。

那我咬小白一口，你爲什麼拚命地拉我轡繩？大晚上的還語重心長地跟我談心，說對女孩子要斯文禮貌，不要欺負小白。

我爲什麼咬小白，是因爲我喜歡牠！我又沒把牠踹到河裡去！

小白永遠比我知道得多，有時候小帥約小美見面，都不帶我，口口聲聲說怕我欺負小白，我哪有欺負牠！我喜歡牠還來不及呢。

不就是咬了牠一口，牠也撅了我一蹄子啊，我都忍住了沒有叫。

後來有一天，我聽見小帥叫小美「阿螢」，我頓時又驚呆了，我問小白，她不是叫小美嗎？爲什麼又叫阿螢？

小白說，小美是牠給她取的名字，她長得可美啦，難道不是嗎？

我被小白騙了，傷心。進門的時候我故意擠了牠一下，果然小帥又罵我沒風度，爲什麼不肯讓著小白。

我被人騙了，哦不，我被馬騙了，我被小白騙了哎。

你被小美騙的時候，你不也傷心，失魂落魄的，我還舔你的手，安慰你呢！

小帥你不要傷心，小美是騙你的，她其實是喜歡你的，這些都是小白告訴我的，但是我不知道你們人要怎麼說話，我只會希聿聿，希聿聿。

現在我被小白騙了，小帥你半句話也不安慰我，還罵我沒風度，我是一匹馬哎，我爲什麼要有風度。

生氣了，哄不好的那種！

下次你刷馬的時候，我非撅你一蹄子不可。

你爲什麼又來牽我的韁繩，這麼晚了去哪兒啊……我是一匹七歲的馬哎，我晚上要吃點夜草，我晚上還要看星星想小白……你晚上讓我加班付加班費……哦不，加班的豆料嗎？

算了，誰教我當年沒能把你從馬背上甩下去呢，認了，認了，認眞地跑……讓我撒開四蹄跑起來……

咦，是小白呀！

小帥你眞好，你一看到小美，馬上就從馬背上跳下去了，然後小美也笑咪咪地從馬背上跳下來了，兩個人鑽進小樹林，不見了，就餘下我和小白兩個。

小白問我，晚上吃的啥。我還能吃啥啊，草料唄，小帥親自餵的，飯後點心是一把豆子，沒炒熟，生的，有點硌牙。

小白不斷地拿蹄子撅我，我都沒明白，後來牠生氣了，咬我脖子。別說，幸好今天我鬃毛修剪過，可帥了，還辮起來了。我趁機在牠脖子上蹭了一下，牠甩了甩尾巴，打了我一下。

有個東西從牠馬鞍下滾落到地上，我低頭一看，咦，居然是蘿蔔。

小白還是十分高冷，打了個噴鼻。我懂了，垂下頭，咬了一口那蘿蔔，眞甜啊。

小白在我旁邊踱來踱去，有一搭沒一搭地吃著草，我知道這個蘿蔔是牠特意帶來給我的，牠可眞好，還特意帶這麼甜的蘿蔔來給我吃。

小帥和小美手拉著手從樹林裡出來，他們通常還要站著說好一會兒話，我趁機又在小白脖子上蹭了蹭。小白撅蹄子叫我滾開，只要小美在牠面前，牠總是這麼裝模作樣。

爲什麼啊，我不是很懂，小帥和小美都手拉著手了，我怎麼就不能蹭一下小白的脖子呢？

每次見完小美，小帥都可開心了，我甩開了四蹄撒歡一樣地跑，小帥先是唱歌，後來又跟我說話。

小黑，小白好不好看？

這不廢話嗎？我的小白當然好看！全天下最好看的馬就是牠了！

小帥又想起小美了，每次他想到她，臉上就是這種傻瓜一樣的表情，得意洋洋，好像又心滿意足。

你們人類眞奇怪，爲什麼一見面，先把對方踹到井裡去，再把對方踹到河裡去，才是喜歡？

我們馬就簡單多了，就咬個脖子而已。

小帥臉上又露出那種傻瓜一樣的笑容。娶了，回牢蘭關！生一堆娃娃！娶了！

我想了一下，覺得小帥娶了小美，生一堆娃娃，確實不錯，我和小白也生好多小馬駒。等我老了，跑不動了，小馬駒都長大了，每一個載著小帥和小美的娃娃，在牢蘭河邊大呼小叫，像箭一般竄出去。

不錯，挺不錯！

不過這名字可得好好取一下，不能再叫小白小黑這麼草率了，我忽然有點發愁，我和小白，不會生出一匹斑馬吧?!

（番外完）

國家圖書館出版品預行編目資料

樂遊原 / 匪我思存著. -- 初版. -- 臺北市：春光出版, 城邦文化事業股份有限公司出版：英屬蓋曼群島商家庭傳媒股份有限公司城邦分公司發行, 2023.12
面； 公分. --

ISBN 978-626-7282-49-6（下之二：平裝）

857.7 112009499

樂遊原・下之二（完結篇）

原 著 書 名／樂游原
作　　　者／匪我思存
企劃選書人／王雪莉
責 任 編 輯／何寧

版權行政暨數位業務專員／陳玉鈴
資深版權專員／許儀盈
行 銷 企 劃／陳姿億
行銷業務經理／李振東
總　編　輯／王雪莉
發　行　人／何飛鵬
法 律 顧 問／元禾法律事務所　王子文律師
出　　　版／春光出版
臺北市 104 中山區民生東路二段 141 號 8 樓
電話：（02）2500-7008　傳真：（02）2502-7676
部落格：http://stareast.pixnet.net/blog　E-mail：stareast_service@cite.com.tw
發　　　行／英屬蓋曼群島商家庭傳媒股份有限公司城邦分公司
臺北市中山區民生東路二段 141 號11 樓
書虫客服服務專線：（02）2500-7718 /（02）2500-7719
24小時傳真服務：（02）2500-1990 /（02）2500-1991
服務時間：週一至週五上午9:30～12:00，下午13:30～17:00
郵撥帳號：19863813　戶名：書虫股份有限公司
讀者服務信箱E-mail: service@readingclub.com.tw
歡迎光臨城邦讀書花園　網址：www.cite.com.tw
香港發行所／城邦（香港）出版集團有限公司
香港九龍九龍城土瓜灣道86號順聯工業大廈6樓A室
電話：（852）2508-6231　　傳真：（852）2578-9337
E-mail : hkcite@biznetvigator.com
馬新發行所／城邦（馬新）出版集團【Cite (M) Sdn Bhd】
41, Jalan Radin Anum, Bandar Baru Sri Petaling,
57000 Kuala Lumpur, Malaysia.
Tel:（603）90563833 Fax:（603）90576622　E-mail:cite@cite.com.my

封 面 設 計／蔡佩紋
封 面 插 畫／辰露
內 頁 排 版／芯澤有限公司
印　　　刷／高典印刷有限公司

■ 2023 年 12 月 26 日初版一刷
Printed in Taiwan

售價／380元

城邦讀書花園
www.cite.com.tw

ISBN 978-626-7282-49-6

廣　告　回　函
北區郵政管理登記證
臺北廣字第000791號
郵資已付，免貼郵票

104 臺北市民生東路二段 141 號 11 樓

英屬蓋曼群島商家庭傳媒股份有限公司
城邦分公司

請沿虛線對折，謝謝！

愛情．生活．心靈
閱讀春光，生命從此神采飛揚

春光出版

書號：OF0099　　書名：樂遊原．下之二（完結篇）

讀者回函卡

謝您購買我們出版的書籍！請費心填寫此回函卡，我們將不定期寄上城邦集最新的出版訊息。亦可掃描 QR CODE，填寫電子版回函卡。

姓名：________________________

性別：□男　□女

生日：西元________年________月________日

地址：________________________

聯絡電話：________________　傳真：________________

E-mail：________________________

職業：□ 1. 學生 □ 2. 軍公教 □ 3. 服務 □ 4. 金融 □ 5. 製造 □ 6. 資訊

□ 7. 傳播 □ 8. 自由業 □ 9. 農漁牧 □ 10. 家管 □ 11. 退休

□ 12. 其他 ________________________

您從何種方式得知本書消息？

□ 1. 書店 □ 2. 網路 □ 3. 報紙 □ 4. 雜誌 □ 5. 廣播 □ 6. 電視

□ 7. 親友推薦 □ 8. 其他 ________________

您通常以何種方式購書？

□ 1. 書店 □ 2. 網路 □ 3. 傳真訂購 □ 4. 郵局劃撥 □ 5. 其他 ______

您喜歡閱讀哪些類別的書籍？

□ 1. 財經商業 □ 2. 自然科學 □ 3. 歷史 □ 4. 法律 □ 5. 文學

□ 6. 休閒旅遊 □ 7. 小說 □ 8. 人物傳記 □ 9. 生活、勵志

□ 10. 其他 ________________________